Oksa Pollock

DÉJÀ PARUS
CHEZ XO ÉDITIONS

Oksa Pollock, tome 1, *L'Inespérée*, 2010

Oksa Pollock, tome 2, *La Forêt des égarés*, 2010

Oksa Pollock, tome 3, *Le Cœur des deux mondes*, 2011

Oksa Pollock, tome 4, *Les Liens maudits*, 2012

Oksa Pollock a reçu le Prix ados 2012 de la ville de Rennes, Ille-et-Vilaine ainsi que le Prix du jury des Jeunes Lecteurs de la ville de Vienne (Autriche).

ISBN : 978-2-84563-508-1

Anne Plichota et Cendrine Wolf

*****

Le Règne des félons

Pour Zoé, comme d'habitude

L'ARBRE GÉNÉALOGIQUE DES POLLOCK

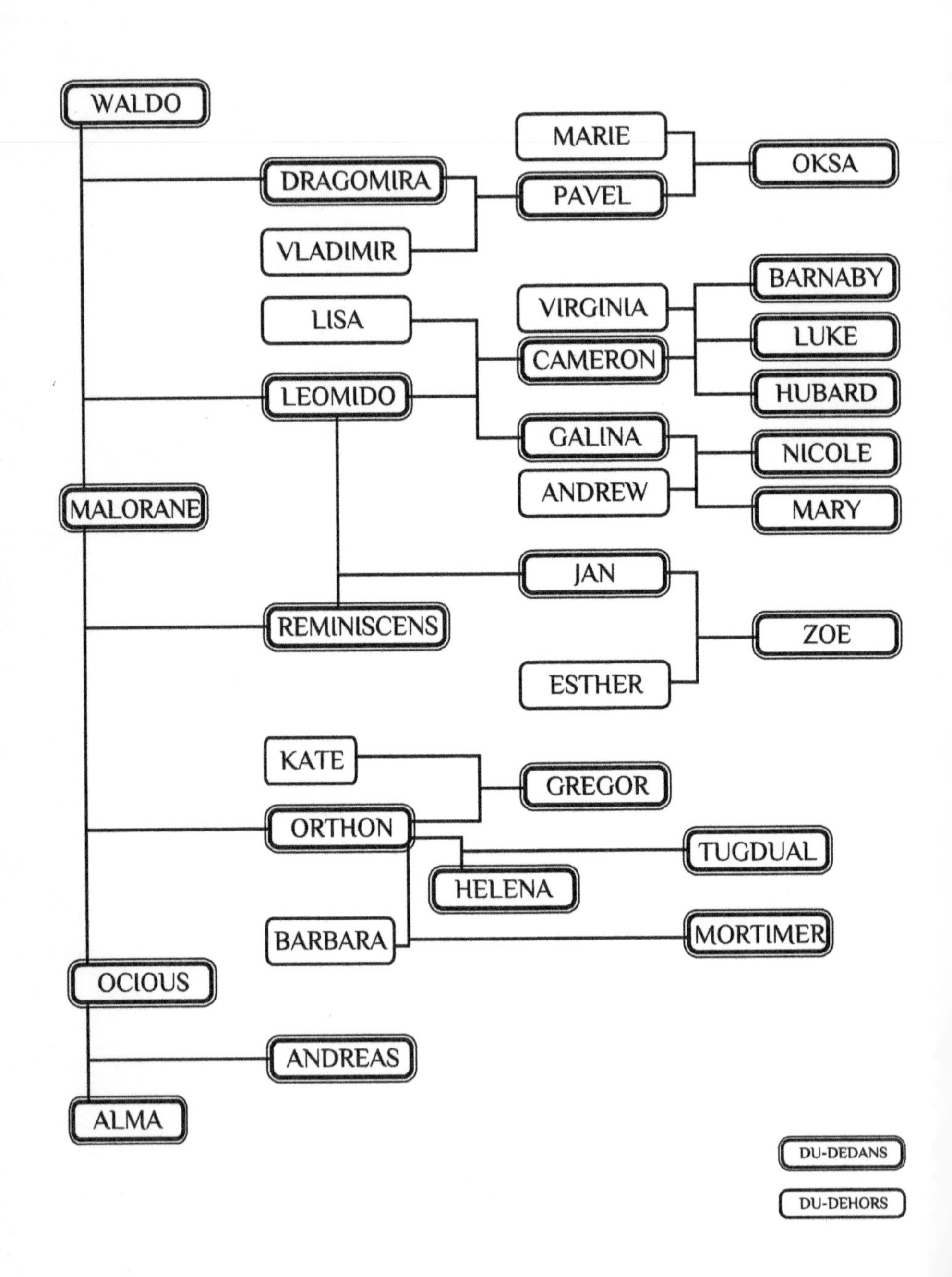

L'ARBRE GÉNÉALOGIQUE DES KNUT

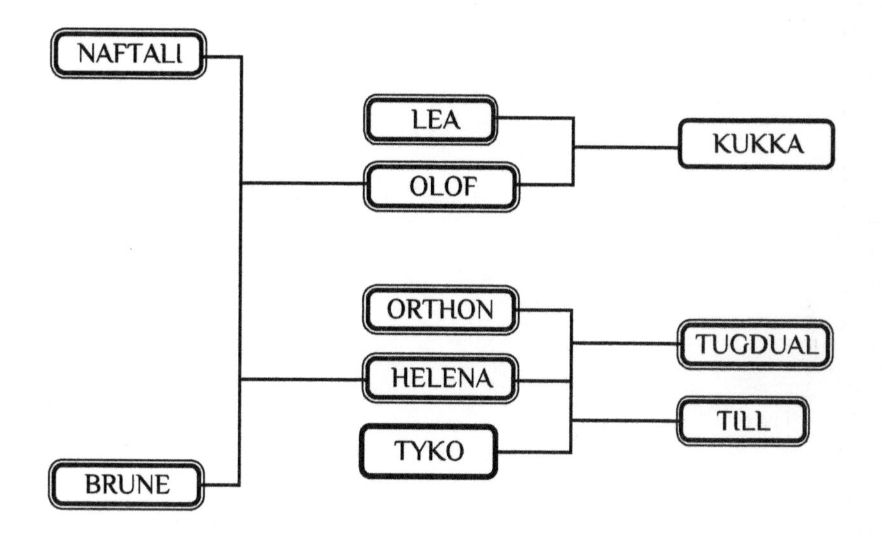

DU-DEDANS

DU-DEHORS

Précédemment
dans Oksa Pollock…

L'Inespérée, tome 1
La Forêt des égarés, tome 2
Le Cœur des deux mondes, tome 3
Les Liens maudits, tome 4

Dès son intronisation en tant que Gracieuse, Oksa doit sauver le Cœur des Deux Mondes afin que Du-Dehors et Édéfia ne sombrent pas sous les assauts des cataclysmes qui les ravagent. Avec l'aide des Sans-Âge et de Dragomira, devenue l'une d'entre elles, elle réussit sa mission et doit aussitôt échapper à Ocious et à Orthon, dont l'ambition est de la forcer à ouvrir le Portail pour pouvoir passer à Du-Dehors. Peu importe si elle doit en mourir, comme les deux Gracieuses avant elle…

Une part d'elle-même va cependant s'échapper quand elle sent le danger planer au-dessus de ceux qui n'ont pu passer à Édéfia, et son Autre-Moi ne tarde pas à rejoindre les Refoulés : pendant quelques instants, elle est aux côtés de sa mère et de Gus, dont l'absence est une souffrance permanente.

Alors qu'Ocious, hors de lui, met Édéfia à feu et à sang en suivant la piste d'Oksa, Oksa trouve abri à Vert-Manteau où la population est entrée en rébellion contre la tyrannie d'Ocious. Elle y retrouve son père, Abakoum et Zoé, ainsi que Tugdual, avec lequel les liens se resserrent.

Les représailles des Félons sont terribles : allant à l'encontre des grands principes ancestraux, les Félons détruisent Vert-Manteau. Mais les derniers Sauve-Qui-Peut, retenus en otage jusqu'alors, sont enfin libérés, les Félons sont mis en déroute et la population d'Édéfia se révèle plus unie que jamais derrière sa Nouvelle Gracieuse.

Les partisans d'Oksa et les Sauve-Qui-Peut s'installent à Du-Mille-Yeux, protégée par l'Égide, un immense bouclier magique. Orthon essaie d'entrer, mais il est repoussé.

Oksa prend son rôle de Jeune Gracieuse très au sérieux et s'attelle rapidement à ses premières tâches : libération des opposants d'Ocious, constitution du Pompignac – le gouvernement Gracieux –, reconstruction et rétablissement des fondations... Parallèlement, elle utilise son Autre-Moi pour aller voir les Refoulés : comme à Édéfia, la reconstruction est en route à Du-Dehors, mais Gus et Marie vont mal. Pour ne rien arranger, Kukka se rapproche de Gus et Oksa est piquée au vif.

Tugdual devient plus mystérieux et plus sombre, il s'absente souvent, ce qui tourmente Oksa. Elle est témoin de la rencontre entre Tugdual et Mortimer, un des deux fils d'Orthon. Décontenancée, Oksa décide de garder le silence et d'observer son amoureux sous un œil plus attentif. Son pouvoir sur la jeune fille est toujours aussi puissant et, quand il cherche à savoir si Oksa peut ouvrir le Portail, elle lui confie qu'une ouverture est possible, soumise à trois contraintes : elle a lieu bientôt, sa durée est limitée et son accès uniquement réservé aux Cœurs Gracieux.

Dans les montagnes À-Pic, la discorde est à son comble entre Ocious et ses fils, Andreas et Orthon. Ce dernier sort alors une carte maîtresse de sa manche : Tugdual apparaît à ses côtés. Un lourd secret semble lier le Félon et le jeune homme. Tugdual semble meurtri et ravagé par l'influence d'Orthon sur lui. Au cours d'un tête-à-tête électrique, Orthon dévoile à Ocious que celui-ci ne pourra pas sortir car il n'est pas un Cœur Gracieux. Orthon jubile. Ocious menace de le lâcher. Alors, Orthon le tue pour pouvoir garder à ses côtés l'armée du vieux maître.

Les Félons lancent une attaque sur Du-Mille-Yeux. Ils réussissent à entrer. S'ensuit un Nouveau Chaos. La bataille est violente et son issue voit la victoire des partisans Gracieux. Mais les pertes sont douloureuses et les Sauve-Qui-Peut sont confrontés au meurtre d'Helena, la mère de Tugdual, par Orthon. Alors, Cameron, un des grands-oncles d'Oksa, tue à son tour le Félon.

Le cœur lourd, Oksa ouvre le Portail et passe à Du-Dehors avec les herbes médicinales qui pourront soigner Marie et l'élixir Murmou qui libérera Gus de ses souffrances. Les Cœurs Gracieux atterrissent les uns après les autres à Londres. Cependant, une très mauvaise surprise les y attend : Orthon n'est pas mort ! Il a utilisé la métamorphose en se faisant passer pour Cameron, a tué son frère Andreas, puis il a suivi Oksa et les Sauve-Qui-Peut en compagnie de ses deux fils, Mortimer et Gregor.

Un nouveau choc survient quand Tugdual apparaît à son tour. On découvre non seulement qu'il est un Cœur Gracieux, mais également qu'Orthon est son véritable père. Le Félon exerce manifestement une grande emprise sur le jeune homme. Alors que Mortimer choisit de rester avec les Sauve-Qui-Peut, Tugdual s'enfuit aux côtés de Gregor et d'Orthon.

Prologue

Dans un bruissement d'ailes, les pigeons cédèrent leur place aux trois hommes qui venaient d'atterrir sur la corniche bordant le dôme de la cathédrale Saint-Paul. Les oiseaux disparurent bientôt au-dessus de Londres, endormie et silencieuse au cœur de la nuit.

– Nous avons réussi, Père... fit l'un des étranges visiteurs au terme de plusieurs minutes de silence.

– Au-delà de mes espérances, oui, confirma le plus âgé.

Il redressa fièrement la tête. Puis, contre toute attente, il décolla comme une fusée et traversa les bandes cotonneuses de brouillard. Il suivit le cours de la Tamise, survola Westminster et Buckingham avant de rejoindre les deux jeunes hommes juchés au sommet de Saint-Paul. Là, il s'étira, les bras tendus vers le ciel, et s'exclama :

– Quel retour inespéré, n'est-ce pas ?

– Je n'ai jamais douté de toi, Père.

– Je le sais, Gregor.

– Jamais je n'oublierai la tête de cette chère Oksa Pollock et de ces idéalistes de Sauve-Qui-Peut quand ils nous ont vus émerger de la fontaine, poursuivit Gregor.

Orthon fit écho à ses éclats de rire sardoniques.

– Tu as toujours su soigner tes entrées, Père.

Orthon acquiesça sans modestie et se tourna vers l'autre jeune homme, resté muet jusqu'alors.

– Et toi, Tugdual ? N'es-tu pas heureux de retrouver Du-Dehors ?

Le garçon laissa son regard polaire se perdre dans l'immensité de la ville étalée au pied de la cathédrale et murmura :

– Si, très heureux.

– D'autant plus que tu gagnes une nouvelle famille, insista Orthon. Une vraie famille qui t'accepte tel que tu es et qui a toujours cru en toi.

Tugdual restait impassible. Seule une minuscule veine battait sur sa tempe. Orthon posa la main sur son épaule et l'engagea à se tourner vers lui. Il le dévisagea longuement, avant de refermer les bras autour du jeune homme dans une étreinte implacable.

– Mortimer a choisi son camp et n'a pas hésité à me trahir, souffla-t-il à son oreille. Mais en perdant un fils, j'en accueille un autre de beaucoup plus de valeur. Bienvenue à mes côtés, mon fils. Tu vas enfin pouvoir devenir celui que tu es.

Les paupières de Tugdual s'abaissèrent et sa respiration se ralentit. Pendant un instant, on aurait pu croire qu'il était mort. Puis il rouvrit les yeux.

– Oui, Père… dit-il enfin.

1

Un bonheur trop difficile

À la suite des cataclysmes ayant ravagé le monde, si les Londoniens avaient fini par s'habituer aux pénuries d'électricité, Oksa et les Sauve-Qui-Peut, eux, n'avaient jamais vu la ville enveloppée par une telle obscurité. Au point que Pavel Pollock dut solliciter le Culbu-gueulard d'Oksa pour aider ses amis à se diriger au cœur de cette nuit aussi noire qu'un puits sans fond.

Un puits sans fond... Voilà exactement l'endroit où Oksa avait l'impression de se trouver depuis le retour à Du-Dehors. Anesthésiée par la douleur d'avoir vu Tugdual, celui qu'elle aimait, s'éloigner d'elle avec tant de brutalité, elle volticalait comme un automate, les yeux fixés sur son père. Quand il amorça sa descente en direction d'un pâté de maisons bordant un parc, elle prit conscience en le suivant que ce qu'elle espérait avec tant d'ardeur depuis des mois arrivait enfin : les Sauve-Qui-Peut étaient de retour à Bigtoe Square ! Pas tous, malheureusement, car seuls les Cœurs Gracieux et Abakoum avaient pu traverser le Portail d'Édéfia, onze d'entre eux seulement. Onze au départ, quatorze à l'arrivée en comptant les trois passagers clandestins qui s'étaient invités.

Alors que tout le monde le croyait mort, Orthon – qui d'autre que lui ? – avait provoqué un terrible choc en émergeant de la fontaine de Trafalgar Square à la suite des Sauve-Qui-Peut, quelques minutes plus tôt. La métamorphose avait parfaitement fonctionné : il avait pris l'apparence de

Cameron, l'un des leurs, et tous avaient été bernés. Néanmoins, ce n'était pas la seule surprise que le Félon avait réservée à ses ennemis de toujours…

En effet, jusque-là, on ne lui connaissait que deux fils, Gregor et Mortimer. Ce dernier avait su trouver les arguments pour convaincre les Sauve-Qui-Peut d'accepter son ralliement. En dépit du scepticisme de certains, la Gracieuse Oksa et le Premier Serviteur du Pompignac, Abakoum, s'étaient portés garants de la loyauté du jeune homme. Toutefois, ce qu'ils ignoraient, c'était qu'Orthon avait un troisième enfant, né de la plus infâme de ses machinations, dix-sept ans plus tôt.

Tugdual était son fils.

À son corps défendant, selon le Foldingot d'Oksa. Mais l'évidence n'en faisait pas moins mal : Tugdual avait quitté les Sauve-Qui-Peut pour rejoindre son véritable père, ravageant au passage le cœur d'Oksa et des siens.

– Ah, le voilà ! s'écria Zoé en montrant une silhouette massive lancée dans leur direction à une vitesse impensable.

Privé du don de volticaler, Abakoum avait parcouru en courant les rues sombres jusqu'à Bigtoe Square, le Foldingot enfoui sous son ample manteau. Il rejoignit ses amis au milieu du square et leur jeta un regard fiévreux, tout particulièrement à Oksa dont la souffrance figeait les traits.

– Les explications et la convalescence feront la rencontre avec le cœur de ma Jeune Gracieuse dans un délai plus tardif, souffla le Foldingot à Oksa, ses gros yeux doux rivés sur sa maîtresse. Maintenant sonne le temps de la retrouvaille avec les Refoulés, la réjouissance et le soulagement connaissent le débordement, faites-vous l'approbation ?

Oksa frémit, puis opina de la tête, au bord des larmes. Une fois de plus, le petit intendant prouvait son bon sens et sa sagesse.

– Allons-y… fit Pavel.

Il passa un bras autour des épaules de sa fille et l'entraîna vers la maison des Pollock, qui, après ces longs mois d'éloignement, paraissait presque irréelle. Oksa la trouvait plus petite que dans son souvenir, mais peut-être était-ce l'effet de l'obscurité, écrasante. Collée à une dizaine d'autres, toutes semblables, elle se distinguait par la bougie posée sur le rebord d'une fenêtre – celle correspondant à la chambre d'Oksa. Sa flamme, bien que faible et vacillante, faisait l'effet d'un véritable phare aux yeux des Sauve-Qui-Peut. À n'en pas douter, les Refoulés les attendaient, chaque jour, chaque nuit.

Tordue par la violence des intempéries qui s'étaient abattues sur Londres, la grille en fer forgé grinça quand Pavel la poussa. Quelques secondes plus tard, une fenêtre s'ouvrit au dernier étage et un cri étouffé retentit :

– Ce n'est pas possible !

Il ne fallut pas longtemps pour que plusieurs fenêtres s'éclairent et laissent voir des ombres qui s'agitaient. Bientôt, une multitude de verrous furent actionnés depuis l'intérieur et la porte d'entrée s'ouvrit enfin, dévoilant la présence de quelques-uns des habitants.

La stupéfaction pétrifia les Sauve-Qui-Peut comme les Refoulés. Le perron semblait s'être transformé en une frontière infranchissable, aucun ne parvenait à faire un pas vers l'autre, de peur que tout cela ne soit qu'un rêve. Croire encore un peu que ce moment existait vraiment avant que tout ne s'effondre à nouveau…

Et pourtant, personne ne rêvait.

Mortimer fut le premier à gravir les quelques marches et à se jeter dans les bras de sa mère, Barbara. Galina et ses deux filles se précipitèrent à leur tour vers Andrew, qui disparut sous les effusions de joie de sa famille reconstituée. Akina et Virginia ne tardèrent pas à faire leur apparition. Déchirées entre la joie de retrouver leurs chers amis et la déception de ne pas voir parmi eux ceux qui leur manquaient tant – leurs enfants et leur mari, restés à Édéfia –, les deux femmes fondirent en larmes tout en embrassant les Sauve-Qui-Peut.

– Ne restons pas là ! fit Andrew en regardant tout autour de lui. Entrons, entrons vite !

Dès qu'elle eut posé le pied sur la première marche du perron, Oksa avait désespérément cherché des yeux sa mère, Marie, et son ami si précieux, Gus. Mais aucun des deux n'avait surgi et la panique commençait à faire son œuvre, sournoise et envahissante. Une fois dans le hall, quand elle aperçut Gus émerger de la pièce qui avait été sa chambre – la première sur le palier du premier étage, face à l'escalier –, elle faillit tomber à la renverse.

Les cheveux sur les oreilles, le visage fermé et l'allure rigide, le jeune homme avait encore changé depuis qu'Oksa l'avait vu pour la dernière fois, lorsque son Autre-Moi l'avait conduite jusqu'à la maison des Pollock où les Refoulés étaient réfugiés. Gus et Marie n'avaient pas compris précisément ce qui se passait, mais la présence d'Oksa ne leur avait pas échappé. Quant à la Jeune Gracieuse, elle s'était gorgée de cet étrange contact, pourtant impalpable et frustrant. Et maintenant, Gus était là, en chair et en os. Combien de temps s'était-il écoulé pour qu'il soit si différent ? Tout au plus quelques semaines, si l'on en jugeait par le feuillage automnal des arbres du square et la fraîcheur de la nuit.

– Oksa ? C'est toi ? fit-il, aussi décomposé que s'il voyait un fantôme.

En examinant toutes les personnes qui s'embrassaient dans l'entrée, sa mine s'assombrit. Ses parents ne faisaient pas partie du groupe de « revenants ». Hagard et crispé, il descendit les marches et, arrivé au niveau d'Oksa, il l'observa longuement, ses yeux marine détaillant chaque partie de son visage et de son corps. Devant cette inspection, Oksa perdait contenance. Avait-elle beaucoup changé, elle aussi ? Selon le regard de Gus, oui, c'était probable.

– C'est pas croyable… murmura-t-il, la main devant la bouche. Tu as fini par revenir… Je n'aurais jamais pensé que tu ferais ce choix.

Suffoquée d'indignation, la jeune fille se retint de hurler. Gus ne semblait pas se rendre compte que ce retour n'était pas un choix, mais une obsession qui, depuis l'instant où elle avait été séparée de lui et de sa mère, sur les rives du lac de Gaxun Nur, ne la quittait pas. Croyait-il avoir été le seul à souffrir ? Le coup d'œil qu'elle lui adressa, plein de révolte et de désappointement, en disait long sur son ressentiment. Pourtant, elle était bien placée pour savoir ce que Gus dissimulait derrière cette posture et, en cela, il était resté le même, un peu bougon, assez exaspérant. Son visage, d'abord dur, s'adoucit peu à peu pour retrouver la sensibilité qu'elle lui connaissait. Emplie du bonheur de le retrouver, Oksa ébaucha un sourire et s'approcha pour l'embrasser, ou du moins lui montrer combien elle était heureuse de le revoir.

C'est alors qu'elle vit ce qui, au fond d'elle, représentait la pire de ses craintes.

Son cœur s'arrêta. Le sang se figea dans ses veines.

Kukka venait d'apparaître en haut de l'escalier.

La blonde et glaciale Kukka. La Princesse des Glaces, sublime même en pyjama informe, divine même au saut du lit. Mais pire que tout, Kukka sortant de son ancienne chambre, celle qu'occupait désormais Gus.

2

Au bord du gouffre

– Où sont mes parents ? demanda impérieusement Kukka depuis l'étage.

– Ils vont bien, rassure-toi, lui répondit Abakoum en lui faisant signe de le rejoindre.

– Où sont-ils ? interrogea-t-elle à nouveau, tremblante.

Sa voix était devenue presque stridente et l'angoisse rendait sa démarche incertaine alors qu'elle descendait l'escalier, agrippée à la rampe.

– Gus ? fit-elle en le cherchant des yeux.

Le jeune homme se tourna vers elle.

– Les miens ne sont pas là non plus… lui fit-il remarquer, décontenancé.

– Vos parents font partie de ceux qui n'ont pas pu passer le Portail avec nous, annonça Abakoum, une main posée sur l'épaule de chacun des deux jeunes gens. Mais ils sont en bonne santé, tout va bien, je vous assure.

– Tout va bien ? répéta Kukka, au bord de la crise de nerfs. Eh bien, moi, je trouve que rien ne va !

– Kukka… S'il te plaît… gémit Gus.

Oksa se faisait-elle des idées ou bien le ton sur lequel Gus parlait était-il vaguement agacé ? Kukka se trouvait maintenant face à elle. Mais submergée par son angoisse, elle ne semblait même pas la voir. Oksa en fut presque touchée. Elle connaissait le vertige sidéral qui vous saisissait dans ce genre de situation. Pourtant, sa compassion s'envola dès que Kukka se jeta contre Gus et enroula les bras autour de son cou. Le lien qui maintenait ses cheveux se défit et de longues mèches soyeuses s'échappèrent, se répandant sur ses épaules, caressant au passage celles du garçon. Si elle avait pu choisir, Oksa aurait préféré recevoir un coup de poing dans l'estomac plutôt que cette image en pleine figure.

Comment survivre à deux séismes affectifs de magnitude cent dans la même soirée ?

Comment ne pas céder au désespoir, alors que ces retrouvailles avaient tout d'un miracle ?

Comment garder sa dignité alors qu'on ne rêve que d'une chose : griffer jusqu'à ce qu'elle en meure celle qui venait de tout gâcher ? Mais les ongles d'Oksa étaient bien trop rongés pour pouvoir tuer quiconque. Et son orgueil bien trop grand pour qu'elle montre l'étendue des dégâts provoqués par celle devenue une ennemie à la seconde où elle l'avait rencontrée…

– Pourquoi ? sanglota Kukka, collée contre Gus. Pourquoi mes parents ne sont pas là ?

– Abakoum vient de dire qu'ils vont bien, c'est le plus important, non ? rétorqua Gus en se dégageant de son étreinte. Tu préférerais qu'il te dise qu'ils sont morts ?

Oksa chancela, consternée par le cheminement de ses pensées et par l'ordre dans lequel elles se présentaient, malgré elle. Elle était en train de se rendre malade parce que Gus tenait dans ses bras une autre fille, alors qu'elle avait enduré mille périls pour arriver jusqu'ici, qu'elle n'avait pas vu sa mère depuis des mois et qu'elle lui manquait atrocement.

– Maman… murmura-t-elle d'une voix blanche.

Marie Pollock n'était pas là.

Comme les parents de Kukka et ceux de Gus, comme Cameron, Tugdual et tant d'autres, elle manquait cruellement à l'appel.

Personne ne prononçait le moindre mot. Une porte claqua, poussée par un courant d'air. Le vent commençait à gonfler dehors, à l'image de la panique de la Jeune Gracieuse dont les digues intérieures se brisaient les unes après les autres. Pâle et figée, elle ressemblait à une statue de marbre sur le point d'imploser. Ce retour à Du-Dehors était un vrai désastre. Que pouvait-il arriver de plus ? de pire ? Un coup de tonnerre ébranla la nuit, tirant Oksa de son cauchemar éveillé. Elle remua la tête, les yeux écarquillés comme si elle découvrait soudain le lieu où elle se trouvait. Loin de la soulager, le sanglot qui la compressait creva dans sa poitrine en répandant des vagues de poison.

– Où est Maman ? demanda-t-elle, à court d'air.

Kukka laissa échapper un sifflement méprisant et fit volte-face en serrant les poings.

– Oksa ! Je suis là !

En entendant cette voix tant aimée, Oksa étouffa un cri et se précipita vers le salon, Pavel sur ses talons.

Ne pas montrer combien on est horrifié quand on se trouve face à l'insoutenable représente sûrement une des épreuves les plus difficiles à affronter. Malgré son jeune âge, Oksa avait déjà été confrontée à des chocs terribles. La disparition sous ses yeux de Dragomira, sa grand-mère adorée ; le vol par le Diaphan de tout sentiment amoureux chez sa petite-cousine, Zoé ; le meurtre d'Ocious et d'Helena Knut par Orthon ; la fuite de Tugdual aux côtés du Félon… Mais voir sa mère dans cet état… Non, c'était au-delà de ce qu'Oksa était capable de supporter.

Excepté cette ineffable douceur au fond de ses yeux et sa voix, caressante malgré l'épuisement, Marie Pollock était méconnaissable. Si elle n'avait pas parlé, Oksa aurait pu croire qu'il s'agissait de quelqu'un d'autre. Ô combien elle aurait aimé…

Une vieille femme sur son lit d'agonie. C'étaient les premiers mots qui venaient à l'esprit quand on voyait Marie. Sa peau cireuse collait à ses os, si tendue sur les pommettes, les côtes, les phalanges, qu'elle semblait pouvoir se déchirer au moindre geste. Ses cheveux, autrefois brillants, n'étaient plus qu'une poignée de ficelle grise, rêche et effilochée.

Dans un effort paraissant surhumain, elle tendit le bras vers Oksa. L'aiguille de la perfusion, enfoncée dans le pli de son coude, tira sur sa peau fragile et lui arracha une grimace. Mais rien ne pouvait l'arrêter dans son élan. Elle se redressa avec beaucoup de difficulté, avant que Barbara McGraw ne se précipite pour l'aider à prendre appui contre ses oreillers.

Pavel et Oksa la regardaient, paralysés d'effroi.

– Eh bien, je fais peur à ce point ? fit Marie dans un souffle épuisé.

Les quelques pas qui la séparaient de sa mère furent chargés d'émotions contradictoires. Comment se laisser gagner par l'ardeur du regard, si vivant, tout en faisant abstraction de ce corps décharné, si proche de la fin ? Mais une fois blottie contre sa mère, Oksa oublia les os saillants, l'odeur des médicaments, les cernes sombres.

Pavel, dévasté de chagrin, les rejoignit très vite.

– Il était temps que vous reveniez... murmura Marie.

À ces mots, Oksa releva la tête et tenta de ne pas montrer son effarement. Sa mère vivait-elle ses derniers instants ? Les Sauve-Qui-Peut étaient-ils arrivés à temps... pour l'accompagner vers la mort ? Comme pour illustrer cette terrible perspective, Marie ferma les yeux.

– Marie... Non ! gémit Pavel en prenant entre ses mains la tête de sa femme, affaissée sur le côté. Tu ne peux pas partir ! Pas maintenant...

Il l'embrassa avec toute la force de son désespoir. À ses côtés, Oksa se tordait les mains, au supplice.

– Il faut lui donner le remède... Abakoum, vite, sauve-la ! cria-t-elle.

Figé au pied du lit, l'Homme-Fé observait Marie avec une inquiétude évidente. Un frisson l'agita. Il fouilla prestement à l'intérieur du sac dont il ne s'était pas encore séparé et se saisit de son Coffreton d'où il sortit une boulette de la taille d'une bille.

– Tiens bon, Maman ! fit Oksa pendant qu'Abakoum décrochait la perfusion. C'est de la Tochaline, tu vas guérir !

– Vous en avez trouvé ? balbutia Marie.

– C'est Mortimer, ne put s'empêcher de corriger Oksa avec sa spontanéité coutumière.

La soudaine appréhension au fond des yeux de Marie n'échappa à personne. Elle balaya l'air d'un geste de la main, arrachant l'aiguille de la perfusion. Du sang se répandit sur les draps alors que la malheureuse enfouissait la tête dans ses oreillers.

– Non, Abakoum…

– Mortimer est des nôtres, rassure-toi ! s'empressa de préciser Pavel.

– Il a pris de gros risques pour aller chercher la Tochaline à l'Inapprochable, renchérit Oksa, furieuse contre elle-même.

Mais pourquoi ne s'était-elle pas tue ? Sa mère se trouvait dans cet état à cause du savon empoisonné offert malgré elle par Zoé, sur le commandement d'Orthon. Alors, quoi de plus légitime que de craindre une nouvelle ruse de la part du Félon par l'intermédiaire de son fils ?

– J'ai fait cette préparation moi-même, intervint Abakoum. Je te garantis son absolue fiabilité.

En dépit de ces paroles rassurantes, Marie refusait qu'on lui administre le remède. Elle se braqua et, dans un ultime sursaut, s'effondra, les yeux mi-clos, vitreux.

– Elle est en train de mourir ! hurla Oksa. Vite, Abakoum !

– Aide-moi, Pavel !

Les deux hommes s'affairèrent autour de la perfusion. Quand Abakoum plaça la boulette de Tochaline dans la poche, les substances se mélangèrent, d'abord effervescentes, puis gazeuses. D'âcres volutes rouges s'échappèrent. La gorge irritée, tous s'entreregardèrent en retenant leur souffle.

Abakoum prit le bras de Marie et planta l'aiguille qui s'était échappée plus tôt. Le liquide rouge sang s'écoula de la poche à travers le tube de plastique transparent et pénétra sous la peau. Les yeux de la malade se fermèrent doucement alors que son corps s'abandonnait à un repos que chacun craignait définitif.

3

Enfin réunis !

Tous redoutaient le pire. Incapables d'autre chose que d'attendre et de veiller Marie dans un silence pesant, les Sauve-Qui-Peut et les Refoulés avaient mis de côté leur joie et leurs innombrables questions. Seul le Foldingot se risqua à intervenir :

– La mère de ma Jeune Gracieuse parcourt le chemin de la guérison, annonça-t-il de sa voix aigrelette. Ses amis doivent extirper l'angoisse hors de leur esprit et procéder à la reprise de la vie.

Ses pensées soulagèrent Oksa un moment, quand soudain elle se retourna vers Gus. Assis sur une caisse en bois, au fond de la pièce, le dos courbé, le teint gris, les yeux las, son regard trahissait sa solitude face à la souffrance. Aucune des personnes présentes autour de lui ne pouvait rien contre cela.

Oksa l'observa avec une acuité qui se mua bientôt en une sincère inquiétude. Remarquant l'attention de la Jeune Gracieuse, Kukka se rapprocha de Gus, posa la tête sur son épaule et prit sa main pour embrasser le bout de ses doigts. Gus se laissa faire jusqu'à ce que son regard croise celui d'Oksa.

– Qu'est-ce qu'il y a ? fit-il en se redressant.

Par son mouvement, il se détacha sensiblement de Kukka.

– On dirait que tu as vu un zombie, poursuivit-il. J'ai si mauvaise mine que ça ?

– Gus… bredouilla Oksa.

– Il est très malade, je te signale, intervint Kukka.

– Oh, merci, Kukka ! rétorqua Oksa, la voix pincée. J'avais presque oublié pourquoi je tenais tant à revenir à Du-Dehors... Heureusement que tu es là !

La belle Scandinave afficha une expression maussade alors qu'Oksa se mordillait la lèvre inférieure en voyant une nouvelle grimace tordre le beau visage de Gus. La douleur faisait son œuvre. Avec une honte grandissante, Oksa comprit que chaque seconde qui s'écoulait aggravait le calvaire enduré par le garçon.

« On va crever et personne n'y peut rien. »

La phrase qu'Oksa l'avait entendu prononcer quand son Autre-Moi l'avait conduite à Bigtoe Square résonnait en elle. Depuis leur arrivée chaotique à Du-Dehors, la concentration des Sauve-Qui-Peut s'était portée uniquement sur Marie. Il était temps de s'occuper de Gus !

La jeune fille croisa le regard d'Abakoum, assis près du lit où se reposait Marie. Le vieil homme opina de la tête.

– Je... je suis désolée, Gus... fit-elle en s'approchant du garçon d'un pas précipité.

Face à elle, Gus se montra encore plus abattu.

– C'est pas grave, ma vieille... murmura-t-il. Je pourrai me vanter d'être mort dans la fleur de l'âge. C'est pas donné à tout le monde, non ?

Le cri que poussa Oksa le fit tressaillir.

– Mais ce n'est pas du tout ce que tu crois ! s'exclama-t-elle, la main fourrée dans sa sacoche en bandoulière.

Ses gestes étaient fébriles et désordonnés, la sacoche semblait contenir mille choses. Enfin, elle brandit un petit flacon de verre opaque au bouchon scellé par un cachet métallique. Gus écarquilla les yeux.

– Ne me dis pas que c'est...

– Si !

– De l'Élixir de Murmou... fit-il dans un souffle.

Son corps se tassa sur lui-même, de soulagement cette fois-ci.

– Mais comment tu as fait ?

– Je te raconterai ça plus tard ! le coupa Oksa. Le plus important pour le moment, c'est que tu prennes enfin ce fichu élixir...

Gus la regarda avec circonspection.

– C'est grâce à ça que tu es dans cette forme insolemment éblouissante ?

Oksa acquiesça et commença à briser le sceau.

– J'espère que ça a bon goût, au moins... ronchonna Gus dans un accès de dérision.

– Alors là, tu vas être très déçu, s'exclama Oksa en retenant un sourire. C'est carrément infect !

La réplique que Gus s'apprêtait à faire fut stoppée par un nouveau spasme, plus fulgurant encore que le précédent. Plié en deux, il marmonna :

– De toute façon, ou c'est ce truc qui me tue, ou bien c'est cette saleté de venin de Chiroptère Tête-de-Mort...

Pour toute réponse, Oksa lui tendit le flacon débouché duquel s'échappaient des effluves infâmes.

– Pouah ! s'écria le garçon dès la première gorgée.

– Tu avales tout, s'il te plaît ! ordonna Oksa en brandissant l'index. J'ai risqué ma vie pour chercher ce flacon, alors pas question de gâcher une seule goutte !

– Tu as risqué ta vie ?

– Oui... enfin, un peu seulement...

Gus en resta bouche bée.

– Tu as risqué ta vie ? répéta-t-il. Pour moi ?

– Bon, tu ne vas pas ressasser la même chose pendant des heures, bois maintenant. À moins que tu n'aies plus envie de vivre, bien sûr...

Le jeune homme obtempéra, sans lâcher Oksa des yeux. Quand le flacon fut complètement vide, son corps se relâcha. Oksa se précipita pour le soutenir.

– J'ai oublié de te demander s'il y avait des effets secondaires… souffla-t-il.

– Au moins une quarantaine… Et le premier, c'est un besoin impérieux de dormir. Viens, je vais t'accompagner dans ma… ta chambre.

Kukka s'accrocha au bras de Gus.

– C'est bon, lui lança Oksa. Je pense pouvoir y arriver seule.

Si Gus n'avait pas été si mal en point, il n'aurait pas manqué de constater comme le ton d'Oksa était précipité et combien ses joues étaient rouges. Malgré les circonstances, ce premier contact physique depuis le retour – depuis des mois ! – la perturbait plus qu'elle ne voulait l'admettre. D'autant que le moment était très mal choisi pour se laisser bouleverser de la sorte… La priorité était ailleurs ! Elle secoua la tête pour chasser son trouble et martela intérieurement cette phrase : « Gus va survivre. Il va survivre ! Voilà le plus important ! »

Le jeune homme tenait à peine debout, elle l'aida à s'allonger sur un matelas posé à même le sol. Malgré la pénombre, elle constata que son grand lit avait disparu. La pièce qui avait été sa chambre était complètement transformée.

– Dès que je vais mieux, t'as intérêt à tout me raconter… la prévint Gus.

Une fois de plus, la spontanéité d'Oksa reprit le dessus : d'un geste tendre, elle caressa le front trempé de sueur du garçon.

– Promis, tu sauras tout, murmura-t-elle. Mais là, il faut vraiment que tu te reposes.

Emportée par l'intensité de ce moment, elle posa les lèvres sur la joue de Gus, là où sa peau se tendait sur la pommette.

– Ça ne se voit peut-être pas, mais je suis content de te retrouver… fit-il.

Il ferma les yeux, écrasé de fatigue.

– Moi aussi, Gus… chuchota Oksa avant de quitter la chambre sur la pointe des pieds. Moi aussi…

4

Un garçon entreprenant

Sitôt Gus endormi, Oksa s'était réfugiée dans le grenier, anciennement l'atelier-strictement-personnel de Dragomira. L'envie de s'isoler après les émotions accumulées au cours de cette nuit avait été si forte... Davantage qu'une envie, c'était un véritable besoin, une nécessité de pouvoir réfléchir tranquillement, sans aucun regard posé sur elle.

Mais la fatigue avait eu raison d'elle et elle s'était endormie, roulée en boule sur ce qui restait d'un antique sofa, sans sentir l'humidité imprégnant les murs d'une odeur marécageuse, ni le velours râpant sa joue.

Puis le jour avait fini par se lever. Les dernières nuées brumeuses de cette interminable nuit s'évanouissaient en même temps que le ciel s'éclairait d'une lumière automnale.

Réveillée par les bruits extérieurs, Oksa se leva. Elle s'étira, lissa sommairement ses cheveux et fourra les mains dans les poches de son jean. Par la lucarne, elle pouvait voir Bigtoe Square s'animer, le camion-poubelle s'arrêter devant chaque maison, les habitants du quartier promener leur chien ou presser l'allure pour attraper leur bus. La vie s'écoulait devant ses yeux, comme si de rien n'était.

Comme si rien ne s'était passé. Ni cataclysme. Ni état d'urgence. Ni morts.

Personne ne pouvait ignorer que la fin du monde avait été proche. Personne n'avait été épargné par les désastres.

Et pourtant, chacun vaquait à ses occupations. Des automates…

Oksa s'assit à même le sol et l'effleura machinalement. Sans tous les tapis de Dragomira, il était rugueux, hérissé d'échardes, à vif.

Comme son cœur.

Elle appuya la main et grimaça. Sur le bois brut, une trace rouge s'imprima bientôt, inutile, car aucune douleur physique ne saurait effacer les maux de l'âme.

L'être humain avait-il donc une telle capacité d'oubli ? Possédait-il un tel pouvoir de consolation ?

En constatant cela, Oksa éprouvait presque de la colère. Ils parvenaient à dépasser leur chagrin et leurs peurs. Tous. Il n'y avait qu'à les regarder. Alors, pourquoi pas elle ? Pourquoi fallait-il qu'elle reste prisonnière de ses tourments ? Quand une difficulté était surmontée, d'autres jaillissaient, comme un éternel recommencement. Sa mère et Gus étaient sauvés, mais Tugdual, en quelque sorte, était perdu.

Elle suffoquait. La peine la transperçait.

Elle allait en crever, c'était sûr.

Quand Gus fit irruption dans le grenier, c'est à peine si elle perçut sa présence. Il s'approcha, provoquant un craquement de chaque lame de parquet qu'il foulait.

– Oh, Gus ! fit-elle en se levant. Viens, ne reste pas debout.

Elle lui tendit une chaise un peu branlante.

– Comment te sens-tu ?

– Ça doit faire au moins un an que je ne me suis pas senti aussi bien… répondit-il.

– C'est vrai ? Excellent ! s'exclama Oksa. Je suis… je suis vraiment contente, tu sais.

Gus pinça les lèvres et remua doucement la tête. Oui, il savait…

– Tu crois que je suis tiré d'affaire ?

– Bien sûr ! Tu vas aller de mieux en mieux, je t'assure.

Gus replaça ses cheveux derrière ses oreilles, laissant apparaître son visage.

– Mais si je me suis hissé jusqu'ici, ce n'est pas pour parler de ma radieuse santé, annonça-t-il.

Oksa parut à la fois curieuse et amusée : Gus allait indéniablement mieux. Et le retrouver tel qu'elle l'aimait était un réconfort sans nom.

– Tu n'as pas l'air de t'en souvenir, mais tu as une promesse à honorer.

– Une promesse ? s'étonna la jeune fille.

– Tu t'es engagée à tout me raconter…

La voix de Kukka retentit depuis l'ancien appartement de Dragomira, juste en dessous, brisant cet instant parfait.

– Gus ? Tu es là ?

– Je suis dans le grenier avec Oksa ! répondit le garçon en tournant la tête vers le palier pour se faire entendre.

– Tu ne veux pas descendre ?

Oksa aurait juré avoir entraperçu un minuscule haussement de sourcils sur le visage de Gus.

– Non, Kukka, pas tout de suite…

La Princesse des Glaces redescendit l'escalier avec la légèreté d'un éléphant en colère. Ses pas résonnèrent jusqu'à ce qu'elle atteigne le premier étage et une porte claqua.

– Quoi ? s'exclama Gus, les coudes sur les genoux, les yeux fixés sur Oksa. Qu'est-ce qu'il y a ?

La jeune fille leva les mains devant elle : hormis la sublime Kukka qui se mettait entre eux deux dès qu'ils avaient l'occasion de se retrouver, il n'y avait rien. Rien du tout.

Gus parut réfléchir intensément. Puis il se leva et prit Oksa par le bras avant de l'entraîner dans l'escalier jusqu'au hall d'entrée. Là, il ouvrit un placard et exhiba ce qui se révélait être un véritable trésor.

– Mes rollers ! s'exclama Oksa.

Elle se tourna vers Gus, rayonnante.

– Oh, tu ne peux pas savoir combien ça me fait plaisir de les retrouver !

– Et ça ne te ferait pas encore plus plaisir d'aller faire un petit tour avec moi ?

– Tu veux dire... Mais Gus, ce n'est vraiment pas le moment !

– Et pourquoi donc ?

Oksa dévisagea son ami dont l'état était si désastreux quelques heures plus tôt. Ce qui lui semblait être une première très bonne raison.

– C'est bon, Oksa, fit le garçon avec un soupir. Je vais bien. Allez, viens, ça nous fera du bien de nous balader.

Il tira d'un sac ses propres rollers, s'assit sur la première marche de l'escalier et entreprit de les chausser. Pas encore convaincue, Oksa montra des yeux le salon où sa mère dormait. Deuxième très bonne raison... Prévenant, son Foldingot quitta le lit de Marie devant lequel il se tenait, tel un petit infirmier zélé.

– La mère de ma Gracieuse maintient sa conscience dans l'abandon, annonça-t-il, mais la Tochaline fait l'entraînement de la réparation : les effets farcis de dévastation de la Robiga-Nervosa[1] procèdent à un recul salvateur et le système nerveux maternel accède à la régénération. Ma Gracieuse et l'ami de ma Gracieuse obtiennent donc la possibilité de pratiquer une promenade sans le fardeau du tracas.

– Merci, Foldingot... fit Oksa dans un souffle.

– Gus a raison, intervint Pavel depuis le salon. Profitez de ce beau matin sans pluie...

Gus regarda Oksa non sans un certain contentement.

Et Oksa regarda du côté de son père avec l'air de celle qui estime avoir l'âge de se passer de ce genre de conseils.

---

1. La Robiga-Nervosa est une plante toxique très rare dont les cellules attaquent le système nerveux en le rongeant comme la rouille sur du métal. Orthon a utilisé de l'essence de Robiga-Nervosa pour fabriquer le savon qui a rendu Marie malade (voir tome 1).

Puis elle s'assit à côté de Gus et, à son tour, enfila ses rollers.

– Tu crois que je vais me rappeler comment faire ?
– Il y a des choses qu'on n'oublie jamais… répondit Gus.
Oksa haussa les sourcils devant cette phrase à double sens et suivit le garçon qui s'élançait déjà dans la rue. Les sensations, la souplesse des mouvements, la vitesse… Effectivement, Oksa n'avait rien oublié.
Mais d'autres souvenirs remontaient à la surface, comme de grosses bulles d'air issues du fond de sa mémoire. Gus évoluait à ses côtés, plus maigre et plus grand que dans son souvenir, mais toujours aussi beau. Encore plus beau ? Oui, sans aucun doute.
Cet instant lui permettait de retrouver les meilleures saveurs du passé, celles qui s'impriment aussi éternellement dans le cœur et dans l'esprit que de l'encre sur la peau. Un instant plus magique que le fait d'être une Gracieuse, de pouvoir voler ou de se rendre invisible.
Car retrouver Gus et sa mère à Bigtoe Square tenait du miracle.
Comme faire du roller aux côtés de son ami aurait été impensable la veille encore. Et pourtant, ils étaient là, tous les deux, côte à côte, comme autrefois.

– C'est triste de voir Londres dans cet état…
Les deux amis longeaient le Mall et St James's Park, et la nostalgie le disputait à l'effarement dans l'esprit d'Oksa. La ville avait souffert, c'était si… visible.
– Et encore, ça va beaucoup mieux, fit Gus. Tu aurais vu le carnage quand nous sommes revenus du désert de Gobi…
Oksa observa autour d'elle. Le décor lui était familier et pourtant on aurait dit qu'il avait vieilli prématurément. Tout était terne et dégradé, pas un seul bâtiment sans lézarde, pas un trottoir sans fissure, pas un arbre sans blessure. Le bitume

rouge du Mall, autrefois si parfait, formait maintenant des plaques irrégulières, comme s'il était atteint d'une vilaine maladie de peau. Au loin, la tour de Big Ben, borgne depuis qu'elle avait perdu trois de ses quatre horloges, témoignait elle aussi des outrages causés par les tempêtes. De Buckingham Palace à la moindre petite échoppe, rien n'avait été épargné.

Quand Oksa s'aperçut que Gus la conduisait vers St Proximus, leur ancien collège, sa respiration s'accéléra. Les grandes portes de bois avaient disparu. Ils entrèrent dans la cour dallée et retirèrent leurs rollers pour les remplacer par de grosses baskets.

– Le collège est fermé pour travaux... annonça Gus. Il est devenu trop dangereux après le cataclysme.

Assis sur le rebord de la fontaine au centre de la cour, les deux amis contemplèrent le lieu en silence. L'ancien cloître à moitié effondré, les statues et les gargouilles tout amputées, des débris de tuiles formant un tapis écarlate sur le sol, les fenêtres explosées...

– C'était si beau avant, murmura Oksa. Tu t'en souviens ?

– Bien sûr que je m'en souviens...

Il soupira avant de se lever soudainement.

– Il faut que je te montre quelque chose, viens !

Leurs pas craquèrent sur les tuiles brisées, donnant à Oksa l'impression d'écraser un millier de petits os.

– La crypte ?

– Oui, tu vas voir, rien n'a changé.

Oksa faillit lui rappeler qu'au contraire, beaucoup de choses avaient changé. À commencer par lui qui n'hésitait pas à pousser la porte défoncée de la petite chapelle – la première fois qu'ils étaient venus ici, il s'était montré si peureux ! Mais Gus devait certainement s'en souvenir, lui aussi.

Épatée et intriguée, Oksa le suivit. Ils durent enjamber quelques chaises et statues cassées pour accéder à la fameuse crypte, incroyablement préservée. Il restait même quelques cierges fondus en de petites masses de cire blanche. Gus récupéra une des allumettes éparpillées sur le sol par de précédents visiteurs, la frotta contre le mur et alluma une mèche noircie.

– Super ! fit-il. On va pouvoir discuter tranquillement.

5

Franchise

– Pourquoi tu te fais du mal ?

La question était abrupte, mais Gus la posait avec une douceur un peu lasse, presque bienveillante. Bouche bée, Oksa s'appuya contre le mur de pierre brute et commença sans s'en rendre compte à le gratter du bout de l'index.

– Tu veux bien essayer de te mettre à ma place, s'il te plaît ? rétorqua-t-elle en retour.

Gus se laissa aller contre le socle d'une statue et enfonça les mains dans les poches de son jean.

– Tu te fais des films, Oksa.

– Des films ? Non, je crois juste ce que je vois.

Gus fronça les sourcils.

– Tu veux bien préciser ? demanda-t-il.

– Kukka... Dans ma chambre... Enfin, ta chambre...

– OK... soupira Gus. Mais il ne t'a pas échappé non plus que nous avons fait quelques réaménagements. Tu auras donc noté que je dors sur un matelas et qu'un lit pour une personne a été installé à l'autre bout de la pièce.

Sa voix, un peu rauque, sonnait étrangement aux oreilles d'Oksa.

– C'est le lit de Kukka, poursuivit-il. Elle ne dort pas avec moi, si c'est ça qui te contrarie. Qu'est-ce que tu crois ? On fait comme on peut, ici. On s'organise avec les moyens du bord...

En son for intérieur, Oksa ne pouvait s'empêcher de se demander : « Est-ce une raison pour que vous dormiez dans la même chambre ? »

– Et je peux t'assurer qu'on morfle bien ! assena Gus.

Oksa le regarda avec autant de consternation dans les yeux que lui en avait dans la voix.

– Parce que tu crois que pendant tout ce temps, je me suis éclatée à Édéfia ? lança-t-elle, tremblant de la tête aux pieds. As-tu la moindre idée de ce que j'ai... de ce que nous avons dû affronter ? Baba est morte dès qu'on a franchi le Portail... On a été faits prisonniers par Ocious et sa bande de psychopathes... Zoé s'est sacrifiée et a subi le Détachement Bien-Aimé... Je suis devenue Gracieuse et j'ai massé le Cœur des Deux Mondes pendant douze jours pour pouvoir tous nous sauver... Il y a eu un second Chaos, des tas de morts, partout...

En écoutant Oksa énumérer cette liste atroce, Gus se laissa glisser le long du mur jusqu'à terre, effondré.

– Dragomira... murmura-t-il. Zoé...

– Sans compter que j'étais morte d'inquiétude pour Maman et toi, continua Oksa, vitupérant. Est-ce que tu imagines la torture que ça a été ? Savoir que vous étiez en danger de mort sans pouvoir faire quoi que ce soit, sans être assurée de pouvoir sortir un jour d'Édéfia...

Elle s'interrompit, à bout de souffle. Gus ne la quittait pas des yeux.

– Et puis... reprit-elle à mi-voix, il s'est passé quelque chose de vraiment incroyable.

Gus se redressa subitement et l'encouragea d'un coup d'œil fiévreux.

– Mon Autre-Moi... Mon inconscient m'a conduite jusqu'à la maison. Je vous ai vus, Maman et toi...

– Je le savais ! s'écria Gus en frappant son poing dans la paume de sa main. Je savais que c'était toi, je l'ai senti ! Et je n'étais pas le seul, ta mère aussi. Les autres nous ont tous pris pour des fous... Mais comment t'as fait ça, ma vieille ?

Ces deux derniers mots pouvaient paraître anodins. Toutefois, ils apportaient à Oksa le plus grand des réconforts en la réconciliant avec celui qui occupait dans son cœur une place essentielle. Elle fit son possible pour ne pas montrer son émotion et expliqua par le menu tout ce qu'elle et les Sauve-Qui-Peut avaient vécu à Édéfia, en évitant toutefois d'évoquer certains épisodes, dont le traumatisme de Trafalgar Square avec l'apparition de Tugdual aux côtés d'Orthon. Face à elle, Gus buvait ses paroles et elle était de plus en plus heureuse de le retrouver.

Dans la fraîcheur paisible de la crypte, le temps filait en douceur, sans qu'ils y prêtent attention.

Ils étaient à nouveau réunis. Enfin.

6

Des explications houleuses

– Et ton corbeau gothique ? demanda soudain Gus quand Oksa eut terminé son récit. Il a dû s'éclater !

Le répit avait été de courte durée…

– Qui ça ? fit Oksa dans une esquive qu'elle savait vouée à l'échec.

– Oh, Oksa, je t'en prie, ne me prends pas pour un débile. À ton avis, de qui je veux parler à part de ce morbide de Tugdual ?

À un moment ou à un autre, le « sujet » aurait inévitablement été abordé.

– Oh, oh, on dirait que quelque chose cloche… fit le jeune homme devant le silence crispé d'Oksa. Je me trompe ?

Oksa voulut répondre, mais les mots lui manquèrent.

– Qu'est-ce qu'il a encore fait, ton Prince des Ténèbres ? insista Gus.

– Si tu pouvais ne pas compliquer inutilement les choses, ça serait bien aimable de ta part…

Gus lui jeta un coup d'œil, surpris par son ton cassant, et marmonna :

– OK, j'ai l'impression que le terrain est bien miné…

La flamme faiblissait sur le petit tas de cire. Gus se leva et entreprit d'allumer une nouvelle mèche. Oksa contempla son profil, son nez bien dessiné, sa pomme d'Adam, ses avant-bras plus puissants.

Il avait changé. Et pas seulement physiquement.

Tout à coup, elle se mit à parler. Gus l'écouta avec attention, sans l'interrompre. Quand elle eut terminé, abattue, il battit le sol du pied avec nervosité sans pour autant faire le moindre geste de consolation.

– Franchement, il ne vaut pas la peine que tu te mettes dans cet état...

La jeune fille se tourna vers lui, hors d'elle.

– Je te défends de parler de lui comme ça ! tonna-t-elle.

Gus se redressa d'un bond.

– Ah oui ? Et tu veux peut-être que je pleure sur ce pauvre Tugdual et son affreux papa qui l'oblige à faire de vilaines choses ?

– Arrête, Gus ! Arrête tout de suite...

Oksa était si furieuse qu'elle en avait le souffle coupé.

– T'as vraiment rien compris... siffla-t-elle entre ses dents. Est-ce que tu m'as écoutée ou bien tu es complètement stupide ?

Gus blêmit et ses yeux se plissèrent, accentuant son côté eurasien.

– Excuse-moi, ma vieille. Mais tu peux concevoir que je sois un peu à cran...

Le visage d'Oksa se décrispa sensiblement.

– Tugdual n'est pas un traître, poursuivit-elle d'une voix plus calme. Pas dans le sens où on l'entend, en tout cas. Son cœur est peut-être sombre, mais il est pur, mon Foldingot a toujours été clair à ce sujet et il l'est encore aujourd'hui. Il ne ment pas et il ne se trompe jamais, tu le sais très bien. Si Tugdual nous a trahis, c'est malgré lui.

– D'accord, Oksa... Mais il est quand même le fils d'Orthon.

– Orthon a utilisé la métamorphose et abusé Helena en lui faisant un enfant...

– Pourtant, il avait déjà Gregor et deux ans après Tugdual, il a eu Mortimer !

Oksa se gratta la tête.

– Oui, mais n'oublie pas qu'Helena est une descendante de Sauve-Qui-Peut ! Ce qui n'est pas le cas des deux femmes qu'Orthon a épousées. Avec Helena, il s'assurait une lignée…

– … garantie d'origine Édéfia…

– Exactement ! s'exclama Oksa, soulagée de retrouver en Gus un interlocuteur digne de ce nom. Un pur Sauve-Qui-Peut, doublé d'un Cœur Gracieux, tu imagines ?

– J'ai quand même du mal à saisir pourquoi il a tant tardé à attirer Tugdual près de lui. À quoi bon le laisser s'intégrer à nos côtés pendant toutes ces années alors qu'il pouvait l'utiliser depuis le départ ?

– Tugdual représente le fils parfait pour lui puisque, contrairement à Gregor et Mortimer, « son sang n'est pas dilué avec du sang de Du-Dehors », comme dirait mon Foldingot. Mais il est avant tout un outil de pouvoir potentiel pour Orthon, une carte maîtresse qu'il pourrait utiliser, ou non. Il n'a pas eu besoin de lui avant que nous ne soyons entrés à Édéfia. C'est vraiment à partir de là que Tugdual a eu toute son… utilité. Et maintenant, ce monstre a tout pouvoir sur lui. Je ne sais pas comment il fait, mais il le maintient sous son emprise. Avec un peu de recul, je comprends maintenant…

Elle détourna la tête, préoccupée.

– Qu'est-ce que tu comprends, Oksa ? l'encouragea Gus.

– Aucun de nous n'a su voir à temps… Et pourtant, il y avait des signes évidents.

– Comme quoi, par exemple ?

– Tugdual et Orthon se sont retrouvés face à face à plusieurs reprises. Chaque fois, Tugdual a eu un comportement très étrange, comme s'il était hypnotisé. Plus tard, quand Helena a été tuée, nous avons tous mis son impassibilité sur le compte du choc d'avoir assisté à cet assassinat. Il restait là, figé, sans aucune réaction alors que tout le monde s'agitait autour de lui. Il n'a même pas eu un geste envers ses grands-parents ou Till. Et pourtant, il adore son petit frère, je peux te l'assurer. Mais il était tout simplement sous influence, il ne pouvait pas réagir. Et nous, nous n'avons rien vu.

– Ce genre de choses est difficile à voir… objecta Gus.

– C'est terrible de se rendre compte de tout ça après, une fois que le mal est fait. Tu te rends compte ? Orthon le téléguide selon son bon vouloir et le soumet à sa folie de psychopathe mégalomane sans que Tugdual puisse faire quoi que ce soit d'autre que d'obéir.

Sa gorge se serra. Elle joignit les mains pour calmer les tremblements de colère qui l'agitaient et détourna les yeux. Désemparé, Gus posa les coudes sur ses genoux. Une longue mèche glissa devant son visage.

– C'est pourri… lâcha-t-il au bout d'un long moment.

Oksa soupira.

– Super pourri, tu veux dire… renchérit-elle.

7

Opération Markus Olsen

Pendant ce temps à Moscou, au 45 Novoslobodskaya Oulitsa

Trois longues silhouettes traversèrent les nuages et atterrirent à quelques mètres du mur d'enceinte de la prison de la Boutyrka. Tout autour, les rues et les immeubles semblaient endormis, captifs de cette nuit glaciale, comme les détenus l'étaient de la lugubre forteresse.

Un chien errant s'approcha et lécha les bottillons lacés d'Orthon et de ses deux fils. Ils le laissèrent faire jusqu'à ce que l'animal affamé commence à gémir. Orthon sortit alors sa Crache-Granoks. Deux secondes plus tard, le chien s'effondrait, yeux grands ouverts, langue pendante. Le ton était donné.

Des voix résonnèrent de l'autre côté du mur. Les trois hommes s'accroupirent et restèrent parfaitement immobiles, jusqu'à ce que les gardiens aient fini leur ronde.

– Qu'est-ce qu'ils disaient, Père ? murmura Gregor. Ils nous ont entendus ?

C'est Tugdual qui répondit d'un ton aussi polaire que la température :

– Ils parlaient des problèmes scolaires de leurs enfants…

Orthon jeta un coup d'œil satisfait au jeune homme, sans voir le rictus de contrariété sur le visage de Gregor. Leur ascendance conférait aux deux demi-frères les mêmes pouvoirs, mais ceux de Tugdual étaient sans conteste plus développés. Malgré son jeune âge, il avait toujours une longueur d'avance sur Gregor. Même sa Poluslingua était plus performante, ainsi qu'il venait de le prouver en comprenant la conversation en russe des gardiens.

– Allons-y... murmura Orthon en se relevant.

Vêtus des pieds à la tête de vêtements noirs, les trois hommes s'élevèrent du sol et atteignirent vite le sommet d'une des tours d'angle, massive, comme la tour d'un jeu d'échecs.

Neutraliser le gardien ne fut qu'une formalité pour Orthon. Avant que le malheureux ne puisse comprendre ce qui lui arrivait, les doigts du Félon, tordus telles les griffes d'un aigle, se glissaient sous le col fourré de sa parka et enserraient son cou.

– Sans arme ni violence... souffla Orthon en reprenant à son compte la formule d'un célèbre gangster français.

Suivi par ses fils, il enjamba le corps du gardien et les trois hommes se laissèrent flotter jusque dans la cour de la prison, entourée de plusieurs corps de bâtiment. Aussi austère que la caserne qu'il avait été avant sa reconversion, l'édifice dégageait une atmosphère d'hostilité silencieuse, comme si des zombies attendaient le bon moment pour surgir des minuscules fenêtres.

Deux gardiens apparurent, lampes torches à la main. Orthon et ses fils se plaquèrent contre les murs de brique rouge. Semblables à de grosses araignées, ils s'y accrochèrent pour grimper quelques mètres et se mettre hors de vue. Ils montèrent ainsi jusqu'à la corniche, rampèrent et redescendirent de l'autre côté.

Une cloche retentit depuis une bâtisse surprenante construite au beau milieu de la cour intérieure.

– L'église de l'Intercession-de-la-Très-Sainte-Mère-de-Dieu... murmura Orthon.

Gregor et Tugdual le dévisagèrent, aussi surpris l'un que l'autre. Leur père avait l'air de bien connaître l'endroit. Y était-il déjà venu ? Il leur fit signe de le suivre et tous trois gagnèrent le toit plat de l'église. Ils s'allongèrent sur la pierre glacée, au pied d'une croix d'acier. Orthon balaya les bâtiments du regard, à l'affût, et scruta les fenêtres, trous noirs dans l'obscurité striée par les rais des projecteurs. De sa gorge jaillit soudain un cri animal, mystérieux et menaçant. Il récidiva plusieurs fois en se tournant en direction des différentes parties de la prison. Quelques cellules s'éclairèrent faiblement, des hommes apparurent derrière les barreaux. Au troisième étage du bâtiment, face à l'entrée de l'église, l'un d'eux sembla comprendre le premier d'où venait le cri. Des signaux lumineux émergèrent bientôt de sa fenêtre comme une réponse faite à Orthon. Ce dernier esquissa un sourire triomphal avant d'abaisser sa cagoule noire.

– Que chacun fasse exactement ce qui est convenu et tout se passera bien.

Sur ce, il volticala jusqu'à la fenêtre d'où provenaient les signaux, à une telle vitesse qu'aucun projecteur ne put le détecter. Il s'accrocha au rebord, puis s'enfonça dans la pierre.

Dans sa cellule, le prisonnier ne parut pas surpris de voir Orthon traverser le mur. Il se leva de sa couchette et les deux hommes échangèrent une franche accolade.

– Orthon McGraw... C'est un honneur...

L'homme était un colosse. Il était impossible de lui donner un âge, son visage zébré de cicatrices trahissait une vie tumultueuse ayant souvent frayé aux confins des plus grands dangers.

– Je t'avais promis de te renvoyer l'ascenseur quand tu en aurais besoin, Markus, fit Orthon. Et j'ai l'impression que le moment est venu... ajouta-t-il en jetant un regard circulaire sur la cellule voûtée.

– Comment m'as-tu trouvé ?

– Voyons, tu es une star dans ton domaine ! répondit Orthon avec un petit rire. Et puis tu sais que je suis toujours bien renseigné.

Quand la sirène retentit, ils se montrèrent à peine troublés.

– On dirait qu'il est temps pour nous de dire adieu à la célèbre prison de la Boutyrka, annonça Orthon.

– Je te suivrais volontiers, mon ami, mais je n'ai pas ton talent, objecta Markus en montrant les barreaux.

– Tu te doutes bien que ça ne peut pas être un problème...

Orthon saisit sa Crache-Granoks et souffla en direction de la fenêtre. Le contact de la Granok avec le verre, puis le métal, provoqua un crépitement suivi d'une fumée irritante. Markus remonta le col de son pull et le plaqua sur son nez, alors que rien ne semblait pouvoir atteindre Orthon. Aspirée par la fraîcheur extérieure, la fumée laissa bientôt apparaître les barreaux en train de fondre comme des glaçons en pleine canicule.

– Bien joué ! fit Markus.

– Oui, mais la Boutyrka n'a pas l'air décidée à te laisser partir sans lutter... objecta Orthon, penché à la fenêtre béante.

En effet, dans la cour et sur les toits, plusieurs dizaines de gardiens se mettaient en position de tir, leurs armes dirigées vers la cellule de Markus. Orthon se retira précipitamment. Dans le même temps, le grondement des bottes frappant le sol enflait dans les couloirs, accompagné par les cris des prisonniers échauffés par cette subite agitation. Orthon lança une nouvelle Granok vers la porte. Au lieu de se désintégrer comme le métal des barreaux, les gonds, les verrous et le chambranle d'acier fusionnèrent dans un magma inextricable, scellant l'entrée de la cellule dans le mur de pierre et rendant impossible toute intrusion.

– Tu me fais confiance ? demanda le Félon.

– À cent pour cent ! répondit Markus.

– Alors, habille-toi chaudement et mets ceci...

Orthon tendit un harnais que l'homme s'empressa de fixer par-dessus sa parka pendant que, tout autour de la cellule, les gardiens approchaient. S'apercevant que les serrures étaient inutilisables, ils commencèrent à donner de grands coups de bélier pour défoncer la porte. L'excitation avait gagné tous les bâtiments. Sans savoir avec précision ce qui se passait, les prisonniers tapaient sur les barreaux avec tout ce qui pouvait faire un maximum de vacarme dans une sorte de solidarité symbolique.

– Tu es prêt ?

Markus opina. Orthon lui fit signe d'accrocher son harnais à celui que lui-même portait et tous les deux, collés l'un à l'autre, s'approchèrent de la fenêtre violemment éclairée par des projecteurs. Orthon plissa les yeux et poussa un cri semblable à celui qui avait alerté Markus. De ses longs doigts osseux partirent des éclairs électriques qui filèrent droit sur les projecteurs et les firent exploser dans une débauche d'étincelles. Plongés dans l'obscurité, les gardiens hésitaient à tirer en aveugle en risquant de blesser ou de tuer leurs collègues. De toute façon, Orthon et ses fils ne leur laissèrent pas le temps de prendre une décision : depuis le troisième étage et le toit de l'église qui offrait un panorama complet sur la Boutyrka, tels des chefs d'orchestre maléfiques, les trois Félons débarrassèrent les hommes de leurs armes par un simple geste de la main en les faisant voltiger au loin. Ceux qui disposaient de fusils avec lunette infrarouge furent les premiers à être « libérés ».

Puis un déluge donnant l'impression de venir à la fois de partout et de nulle part s'abattit sur les hommes. Projetés les uns contre les autres, ils ne maîtrisaient ni leur corps ni leurs gestes et se laissaient malmener sans pouvoir se défendre. D'innombrables gémissements de douleur s'élevaient des quatre coins de la cour, pour la plus grande satisfaction des prisonniers qui hurlaient de joie dans leur cellule.

À partir de ce moment, l'évasion de Markus ne fut plus qu'un jeu d'enfant. Orthon et l'évadé, solidement attachés l'un à l'autre, s'envolèrent au cœur de la nuit opaque comme un immense oiseau au corps dédoublé.

Les fils du Félon les rejoignirent bientôt et, alors que des hélicoptères et des véhicules de la police toutes sirènes hurlantes convergeaient vers la prison, tous les quatre foncèrent vers les nuages et disparurent dans le ciel moscovite.

8

Questions de temps

Depuis cinq jours et cinq nuits, le Portail s'était ouvert au fond des eaux noires du lac Brun ; jamais le temps n'avait autant compté.

Il avait fallu quelques secondes pour faire exploser un amour en plein élan.

Quelques minutes pour comprendre que les choses sont différentes, parfois à l'opposé de tout ce qu'on pouvait imaginer.

Il fallait quelques jours encore pour que l'Élixir des Murmous réduise à néant le danger mortel qui planait au-dessus de Gus.

Quelques semaines pour que la Tochaline efface définitivement la rouille déposée par la Robiga-Nervosa dans le système nerveux de Marie.

Trente-trois jours pour que les Capaciteurs intégrateurs prennent racine dans le corps des Refoulés pour leur permettre de franchir le Portail et d'entrer à Édéfia[1]. Lesquels d'entre eux feraient ce choix ?

Quelque temps pour qu'Oksa intègre le fait d'avoir désormais dix-sept ans – selon le calendrier de Du-Dehors, son anniversaire était tombé au beau milieu du Nouveau Chaos qui avait frappé Édéfia. Son plus beau cadeau était d'avoir retrouvé sa mère et Gus, et d'avoir pu les sauver,

1. Dans le chapitre 54 du tome 4, Oksa évoque la fabrication de ces Capaciteurs intégrateurs par Abakoum. C'est grâce à eux que les Refoulés pourront passer, s'ils le souhaitent, le Portail.

mais évoquer ces dix-sept ans n'en restait pas moins étrange.

Il restait quatre-vingt-cinq jours pour que la Jeune Gracieuse puisse à nouveau utiliser le Crucimaphila, le Globus noir fatal. Le dernier lui avait permis de désintégrer le seul Diaphan encore en vie.

Mais combien de temps faudrait-il pour réparer ce qui avait été cassé ?

L'éternité suffirait-elle ?

La question s'était posée ainsi dans l'esprit d'Oksa. Les doutes l'avaient étreinte, pendant quelques minutes seulement. Car très vite étaient venues les explications, la révélation des circonstances ô combien atténuantes, la compréhension. Le pardon viendrait sûrement, un jour. Mais, pour le moment, l'avenir était ébranlé par des doutes fusant tous azimuts.

Pouvait-on libérer Tugdual de l'emprise de son père ?

Orthon, Gregor et lui étaient-ils seuls à Du-Dehors ?

Où se trouvaient-ils ?

Et, question capitale entre toutes, que préparait Orthon ?

Il fallut à peine deux semaines pour qu'un élément de réponse apparaisse sous la forme d'une information de la BBC, crachotée par la petite radio posée sur la table de la cuisine.

« Après la spectaculaire évasion de Markus Olsen, l'ancien mercenaire condamné à perpétuité en Russie, on nous signale que des individus ont réussi à faire évader Leokadia Bor de la prison américaine de San Quentin où la biologiste tristement célèbre purgeait une peine de trente ans d'emprisonnement pour ses expérimentations médicales illégales... »

L'index devant la bouche, Abakoum regarda Pavel, Oksa et Gus, assis face à lui, une tasse de thé à la main. Tous les trois suspendirent leur geste, l'oreille en alerte.

« Bien que rien ne lie ces deux criminels, le mode opératoire présente des similitudes troublantes, d'après les enquêteurs. Par ailleurs, les autorités des deux pays tiennent à démentir fermement les témoignages s'accordant à évoquer d'étranges phénomènes autour de ces évasions… »

– Orthon ? fit le père d'Oksa dès que le journaliste fut passé à une autre information.

Abakoum fronça les sourcils.

– Je suis persuadé qu'il est mêlé à tout cela…

Oksa reposa bruyamment sa tasse.

– Qu'est-ce qu'il peut mijoter ?

– J'aimerais bien le savoir, répondit l'Homme-Fé. Mais je ne serais pas étonné d'apprendre qu'il est en train de constituer une armée.

– Une armée ?! s'écria Oksa. Pour quoi faire ?

Gus poussa un long soupir.

– Tu n'as pas une petite idée ? lui demanda-t-il. Vraiment ? Voyons, Oksa…

Oksa fit une moue dépitée. Une fois de plus, elle aurait pu réfléchir avant de parler.

– Édéfia n'était qu'une étape pour lui, annonça-t-elle en raisonnant à voix haute. Il a réglé ses comptes, tué son père, récupéré des munitions, forgé de nouveaux outils…

À l'évocation de Tugdual, sa gorge se serra. Mais elle tint bon et réussit à poursuivre.

– Il veut conquérir le monde, prouver à tous que c'est lui le plus grand !

Une silhouette mince apparut dans l'embrasure de la porte.

– Puis-je me permettre d'intervenir ?

– Entre, Barbara, fit Abakoum en tirant une chaise pour l'inviter à leur table.

La femme d'Orthon McGraw avait préféré se joindre aux Refoulés plutôt qu'aux alliés de son mari lorsque l'accès à Édéfia leur avait été refusé. Bien que difficile, c'était le choix du cœur. Elle s'assit à côté de l'Homme-Fé. Ses cheveux châtains tombaient sagement de chaque côté de son visage fin. Effleurées par une frange effilée, ses paupières battaient avec nervosité alors que son regard trahissait une grande lassitude. Elle prit la tasse de thé que lui tendait Pavel et avala une gorgée.

Tout chez cette femme évoquait la délicatesse. Qu'elle ait pu épouser un homme tel qu'Orthon était vraiment difficile à concevoir.

Comme si elle lisait dans leurs pensées, elle regarda Oksa, Abakoum, Pavel et lâcha d'une voix qu'elle modulait parfaitement, malgré son émotion :

– Nous étions plus assortis que vous ne le pensez…

– Nous n'en doutons pas, Barbara, la rassura Abakoum en posant la main sur son avant-bras.

– Au début, en tout cas… précisa-t-elle. Les premières années, Orthon fut un mari prévenant et équilibré. Il a toujours été exigeant avec les autres comme avec lui-même, parfois un peu psychorigide. Mais cela faisait partie de son caractère, comme d'autres peuvent être curieux, ambitieux, altruistes… Je sais que son éducation l'a entraîné à cela : il veut le meilleur et ne supporte pas la médiocrité, l'approximation, la faiblesse. Et pourtant…

Elle avala une nouvelle gorgée de thé et reposa sa tasse un peu vivement. Du liquide se répandit sur la table. Elle se retourna et, dans un geste brusque, se saisit d'un torchon et essuya la minuscule flaque.

– Et pourtant ? l'encouragea Abakoum.

– Et pourtant, toute sa vie n'aura été dirigée que par une seule chose…

Les trois Sauve-Qui-Peut attendirent patiemment. Se confier ainsi n'avait rien d'aisé.

– Orthon souffre et souffrira jusqu'à sa mort d'avoir été faible aux yeux de son père, réussit-elle à dire. Je sais aujourd'hui que c'est ce complexe qui conditionne ses actes et sa vie tout entière. Je sais aussi qu'il n'en viendra jamais à bout.

Elle se tourna vers Oksa.

– Tu as raison, il veut prouver au monde qu'il est le plus grand. Avec cependant une nuance de poids : cette reconnaissance ne peut passer que par ceux qui détiennent le pouvoir. Il veut arriver à leur niveau, se faire admettre d'eux, pour pouvoir mieux les dépasser. Depuis que je le connais, il a toujours eu cette logique de compétition. Être le meilleur, toujours...

Elle reprit son souffle, les mains à plat sur ses cuisses.

– Les humiliations qu'il a subies durant son enfance et sa jeunesse ont fait de lui un homme qui ne peut concevoir que la perfection n'existe pas. Cette perfection était incarnée avant tout par lui-même, bien sûr, mais il l'exigeait aussi pour Mortimer et moi... Au fil des années, la vie devint impossible pour nous deux. Orthon nous demandait trop, rien de ce que nous faisions n'était jamais assez bien à ses yeux. Quand il n'était pas satisfait, il entrait dans des colères noires. Nous avons beaucoup souffert, mon fils et moi... Ces crises alternaient avec d'autres pendant lesquelles il redevenait aimant, soucieux de notre bien-être, c'était très déstabilisant.

– Il a toujours attaché beaucoup d'importance à la famille, précisa Abakoum.

– Oui, c'est vrai. Mais en vous confiant tout cela, je veux surtout vous mettre en garde, même si vous en savez sûrement autant que moi à son sujet : Orthon est aveuglé par l'obsession de réussir. Et cette réussite, c'est par la domination et uniquement par elle qu'elle passe. Pour servir son ambition, il n'a plus aucune notion du bien et du mal.

Elle s'affaissa sur sa chaise, exténuée.

– Pour lui, tous les moyens sont bons, et surtout les pires, conclut-elle.

Ces propos confirmaient les pires pressentiments des Sauve-Qui-Peut. Oksa se raidit sur sa chaise, ses yeux ardoise soudain écarquillés. Quelques mois plus tôt – une éternité... –, Tugdual avait déjà tout compris.

« Ce mec est le diable en personne... avait-il dit. Vous ne vous en êtes pas encore rendu compte ? Ce qu'il veut, c'est conquérir le monde et nous faire tous ramper à ses pieds... Il est bien parti pour semer le chaos total et je suis persuadé que dans ce monde, pas mal de gens pourraient se rallier à sa cause... Il a les moyens de nous dominer tous, vous savez que j'ai raison... »

Personne ne l'avait vraiment écouté. Il n'était qu'un garçon perturbé et catastrophiste qui exagérait. Et pourtant...

« Tu es la dernière clé, P'tite Gracieuse, avait-il déclaré à Oksa. Et la dernière clé, c'est la puissance suprême. »

La jeune fille se redressa et inspira à fond.

– Rien ni personne ne pourra arrêter Orthon, fit-elle, plus lucide que jamais. Personne, sauf nous...

Elle consulta son père du regard, puis Abakoum, Barbara, Gus, comme si elle cherchait une approbation qu'elle savait pourtant acquise.

– Ce n'est plus lui qui va être à notre poursuite, mais nous qui allons le pourchasser !

Surprise elle-même par ce qu'elle venait d'énoncer, elle se laissa aller contre le dossier de sa chaise et siffla entre ses dents :

– Orthon McGraw, sur ce coup-là, ce ne sera pas toi le gagnant, je peux te l'assurer... Si tu ne sais pas encore de quoi sont capables les Sauve-Qui-Peut et la Gracieuse Oksa, tu ne vas pas tarder à le découvrir !

9

Les moyens du bord

D'abord reconvertie en service des urgences, la maison de Bigtoe Square s'était peu à peu transformée en centre de convalescence.

Grâce aux bienfaits prodigieux de la Tochaline et aux bons soins prodigués par les siens, Marie Pollock avait fini par émerger de l'état de mort imminente dans lequel elle était plongée. Ses joues se coloraient à nouveau d'un rose tout à fait encourageant et ses membres retrouvaient une mobilité que tous avaient crue à jamais perdue. Aux yeux d'Oksa, l'évolution paraissait affreusement lente, mais, pour Marie et les Refoulés qui avaient assisté à sa déchéance, elle tenait du miracle.

– La rémission rencontre la victoire ! s'enthousiasmait le Foldingot auprès de qui voulait l'entendre dès que Marie faisait le moindre progrès. La Robiga-Nervosa est boutée hors du corps de la mère de ma Gracieuse !

Le Foldingot n'était pas la seule créature à veiller au bien-être de la mère d'Oksa : les Ptitchkines tournaient les pages des revues ou des livres qu'elle lisait pour passer le temps, les Devinailles ne se lassaient pas de peigner ses longs cheveux, l'Insuffisant lui faisait d'étonnantes manucures – un talent que tous ignoraient –, le Gobecra avalait le moindre grain de poussière se déposant à proximité du lit, et tout ce petit monde agissait sous l'autorité du Gétorix. Dès que Marie avait besoin de quelque chose, un mouchoir, un oreiller, la créature à la chevelure hirsute distribuait les tâches, véritable Nanny McPhee, ainsi que le surnommait Oksa.

La Jeune Gracieuse, d'ailleurs, s'en donnait à cœur joie. Quelques mois plus tôt, utiliser ses dons en présence de sa mère qui ignorait tout avait créé un drame et entraîné la séparation temporaire de ses parents. Aujourd'hui, le secret levé, elle pouvait exprimer ce qu'elle était en toute liberté. Faire rire sa mère devenait une mission thérapeutique ! Aussi était-il fréquent de voir les verres d'eau traverser la cuisine en flottant jusqu'à la convalescente, toujours installée dans le salon. Cette dernière appréciait beaucoup les Feufolettos : voir Oksa allumer les bougies à distance, par l'envoi d'une simple petite boule de feu envoyée depuis sa main, l'émerveillait au plus haut point. Tout s'avérait propice au divertissement, le ménage, les repas, les soins... La magie vivait ses plus belles heures à Bigtoe Square !

Quant à Gus, les crises terribles dont il était la proie s'espaçaient au fur et à mesure que son organisme intégrait l'Élixir des Murmous. Le bras de fer n'était pas encore gagné, mais, comme pour Marie, la guérison s'annonçait certaine. Soucieuse, Oksa surveillait son ami en faisant son possible pour qu'il ne s'aperçoive ni de son inquiétude ni de l'attention particulière qu'elle lui portait. Des efforts louables pourtant pas toujours récompensés...

– Tu n'as jamais été discrète et tu ne le seras jamais, ma vieille...

Oksa fit mine de sursauter.

– Qu'est-ce que tu insinues ?

Gus se contenta de lever les yeux au ciel.

– Ah, parce que tu crois que je n'ai que ça à faire ? riposta Oksa. T'observer du coin de l'œil, béate d'admiration devant ta beauté exotique et captivante ? Mais tu n'es pas aussi mignon que tu le penses, mon pauvre garçon...

En disant cela, elle ne put s'empêcher de s'esclaffer. Gus esquissa un sourire tout en rougissant.

– Zoé ? fit-il, l'œil brillant, en se tournant vers la jeune fille silencieuse. Toi qui es pleine de sagesse, est-ce que tu pourrais rappeler à cette dingue de Jeune Gracieuse qu'on a du boulot ?

Ce fut au tour de Zoé de rougir. Elle était toujours aussi jolie, avec ses grands yeux bruns, ses taches de rousseur et sa chevelure blond vénitien ramenée en un chignon relâché. Fidèle à elle-même, elle était l'alliée effacée mais infaillible que tous connaissaient. Toutefois, son extrême réserve demeurait un mystère pour Oksa dont le tempérament se trouvait aux antipodes : elle ne doutait pas un seul instant de sa petite-cousine – elle avait maintes fois prouvé combien on pouvait compter sur elle –, mais ce que Zoé pensait réellement restait verrouillé dans son esprit, à l'abri. Avant de subir le Détachement Bien-Aimé, un des pires châtiments qu'on puisse imaginer, elle aimait Gus, Oksa en était convaincue. Mais depuis, toutes deux n'avaient jamais réussi à en discuter. Oksa en éprouvait autant de peine que de frustration car elle savait, par les regards et l'attitude de Zoé, que le souvenir de ses sentiments n'avait pas disparu avec le Détachement.

Seule la passion s'en était allée. Pour toujours.

– Merci pour la sagesse, répondit Zoé à l'interpellation de Gus. Mais tu sais bien qu'Oksa est incurable !

– J'ai peur que tu n'aies raison... renchérit le jeune homme. Il faut s'y faire : elle est dingue, c'est comme ça.

Oksa rugit, les yeux étincelants, et, par représailles, déplaça à distance le stylo posé sur le bureau pour le diriger droit sur Gus. L'objet resta suspendu au-dessus de lui, minuscule épée menaçante.

– On cherche à m'impressionner ? fit Gus en jetant en l'air un regard désinvolte. Ou à me faire taire en m'enfonçant un pieu dans le cœur, peut-être ?

– Tu parles d'un pieu... soupira Oksa, espiègle.

Elle fit en sorte de déposer délicatement le stylo dans la main du garçon et sourit. Elle n'aimait jamais autant Gus que dans ces moments, quand il faisait preuve de cet humour pince-sans-rire qui lui allait si bien.

– Tu ferais mieux de t'occuper de ton Curbita-peto au lieu de chercher à me supprimer... lui lança-t-il, le dos tourné. On dirait qu'il a des petits problèmes gastriques.

– Mon Curbita ? s'étonna Oksa.

Elle se pencha sur son bracelet-créature qu'elle avait déposé sur son bureau. Langue pendante, yeux vitreux, flatulences anormalement sonores, le minuscule ourson affichait son mécontentement : sa maîtresse avait oublié de lui donner sa graine quotidienne, il était affamé !

– Pardon, pardon... s'excusa Oksa en s'empressant de le nourrir.

– Pas très sérieuse, cette Gracieuse... marmonna Gus.

– Oh, ça va, Monsieur le Juge Suprême ! lança-t-elle.

Elle fronça les sourcils avec une sévérité feinte et se concentra à nouveau sur son écran d'ordinateur.

Dès les premiers soupçons des Sauve-Qui-Peut à propos des mystérieuses évasions dont les médias se faisaient l'écho, Oksa avait proposé de rechercher sur Internet un maximum d'informations sur tout ce qui pouvait avoir un lien avec les manigances d'Orthon. À Bigtoe Square, tous avaient adhéré à cette idée. On ne pouvait pas lutter dans le vide : c'est en trouvant des pistes et en établissant une théorie que l'action deviendrait possible.

Le monde se débattait encore dans des difficultés économiques à la suite des cataclysmes. La crise qui gangrenait déjà de nombreux pays compliquait une reconstruction s'annonçant longue et laborieuse.

Le quotidien était parfois difficile et subvenir aux besoins essentiels toujours une priorité. Plusieurs ordinateurs avaient pourtant pu être récupérés, grâce notamment à la débrouillardise d'Andrew et à sa connaissance des marchés parallèles grassement alimentés par les nombreux pillages des derniers mois – d'innombrables maisons avaient été vidées du moindre objet présentant une quelconque valeur marchande. Par ailleurs, il était devenu impossible de trouver du matériel neuf – l'industrie avait été durement atteinte et les usines rouvraient laborieusement leurs portes. Aussi les ordinateurs fournis par Andrew étaient-ils loin des modèles dernier cri. Mais ils fonctionnaient, c'était l'essentiel.

Sous le commandement d'Oksa, l'ancien grenier de Dragomira avait été aménagé en cellule informatique où régnait une suractivité permanente. Les bureaux, faits de bric et de broc, ainsi que les multiples câbles jonchant le sol formaient un terrain de jeux inattendu pour les créatures. Quant à l'intense chaleur dégagée par les machines, elle saturait l'atmosphère de la pièce, mais faisait également le bonheur des Devinailles qui refusaient catégoriquement qu'on ouvre les fenêtres.

– La température atteint un niveau tout à fait acceptable, qu'on nous laisse en profiter ! brailla l'une d'elles alors que Gus, en nage, tentait d'aérer. Pourquoi nous refuserait-on de vivre dans des conditions convenables au moins une fois dans notre vie ?

– Trente-cinq degrés, c'est plus que convenable... maugréa Gus, un thermomètre à la main.

– Mais ce n'est même pas la température de l'être humain ! rétorqua une autre Devinaille.

– Un argument implacable... fit Oksa en riant. Là, elle t'a cloué le bec !

Cette remarque plongea l'Insuffisant dans une sérieuse perplexité. Gentiment « posé » à côté du bureau de Gus, il dévisagea le jeune homme d'un air perplexe.

– On vous a cloué le bec ? Ça doit être très douloureux...

Gus était trop heureux de retrouver la créature qui l'amusait tant.

– Non, ne t'inquiète pas, c'est juste une expression. D'ailleurs, regarde, je n'ai pas de bec, fit-il en lui montrant ses lèvres. Parce que je ne suis ni une poule ni un oiseau.

Ces précisions ne semblèrent pas éclairer l'Insuffisant. Il contempla à nouveau le garçon de ses gros yeux perdus, cherchant mollement un lien entre ce qui venait d'être dit et ce qu'il voyait.

– Ah bon ? fit-il enfin. Mais alors, vous êtes quoi ?

Cette interrogation capitale fut interrompue par une coupure de courant – la troisième de la soirée. Un cri unanime résonna dans toute la maison où chacun s'affairait.

– Oh, c'est pas vrai ! s'énerva Mortimer en donnant un coup de poing sur la table. Je venais juste de tomber sur un truc hyper-intéressant !

– T'inquiète, tu vas le retrouver dès que le courant sera rétabli, le rassura Oksa.

10

Les Cinq Fantastiques

Quand Oksa avait évoqué la traque d'Orthon sur Internet, Mortimer avait aussitôt proposé son aide. Il s'était d'abord heurté à l'opposition de Gus, ce dernier ne pouvant faire abstraction de certains épisodes douloureux. Sa rancune ainsi que sa méfiance étaient tenaces. À ses yeux, Mortimer était avant tout le fils du Félon, un garçon qui n'hésiterait pas à leur planter un couteau dans le dos dès qu'il en aurait l'occasion.

Pourtant, les Sauve-Qui-Peut ne ménageaient pas leurs efforts pour le convaincre de la sincérité du ralliement de Mortimer à leur clan. Zoé, Abakoum, les Devinailles et même le Foldingot prenaient sans relâche sa défense et garantissaient avec vigueur la pureté de ses intentions. Mais c'est Oksa qui se révélait sa plus ardente avocate.

– Je ne sais pas ce qu'il te faut de plus ! s'était-elle enflammée la veille. Je te signale que Mortimer est allé sur le territoire de l'Inapprochable en cachette de son père pour cueillir la Tochaline qui guérirait Maman. Par la suite, il n'a pas hésité à m'aider lorsque je me trouvais dans l'antre d'Ocious au milieu des montagnes À-Pic. Sans lui, je n'aurais certainement pas réussi à récupérer le flacon d'Élixir, et encore moins pu échapper au Diaphan...

– OK, mais tu ne pourras pas m'empêcher de penser à Orthon chaque fois que je le regarde.

Oksa lui avait jeté un coup d'œil scandalisé.

– Tu en es encore là ? s'était-elle insurgée. C'est lamentable, Gus. Lamentable et injuste. Mortimer n'est pas responsable de ses origines !

– Tu oublies peut-être que c'est à cause de ce genre de considération que Malorane a fait sombrer Édéfia dans le chaos... C'est en négligeant les liens du sang que ton ancêtre a commis une erreur tragique. À un moment ou à un autre, les filiations ont toujours entraîné... de mauvaises surprises.

– Gus, ce que tu viens de dire est vraiment... nul ! Comment un garçon comme toi peut-il penser des choses pareilles ?

– Tu veux parler du fait que j'ai été adopté ?

Oksa avait tourné la tête, excédée et peinée, et s'était rongé un ongle.

– C'est ça, Oksa ? Tu veux dire que j'accorde beaucoup d'importance à la filiation alors que je ne connais rien de la mienne ?

– Donne au moins une chance à Mortimer, avait esquivé Oksa. Et n'oublie pas certains contre-exemples, comme Réminiscens et Zoé.

– D'accord, avait concédé Gus. Mais Mortimer a quand même joué un double jeu pendant des mois !

– Un double jeu en notre faveur, oui !

– Il ne t'est jamais venu à l'esprit qu'il pouvait être le traître qui donnait toutes les infos sur Du-Mille-Yeux à Orthon et à son père ?

– Gus, tu me déçois beaucoup... avait soufflé Oksa, consternée. Tu n'as donc rien compris ? Mon Foldingot a été clair et, même sans sa confirmation, les faits l'ont prouvé : le traître, ce n'était pas Mortimer, c'était Tugdual. Il a essayé de résister à l'emprise d'Orthon, mais il a basculé sous nos yeux sans qu'on s'en aperçoive.

Un souvenir la tourmentait plus que n'importe quel autre : l'Insuffisant attiré hors de son appartement Gracieux ; Tugdual attendant avec fébrilité devant sa porte ; le malaise qu'elle avait ressenti en vérifiant son Elzévir imprudemment laissé sur son bureau... Tugdual était à la source de tous les doutes qu'elle avait alors eus. Des paroles lui revenaient en mémoire et attisaient son trouble.

« Je peux être aussi bon que mauvais. Je peux être l'ami le plus fidèle et le traître le plus féroce, avec la même démesure », lui avait dit le garçon.

Les ambiguïtés, certains propos auraient dû lui mettre la puce à l'oreille. Les regrets la taraudaient.

– Il se passait tellement de choses terribles tout autour de nous à ce moment-là... avait-elle dit comme pour se disculper elle-même. Et Tugdual a toujours été si secret...

– Tugdual ? Dis plutôt ton petit-cousin...

Oui, par le fait de sa filiation nouvellement révélée, celui dont elle avait été si amoureuse était son petit-cousin, comme Gus avait eu la cruauté de le lui faire remarquer. C'était terrible, violent. Mais au fond d'elle, Oksa savait qu'il était inutile de s'enfermer dans un déni qui finirait par lui exploser en plein cœur un jour ou l'autre.

– Oui, Gus, c'est exactement ce que je veux dire, déclara-t-elle en regardant son ami droit dans les yeux.

Elle se redressa : affronter la réalité était parfois douloureux, mais ne lui faisait plus peur.

Mortimer ayant été accepté bon gré mal gré dans la petite équipe d'internautes, Oksa n'avait eu d'autre choix que de faire de même avec Kukka, à laquelle Gus prêtait des égards très paradoxaux, variant entre un agacement manifeste et une affection dépassant la simple amitié – il aurait fallu être aveugle pour ne pas s'en rendre compte. Au grand dam de la Jeune Gracieuse, les deux Refoulés ne cachaient pas leur singulière complicité.

– C'est donnant-donnant, ma vieille !

– T'as vraiment beaucoup changé, Gus... avait assené Oksa, déroutée.

– Encore plus que tu ne le crois…

Cette dernière réplique avait laissé un sentiment étrange dans l'esprit d'Oksa. Devait-on toujours changer en grandissant ? Les épreuves, les bonheurs modifiaient-ils nécessairement ce qu'on était ? Comment faire pour comprendre qui on était, qui était l'autre ?

– C'est vraiment énervant, ces coupures ! gémit Kukka, grincheuse devant l'écran noir de son ordinateur.

Oksa soupira d'un air excédé.

– Oui, mais tu vois, l'électricité est *légèrement* plus importante dans les hôpitaux ou pour faire fonctionner les trains… lança-t-elle, non sans une certaine provocation.

– Évidemment ! Et il ne faut pas avoir une intelligence supérieure pour l'admettre, rétorqua Kukka. Je veux seulement dire que…

– C'est vrai que c'est énervant, l'interrompit Gus.

Dans la pénombre qui régnait, il ne pouvait voir la dureté du regard d'Oksa. Mais elle n'était pas difficile à deviner… Il commençait à avoir l'habitude des piques que les deux filles ne manquaient pas de se lancer à la seconde même où elles se trouvaient dans la même pièce. Zoé et Mortimer semblaient avoir établi comme principe de ne jamais intervenir et Gus se retrouvait donc seul face à ces deux personnalités si différentes. Peu désireux de prendre parti pour l'une ou pour l'autre, il intervenait donc pour avoir la paix – uniquement pour avoir la paix –, se faisant parfois l'effet d'être un arbitre sur un ring de boxe.

– Ça va, les Cinq Fantastiques ?

Les cinq jeunes gens, à défaut d'être des « amis pour la vie », avaient tout naturellement été baptisés ainsi par les adultes et s'en accommodaient avec malice.

– Oui, merci, Pavel, on attend que le courant revienne, répondit Zoé.

– Papa, t'as l'air d'un spectre avec ta Trasibule sur l'épaule !

Pavel prit un air accablé.

– On vient gentiment apporter une aide secourable et on se retrouve la cible de l'ironie de sa propre progéniture...

Oksa pouffa de rire.

– Dingue et narquoise, tu cumules... lui fit remarquer Gus.

– C'est laid, ajouta Pavel d'un air exagérément sérieux. C'est très laid.

Mortimer se détourna, subitement concentré sur une tache d'humidité au milieu du mur. Les rapports qu'entretenaient Oksa et son père le surprenaient. Même quand la situation n'était pas brillante, comme c'était le cas actuellement, ils trouvaient toujours le moyen de s'accorder quelques instants de dérision. Cette apparente légèreté pouvait paraître incongrue. Mortimer, lui, l'enviait.

Il ne pouvait s'empêcher de faire la comparaison avec son propre père. Orthon avait été un père intransigeant et sa sévérité avait souvent empêché les McGraw d'accéder à une certaine complicité dans leur quotidien. Mais Orthon avait su être aimant, à sa façon. Jusqu'à ce qu'il retrouve Oksa, en tout cas... Car, à partir de là, tout avait changé pour voler en éclats et provoquer la désintégration de la famille, du clan, des repères. L'Inespérée était devenue une obsession au détriment de tout le reste. Un prétexte pour accomplir le pire qu'un homme puisse faire.

Sans pouvoir dire quoi que ce soit, Mortimer avait compris que son père était un criminel sans scrupules. Mais au-delà des meurtres, un autre événement avait été décisif.

Sur l'île de la mer des Hébrides, quand Réminiscens s'était emparé de lui pour provoquer son frère jumeau, Orthon avait hésité. Il avait hésité à céder alors que lui, Mortimer, son fils, risquait sa vie entre les mains de Réminiscens prête à tout par vengeance[1].

Quelque chose s'était irrémédiablement brisé ce jour-là.

---

1. Voir tome 3, chapitre 18.

Puis Orthon avait attiré Tugdual auprès de lui et Mortimer s'était trouvé relégué au second plan. Ce « nouveau » fils recélait un tel potentiel... Si Mortimer en souffrait, son ressentiment se portait davantage sur son père que sur celui qui était devenu son demi-frère.

Tugdual n'était qu'une victime. Une de plus.

Mortimer ne l'avait pas supporté.

Et il avait pris sa décision.

11

Mise en place

Quelque part au large du Groenland

Le sous-marin glissait à la surface de l'eau, fendant la mer dans un sillon d'écume. Lisse et luisant comme une énorme limace, il filait en silence sous les rayons laiteux de la lune tamisés par la neige dont les premiers flocons commençaient à tomber.

Un homme apparut sur le kiosque de l'engin. Il observa l'immensité de la mer pendant quelques secondes et, le torse bombé, la tête renversée en arrière, il partit d'un rire dans lequel transparaissait autant de triomphe que de désespoir. Le rire résonna dans la nuit, sans écho, et se perdit au ras des flots agités. Puis l'homme se reprit, sortit de sa sacoche une grosse lampe torche et émit par intermittence des signaux lumineux. Depuis une plate-forme pétrolière dressée quelques kilomètres plus loin, le faisceau d'un projecteur s'éleva soudain vers le ciel, en un couloir menant de la terre à l'espace. Le sous-marin ajusta sa trajectoire et fonça droit vers l'étrange construction.

Plusieurs personnes étaient accoudées aux rambardes. Stoïques malgré le vent glacial et la neige qui redoublaient de force, elles attendaient que le sous-marin approche de l'étroite passerelle fixée entre deux piliers. Quand il fut assez près, chacune d'elles s'activa alors à l'accostage en amarrant les câbles lancés par les marins depuis l'engin. Solidement immobilisé, le sous-marin laissa enfin sortir ses passagers, une vingtaine d'hommes et de femmes de tous âges. Surpris par le blizzard, ils enfoncèrent le cou dans leurs épaisses parkas et se pressèrent pour gravir l'escalier en colimaçon serpentant dans l'entrelacs de poutrelles d'acier. Certains d'entre eux risquèrent un regard vers le sommet de la plate-forme. Déstabilisés par son gigantisme, ils s'accrochèrent à la rampe gelée et hâtèrent le pas. Ce voyage leur avait déjà réservé bien des surprises et tous avaient l'impression d'être loin d'en avoir fini...

C'est sous l'escorte des résidents du lieu que les nouveaux venus entrèrent dans le bâtiment de cinq étages construit sur un des flancs de la plate-forme. Contrastant avec la température extérieure, il y faisait une touffeur étonnante, comprimée par les coursives étroites. L'acier était omniprésent et amplifiait le moindre bruit, celui des pas comme celui du vent, en provoquant des grincements et des craquements inquiétants.

On leur fit traverser quantité de galeries depuis lesquelles les plus observateurs d'entre eux purent apercevoir des pièces aux allures de laboratoire dans lesquelles régnait une importante activité. Puis ils furent conduits au troisième étage, dans une salle tapissée d'écrans de contrôle. Des hommes et des femmes, tous vêtus à l'identique de pulls à col roulé et de pantalons noirs, s'affairaient devant des dizaines d'ordinateurs.

Les nouveaux venus s'entreregardèrent. Où se trouvaient-ils ? Qui étaient ces gens ? Et qu'attendait-on d'eux ?

Une voix résonna soudain. Les techniciens en noir enlevèrent les casques de leurs oreilles et se redressèrent, alors que les nouveaux venus cherchaient des yeux celui qui prononçait maintenant quelques mots de bienvenue. Mais nul ne le vit : la voix, désincarnée et pourtant très présente, provenait de haut-parleurs fichés dans le plafond.

– Vous êtes ici aujourd'hui parce que je vous ai choisis. Pourquoi vous ? Vous connaissez la réponse : parce que, dans votre domaine, vous êtes les meilleurs. Mais dans nos sociétés, vous le savez, le talent et l'ambition ne sont pas toujours reconnus à leur juste valeur…

L'image d'un des écrans s'agrandit soudain pour diffuser les extraits de reportages issus de chaînes télévisées du monde entier. Les visages de certaines personnes présentes dans la salle apparurent sur l'écran. Chacun préféra garder les yeux rivés sur les écrans, et rester concentré sur les commentaires des journalistes, afin d'éviter de croiser le regard de ceux qu'il reconnaissait à ses côtés.

« Plusieurs évasions ont eu lieu aux États-Unis sur le mode de celles qui ont été constatées dans les prisons d'Europe de l'Est ces derniers jours, annonça le présentateur de CNN, imité par ceux des différentes chaînes nationales. Parmi les évadés figure celle que toutes les polices du monde ont recherchée pendant des années, Helga Korjus, bien connue sous le surnom de la Tueuse aux mille visages… »

Au milieu du groupe, une femme au regard perçant esquissa un sourire.

« Les motifs pour lesquels ces criminels ont été condamnés ne permettent toujours pas d'établir un lien entre les évasions… »

Le son fut coupé brutalement. Puis, avec un sens affecté de la mise en scène, le maître des lieux apparut. Osseux, chauve, il était aussi élégant et impressionnant que lorsque quelques-unes des personnes présentes avaient fait sa rencontre, au détour d'une prison estonienne ou d'un laboratoire clandestin au fin fond de la Roumanie. Auprès de lui, ceux qui l'avaient escorté dans un silence respectueux : un homme à la silhouette sèche, âgé d'une quarantaine d'années, et un autre, plus jeune, aux cheveux noir corbeau et au regard d'un bleu polaire.

– En acceptant de travailler pour moi, vos compétences seront enfin reconnues, reprit celui grâce auquel ils avaient tous été conduits jusqu'ici. En échange de votre loyauté absolue, vous allez pouvoir les mettre au profit d'une cause exceptionnelle. Soyez fiers de rejoindre l'élite mondiale !

Les hommes et les femmes en noir poussèrent un cri unanime avant de laisser s'installer un profond silence seulement chahuté par le sifflement du vent.

– Avant que Gregor ne vous conduise dans vos chambres, je vous dois un minimum d'informations, conclut l'homme. Les plus observateurs d'entre vous auront noté que nous nous trouvons sur une plate-forme…

Il laissa fuser un petit rire.

– Son nom est la Salamandre et elle se situe au large du Groenland, en pleine mer d'Irminger, peu importe où exactement. Quant à votre hôte, c'est moi-même. Certains me connaissent déjà. Pour les autres, je suis Orthon McGraw, mais vous m'appellerez Master. Et maintenant, au travail ! Nous avons une grande œuvre à accomplir !

Alors qu'il quittait la salle, ses partisans brandirent le poing et lancèrent d'une même voix :

– Notre force pour la gloire ! Auprès de notre Master jusqu'à la mort !

12

L'élite d'Orthon

Plate-forme la Salamandre, mer d'Irminger

Le grésil crépitait contre les minuscules hublots de la salle de sport. La météo était exécrable, le ciel et la mer semblaient rivaliser de menaces, crachant, cognant, grondant contre la plate-forme qui, à chaque assaut, laissait échapper des gémissements métalliques. Mais en dépit de la violence de l'environnement, tout le monde restait concentré sur l'entraîneur, un homme taillé comme un athlète.

Les cours de préparation physique portaient essentiellement sur les sports de combat, arts martiaux et autodéfense, et s'adressaient au groupe des Anguilles, ainsi que le nommait le Master. Constitué de mercenaires, d'anciens militaires, d'hommes de main et autres tueurs à gages, il représentait l'indéniable atout physique et stratégique de l'armée d'Orthon. Le deuxième groupe – celui des Pieuvres – n'était cependant pas en reste : se retrouvait dans ses rangs ce que le monde entier comptait de généticiens et neurophysiciens controversés, voire condamnés pour pratique répréhensible de leur discipline, de pirates informatiques géniaux et de prodiges de la finance. Pendant que les uns transpiraient en poussant des cris de guerre, les autres s'affairaient devant des ordinateurs ou dans les laboratoires ultramodernes qui occupaient entièrement le quatrième étage de cette immense plate-forme.

Gregor écoutait Markus Olsen détailler ses expériences sur la meilleure manière de se fondre dans une foule et de déjouer la vigilance de gardes du corps aussi aguerris que soi-même. Une excellente recrue, cet Olsen… Alors qu'il était déjà condamné à perpétuité pour l'assassinat du chef d'État d'un pays de l'ex-bloc soviétique, sa culpabilité était engagée dans différents meurtres d'hommes politiques de premier ordre. Sans compter tous ceux pour lesquels on n'avait pu apporter de preuves tangibles. Quel gâchis ç'aurait été de le laisser croupir à la Boutyrka…

– Décidément, mon père est un grand justicier, murmura Gregor en admirant le sens pédagogique du mercenaire qui s'appliquait à transmettre son savoir avec une énergie tout à fait convaincante.

Son regard fut attiré par Tugdual, debout et immobile à l'entrée de la salle. Ses cheveux, désormais coupés très court, ne cachaient plus rien de son visage et en accentuaient l'effrayante pâleur, l'exposant sans concession ni faux-semblants. Il fixait d'un air impénétrable les hommes et les femmes en plein entraînement.

De tous les résidents de la Salamandre, il était le seul à ne pas participer à l'effervescence générale. En dépit de l'attachement que lui portait Orthon et des privilèges qui en découlaient, Tugdual avait manifesté quelques signes de résistance. Mais Orthon avait su se montrer persuasif : tout cela n'était entrepris que pour le bien de celui qui était devenu son fils préféré.

Gregor n'était pas dupe : son jeune demi-frère possédait plus d'atouts que lui. Alors que la mère de Gregor était une Du-Dehors, Tugdual, lui, était un authentique Du-Dedans, doublé d'un Cœur Gracieux.

Ce qui lui conférait un avantage décisif.

À cette pensée, le fils aîné du Félon se rembrunit. Après le départ – la trahison ! – de Mortimer, Gregor pensait pouvoir bénéficier des faveurs exclusives de son père et il s'en réjouissait. Le seconder, devenir son bras droit, son homme de confiance pour pouvoir lui succéder en toute légitimité le jour venu. C'était dans l'ordre des choses. Mais Tugdual avait débarqué et l'attention d'Orthon s'était détournée pour se concentrer sur ce fils prodigue tombé du ciel.

Pourtant, malgré l'amertume, Gregor conservait une fidélité infaillible.

Quoi qu'il puisse lui en coûter.

Quand il se sentit observé, Tugdual tourna les talons et disparut. Sa silhouette, sombre et longiligne, glissa le long des corridors d'acier, gravit l'escalier en colimaçon, jusqu'à gagner le cinquième étage. Il entra dans une des petites chambres, véritables alcôves au luxe discret – le Master savait prendre soin de ses troupes. Il s'assit près du hublot griffé par la tempête et chantonna d'une voix triste :

I'm frozen to the bones
...
I'm waiting for the call, the hand on the chest
I'm ready for the fight, and fate
...
I want to feel the pain and the bitter taste
Of the blood on my lips, again[1].

Tout à coup, il se raidit, comme pris d'une crampe. Quelques secondes plus tard, la porte de la chambre s'ouvrit et Orthon fit son apparition. Il referma la porte sans bruit, puis se posta derrière le jeune homme. Ce dernier n'avait pas besoin de se retourner pour savoir qui était là.

---

1. « *Je suis glacé jusqu'aux os...*
J'attends l'appel, la main sur la poitrine,
Je suis prêt pour le combat et le destin...
Je veux sentir à nouveau la douleur et le goût amer
Du sang sur mes lèvres... »
(Woodkid/*Iron*)

— Mon fils, tu dois venir avec moi, fit Orthon en posant une main sur l'épaule du garçon. J'ai une mission spéciale à te confier.

Sa prise, bien que d'une délicatesse inattendue, se révélait ferme : l'obéissance était la seule option. Le jeune homme frémit, s'attarda un instant sur le spectacle de la mer furieuse et se leva enfin. Il plongea ses yeux d'un bleu de glace dans ceux d'Orthon, à l'éclat froid comme le métal. Tous deux se regardèrent ainsi pendant plusieurs secondes avant qu'Orthon ne prenne le jeune homme dans ses bras.

— Tu as fini par comprendre, n'est-ce pas ? murmura-t-il à son oreille. Résister ne sert à rien, tu es mon fils.

Il resserra son étreinte.

— Tu feras tout ce que je t'ordonne de faire, n'est-ce pas ?

Le garçon se détendit soudain et inclina la tête.

— Oui, Père...

13

Naissance d'une légende urbaine

Les Cinq Fantastiques travaillaient sans relâche, les yeux rougis par les trop nombreuses heures passées devant leurs ordinateurs poussifs. À peine s'autorisaient-ils de minuscules pauses, parfois imposées par les coupures de courant toujours aussi fréquentes.

Mais leurs efforts portaient leurs fruits.

Si l'on savait quoi chercher, Internet représentait un formidable outil. En partant des évasions, abondamment relatées dans les médias, Oksa et ses compagnons collectaient un maximum d'informations périphériques, y compris celles dont la fiabilité n'était pas vérifiée, et encore moins reconnue. « Il n'y a pas de fumée sans feu… » rappelait souvent la Jeune Gracieuse. Aussi la liste s'allongeait-elle de jour en jour grâce aux dizaines de vidéos, témoignages, photos d'amateurs qui circulaient sur la Toile. Sous couvert d'anonymat, plusieurs gardiens de prison présents au moment des évasions s'étaient même regroupés pour rendre publiques leurs dépositions jugées fantaisistes par les autorités. Une aubaine pour les Sauve-Qui-Peut qui trouvaient là l'occasion d'exploiter des renseignements de première main.

Mais, si officiellement il était donné peu de crédit à ces témoignages, ils étaient pourtant pris très au sérieux en coulisse, au sein même des bureaux des polices du monde entier où l'on notait les mêmes observations que les Cinq Fantastiques avaient consciencieusement listées :

• Les évadés avaient tous défrayé la chronique quand leurs méfaits – des actes criminels pour la plupart d'entre eux – avaient été jugés.

• Toutes les évasions avaient lieu de nuit.

• Les circuits électriques de chaque prison concernée étaient détruits sans intervention humaine, usage d'explosifs ni manipulation électronique.

• Aucun laboratoire ne parvenait à déterminer la composition de la matière qui avait servi à faire fondre l'acier des barreaux, ainsi qu'à fusionner le métal des portes et la pierre des murs.

• Les gardiens se retrouvaient subitement désarmés et projetés en l'air, « comme soumis à une force invisible », disaient-ils d'une voix commune.

• Malgré l'obscurité, de nombreux témoins signalaient avoir vu quatre silhouettes humaines survoler les prisons au moment des évasions, puis disparaître dans le ciel…

Ces points confirmaient, ô combien, la théorie des Sauve-Qui-Peut.

– Les Granoks d'acide utilisées par les Félons pour créer des failles dans l'Égide, elles seules peuvent faire fondre de l'acier et de la pierre aussi efficacement, n'est-ce pas ?

Abakoum acquiesça.

– J'en ai bien l'impression, ma Jeune Gracieuse…

– Eh bien, j'espère qu'Orthon n'en a qu'un stock limité ! s'exclama Oksa. Sinon, il est capable de faire sauter les coffres-forts des banques du monde entier !

– Ou d'atteindre les réacteurs des centrales nucléaires… ajouta Gus.

Oksa lui glissa un regard réprobateur.

– Merci pour cette note positive, Gus…

– Je n'ai pas raison ?

– Si, Gus, malheureusement… répondit Abakoum.

– Et ces quatre silhouettes ? demanda Marie.

La mère d'Oksa n'avait pas encore récupéré toutes ses facultés physiques, mais sa prodigieuse guérison réjouissait les siens. Pavel voulut l'aider quand elle amorça un mouvement pour s'adosser plus confortablement dans le canapé, mais elle l'en empêcha d'un geste tendre.

– Qu'est-ce que vous en pensez ? fit-elle.

– Orthon et l'évadé, Gregor et... Tugdual, dit Pavel en jetant à Oksa un coup d'œil à la fois prudent et inquiet, comme chaque fois que quelqu'un parlait du jeune homme.

– Notez bien, mes amis, que nous avons un avantage considérable sur Orthon, fit remarquer Abakoum.

– Tu crois ? ne put s'empêcher de demander Oksa, un sourcil levé en forme d'accent circonflexe.

– Même si Orthon constitue une armée, il ne pourra compter dans ses rangs que trois Du-Dedans : lui et ses deux fils.

Oksa serra les dents. Pourquoi tout le monde s'obstinait-il à prendre autant de précautions pour parler de Tugdual ? Pour la préserver ? Elle redressa la tête et répondit au regard de son père avec une certaine fierté : elle était grande, elle avait dix-sept ans, elle avait traversé mille épreuves, elle pouvait faire front. À défaut d'accepter... Mais ça, c'était son problème.

– Tu as raison, nous sommes bien plus nombreux ! poursuivit Gus. Enfin, je ne parle pas de moi, bien sûr.

– On se demande vraiment pourquoi tu restes avec nous, lança Oksa, agacée. Franchement, il y a longtemps que tu aurais dû prendre tes petites affaires et t'en aller, tu vois, loin d'ici au pays des nuls-de-chez-nuls, ta Terre promise à toi...

– Oksa ! Qu'est-ce qui te prend ?

Le cri de Pavel résonna au milieu des murmures désapprobateurs des Sauve-Qui-Peut et des Refoulés présents.

– Il faut que ça change, Gus, marmonna Oksa entre ses dents.

– Je ne te le fais pas dire… rétorqua Gus en la fixant avec un air de défi.

Contre toute attente, c'est Oksa qui, la première, baissa les yeux…

La discrétion des autorités concernant les enquêtes contrastait avec la propagation tous azimuts d'informations faisant office de preuves incontestables – puisque c'était diffusé par les médias ou sur Internet, c'était forcément vrai aux yeux de la grande majorité. Très vite, une véritable légende urbaine se répandit, rumeur galopante où il était question d'homme nouveau, sorte de mutant issu d'une technologie de pointe top secret et d'expérimentations militaires sur des prisonniers. Si les temps n'avaient pas été si sombres, les Sauve-Qui-Peut en auraient presque ri.

Pendant que courait la légende et que se développait la psychose, les policiers d'Interpol, de Scotland Yard, de la CIA et d'ailleurs parvenaient à établir un fait certain : derrière toutes ces affaires se trouvait une seule et même personne.

Ce dénominateur commun, les Sauve-Qui-Peut, eux, le connaissaient déjà. Et mieux encore : ils n'ignoraient rien de ses ambitions.

Parallèlement à l'étude des données autour des évasions, Mortimer avait eu l'excellente idée d'étendre les recherches aux fichiers de personnes disparues, en ciblant des profils similaires à ceux des prisonniers en fuite.

– On arrivera peut-être à établir une liste de noms encore plus précise et à identifier au plus près l'armée de… mon père…

Non seulement la tâche était colossale, mais encore elle causait quelques dommages collatéraux dans le petit groupe. Alors qu'Oksa, Zoé et Mortimer ne rencontraient aucun problème pour changer de langue et surfaient allègrement d'un fichier à l'autre, Gus et Kukka, n'étant pas des polyglottes magiques, se trouvaient réunis sur des recherches communes.

Ce qui n'était pas du tout du goût de la Jeune Gracieuse.

Comme d'habitude, l'inconvenance de ses pensées la contrariait. Ce n'était vraiment pas le moment de se laisser atteindre par *ça* ! Pourtant, voir Kukka minauder autour de Gus, requérir sans cesse son attention, rejeter en arrière sa sublime chevelure... Tout chez cette maudite beauté lui donnait des envies de meurtre.

– Gus, tu as trouvé quelque chose d'intéressant dans le fichier britannique ? lança-t-elle avec une véhémence qui la surprit elle-même.

Gus jeta un coup d'œil à la feuille qu'il griffonnait au fur et à mesure de ses trouvailles, nullement affecté par le ton d'Oksa. Mais les garçons savaient-ils remarquer ce genre de choses ?

– Oui ! Figure-toi que la famille de Niall Monroe a signalé sa disparition, il y a trois jours, répondit le jeune homme.

Le regard qu'Oksa lui lança ne manquait ni de sévérité ni d'exaspération. Mais uniquement parce que le menton de Kukka frôlait son épaule, elle s'en rendait bien compte sans pouvoir faire quoi que ce soit pour s'adoucir...

– Et qui est Niall Monroe, s'il te plaît ? demanda-t-elle d'un air énervé.

Gus fouilla dans ses notes et lança d'un ton sincèrement étonné :

– Tu ne connais pas Niall Monroe ? Mais Oksa, rappelle-toi...

– Eh bien, non, je ne connais pas Niall Monroe, désolée ! riposta-t-elle, piquée au vif. C'est pourquoi je te demande d'avoir l'amabilité de m'éclairer de tes immenses lumières...

– Moi, ce nom me dit vaguement quelque chose, mais je ne suis pas sûre, intervint Zoé en regardant tour à tour Gus et Oksa.

Si Gus jouait souvent les arbitres entre Kukka et Oksa, Zoé, elle, savait s'imposer comme démineuse des bombes qui menaçaient d'exploser à intervalles réguliers entre Gus et la Jeune Gracieuse.

– Niall Monroe est un des plus jeunes pirates informatiques au monde, exposa Gus. C'est lui qui s'est offert une superbe intrusion dans le réseau interne du FBI le jour de son treizième anniversaire.

– Mais oui, bien sûr ! fit Oksa, à nouveau concentrée sur les recherches. Je m'en souviens ! Il avait également réussi à entrer dans les fichiers des principales banques suisses.

– Exact ! acquiesça Gus. Des agences gouvernementales l'auraient approché pour lui proposer de travailler avec elles, mais ses parents ont refusé en raison de son âge, il a à peine seize ans…

– Et maintenant, il a disparu…

Les Cinq Fantastiques restèrent un moment plongés dans une intense réflexion.

– Ça va, Mortimer ? demanda Oksa.

Le jeune homme paraissait touché par cette nouvelle.

– Vous avez l'air de l'ignorer… mais Niall Monroe était à St Proximus, annonça-t-il. Il était même dans ma classe…

– C'est vrai ? s'exclama Oksa. Alors ça, c'est incroyable !

– Ton père le savait ? interrogea Zoé.

– N'oublie pas qu'il était prof et de toute façon, il savait toujours tout, assena Mortimer d'une voix pleine de rancœur. Et je suppose que rien n'a changé, bien au contraire…

Il se plongea dans la liasse de papiers posée devant lui. Zoé leva les yeux vers lui, inquiète et bienveillante. L'affection qu'elle avait pour lui, ce profond attachement qui allait au-delà des liens du sang, n'était pas le moins du monde entaché par les événements des derniers mois. Comme elle, Mortimer avait choisi son camp et, comme elle, ce choix n'avait pas été exempt de déchirement. Il faisait de gros efforts pour ne pas craquer, elle le savait. Quel dommage que Gus ne soit pas plus compréhensif…

– Nous avons déjà trois génies de l'informatique sur la liste, poursuivit Mortimer. Deux ont été « libérés » des prisons américaines d'Attica et de Rikers Island, et un Coréen n'a plus donné signe de vie depuis plusieurs jours. Niall Monroe pourrait être le quatrième, vous ne croyez pas ?

Dès qu'il trouvait une piste, Mortimer sollicitait l'avis des membres du groupe. Ses tentatives pour s'intégrer touchaient Oksa et Zoé auprès desquelles sa cause était de toute façon acquise. Kukka, elle, gardait la même indifférence apparente que Gus.

– Je suis sûre que tu as raison ! s'exclama Oksa.

– Ce jeune homme est une recrue de choix pour Orthon, vous imaginez ? renchérit Zoé.

– Il peut faire des ravages, approuva Gus.

Il feuilleta ses notes et exhuma une feuille de l'épais paquet.

– On a trouvé un autre truc intéressant, une nouvelle légende urbaine qui a l'air de se répandre à toute vitesse à propos d'êtres surnaturels à l'origine de toutes ces affaires…

Tous frémirent. Des êtres surnaturels ? Avait-on déjà été si près de la réalité ?

– Attendez, ce n'est pas tout, la rumeur va plus loin : certains émettent l'hypothèse que ces êtres seraient venus d'ailleurs pour libérer leurs compagnons emprisonnés, des infiltrés aux desseins maléfiques…

– Waouh ! fit Oksa dans un souffle.

Chacun se mit à réfléchir aux implications de cette rumeur quand, soudain, Gus s'écria :

– Hé, attendez ! Et si les évadés étaient réellement des exilés d'Édéfia infiltrés à Du-Dehors comme les Sauve-Qui-Peut l'ont été pendant des années ? S'ils étaient… de *vrais Félons* ?

14

Réactions en chaîne

– Les évadés, des Du-Dedans ? s'exclama Oksa. Ce serait le pire des scénarios… C'est vrai qu'on a toujours cru que les Félons n'étaient qu'une poignée et qu'ils se limitaient à Mercedica, Lukas, Agafon et leur descendance. Mais finalement, qui nous dit qu'ils n'étaient pas plus nombreux et que ces prisonniers ne sont pas… comme nous ?

– Ils se seraient évadés, non ? lui opposa Zoé. Avec les pouvoirs qu'ils ont, ça aurait été un jeu d'enfant pour eux ! Pas besoin qu'Orthon prenne tous ces risques.

– Ou bien ils ne se seraient pas laissé attraper du tout ! ajouta Gus en continuant de raisonner dans ce sens.

– Ce n'est pas faux, concéda Oksa. Peut-être qu'on se fait peur pour rien.

– Peut-être… firent Gus et Zoé.

Ils ne purent s'empêcher de sourire d'avoir répondu en chœur.

– Et toi, Mortimer ? Qu'est-ce que tu en penses ? demanda Oksa, malgré tout tracassée par l'hypothèse avancée.

Le jeune homme passa la main dans ses cheveux ras.

– Mon père était… est un homme à l'ego si gonflé qu'il a toujours eu du mal à ne pas faire étalage de ce qui pouvait le mettre en valeur, fit-il à mi-voix, l'air tendu. Je suis même étonné qu'il ait réussi à garder secrets ses pouvoirs. S'il avait eu à ses côtés d'autres Du-Dedans que ceux que nous connaissons, il ne se serait pas gêné pour le faire savoir et je pense que j'aurais été au courant…

– En même temps, il a bien réussi à cacher qu'il avait un troisième fils… marmonna Gus en se tournant face à son ordinateur pour continuer ses recherches.

Devant l'indélicatesse de Gus, Mortimer baissa la tête, mais il ne fallait pas être spécialement observateur pour voir combien il était meurtri. Les poings serrés, il finit d'ailleurs par se lever et quitta la pièce, faisant tomber au passage sa canette de soda dans laquelle il donna un violent coup de pied.

Oksa, quant à elle, fulminait. Elle applaudit, le visage contracté.

– Bravo, Gus ! lança-t-elle. Bravo et surtout merci pour cette colossale manifestation de délicatesse ! C'est à se demander dans quel camp tu es…

Gus se figea, les mains paralysées sur son clavier.

– Je crois que tu aurais mieux fait de te poser la question pour d'autres que moi, non ? rétorqua-t-il.

Oksa savait combien les mots pouvaient infliger des blessures, bien plus profondes et pernicieuses que certains coups, même mauvais. Elle avait été en première ligne de certaines attaques verbales dont l'issue avait été terrible, voire fatale : la violence de la dernière conversation entre Orthon et Ocious résonnait encore dans sa mémoire. Elle n'oublierait pas davantage les mots qui avaient conduit Léomido vers la mort, puis, plus tard, Mercedica.

Si ce que venait de dire Gus ne pouvait pas la tuer, cela pouvait lui faire un mal de chien, oui. En voyant sa mine à la fois atterrée et ombrageuse, Zoé préféra sortir à son tour en entraînant Kukka avec elle.

Oksa se recroquevilla sur son siège, les jambes repliées contre elle, et fixa le dos de Gus et ses cheveux noirs, souples et brillants. Au lieu d'assouvir son désir de les lui arracher un à un, elle lui envoya un Knock-Bong dont elle essaya de tempérer tant bien que mal la puissance – le but n'était tout de même pas de l'éliminer ! Le fauteuil à roulettes traversa la salle, le garçon accroché de toutes ses forces au siège pour ne pas tomber. Arrêté par le mur, il fut projeté en avant et se rattrapa de justesse.

– T'as perdu la tête ? gronda-t-il, aussi blanc qu'un linge.

Oksa était blême, comme victime de son acte.

– Tu ne crois pas que tu te trompes d'ennemi ? continua Gus. Le méchant, ce n'est pas moi, tu dois le savoir pourtant !

Oksa brûlait d'envie de lui dire de se taire. Mais à part le regarder, désespérée, elle était incapable de prononcer la moindre parole. Gus ne parut pas insensible à sa détresse. Son visage perdit son air provocateur pour retrouver la douceur compatissante qu'il savait avoir, autrefois. Tout en restant assis, il fit rouler son fauteuil jusqu'à Oksa.

La jeune fille ne pouvait affronter son regard sans risquer de s'effondrer à nouveau. Elle détourna les yeux alors que les larmes affluaient. Larmes de tristesse, de colère, de frustration, de regret… Comment y voir clair dans cet enchevêtrement de sensations ?

– Excuse-moi… ma vieille… murmura Gus.

– Je ne suis pas ta vieille. Je ne suis *plus* ta vieille.

Gus se rapprocha.

– Mais qu'est-ce que tu crois ? Tu es ma vieille depuis toujours et pour toujours, que tu le veuilles ou non !

Oksa enfonça la tête entre ses genoux et étouffa un cri.

– Alors, pourquoi tu es comme ça depuis que je suis revenue ?

– Comme quoi ?

– Comme quelqu'un qui me déteste !

Gus soupira.

– Je ne te déteste pas, Oksa.

– On s'entendait si bien avant…

– Avant quoi ? Avant que tu en choisisses un autre ? Je ne peux pas t'en vouloir, tu as le droit, même si j'aurais préféré que tu te jettes dans les bras de quelqu'un d'autre que ce traître de « corbeau gothique ».

Le ton de Gus était un peu pincé, il semblait le regretter. Il rejeta une mèche en arrière.

– Mais je croyais juste que ce qui s'était passé entre nous dans le désert de Gobi était important pour toi, reprit-il en tentant de moduler sa voix qui vibrait. Je croyais que… ça signifiait quelque chose. Quelque chose de bien. Quelque chose de fort. Tu comprends ?

Seule la respiration d'Oksa, saccadée, montrait qu'elle suivait parfaitement ce que disait Gus.

– Tu m'as embrassé, Oksa, tu t'en souviens au moins ? Je ne t'avais rien demandé, moi !

Il tendit la main et tenta de relever le menton d'Oksa. Elle résista.

– Si tu restes comme une tortue enfermée sous sa carapace, on ne va pas y arriver…

Devant la passivité de la Jeune Gracieuse, il la prit par les épaules et fit glisser son siège au plus près. Surprise, elle redressa enfin la tête.

Gus en profita pour l'embrasser avec intensité.

Puis il se leva et sortit de la pièce.

15

Les génies incompris

Quand Gregor vint chercher Leokadia Bor dans sa luxueuse chambre, cette dernière sut qu'elle allait enfin pouvoir reprendre du service.

Au cours des vingt dernières années, elle n'avait fait que subir le rejet des scientifiques et le mépris horrifié des ignorants. Ses semblables l'avaient peu à peu poussée à la clandestinité. Incomprise et solitaire, à l'abri de son laboratoire installé au fond d'une cave sordide, elle avait continué à mener ses expériences avec la conviction qu'un jour, l'humanité tout entière ouvrirait les yeux et reconnaîtrait son génie. Alors, c'est à genoux que tous la supplieraient de leur pardonner leur aveuglement...

Ce jour avait failli ne jamais arriver. Par un morne matin d'hiver, la police investit la petite maison de Leokadia Bor dans les faubourgs de Varsovie. Menottée, impuissante, elle regarda la cinquantaine de policiers armés jusqu'aux dents mettre son laboratoire à sac et saisir ses travaux – le fruit de plusieurs années de labeur. Paradoxalement, son arrestation flattait la scientifique : ses recherches attisaient l'intérêt et la convoitise du monde médical, l'envergure de l'opération policière en était la preuve. Mais voir ces barbares la traiter de monstre et emporter toutes ses notes, son matériel et ses ordinateurs la dévasta de rage. Qu'allaient-ils en faire ? Les vendre au plus offrant ? Se rendaient-ils seulement compte qu'ils contenaient tout l'espoir d'un monde meilleur ?

Le propre espoir de Leokadia Bor connut également un sérieux revers lorsqu'elle s'aperçut qu'elle n'était pas enfermée à la prison de San Quentin, ainsi qu'on le lui faisait croire. Elle avait reconnu une langue qui lui était familière quand elle écoutait les échanges des gardiens et le climat n'avait rien de la douceur de la prison californienne, il ne fallait pas avoir parcouru le monde pour s'en rendre compte…

Elle en déduisit qu'elle se trouvait dans une de ces prisons secrètes au fin fond d'un pays balte dont aucun gouvernement ne reconnaissait officiellement l'existence.

Son moral en fut affecté. Si personne ne savait où elle se trouvait, pas même elle, comment sortirait-elle de ce trou à rats ? Et quand bien même, qui aurait pu venir à son secours ? Elle n'avait aucun ami, aucune famille. Autour d'elle, il n'y avait que des incompétents envieux de son intelligence hors du commun.

Puis était venue l'heure de son procès. Ou plutôt de sa parodie de procès… Son avocat, le plus minable qu'on puisse trouver, ne la laissa pas placer un mot. Seule, elle se serait mille fois mieux défendue ! La condamnation tomba : trente ans d'emprisonnement pour expérimentations médicales illégales. Leokadia Bor s'insurgea, hurla sa révolte, cracha son écœurement face à ses juges et à cette nouvelle preuve de l'obstination de ses semblables à ne pas admettre l'évidence.

Qu'avaient-ils dit ? Que voyaient-ils en elle ?

Une scientifique mégalomane ? Une généticienne psychopathe ?

Ils n'avaient donc rien compris… Elle était une visionnaire, une bienfaitrice de l'humanité !

Et aussi une femme de plus de quarante ans qui, quand elle sortirait de prison, serait une pauvre vieille sans avenir… Mais la justice resta sourde et sans cœur devant ses plaintes : Leokadia Bor retrouva les murs épais de sa prison balte, accablée par la pensée que jamais le monde ne connaîtrait son génie.

Mais un miracle survint et, en quelques minutes, sa vie bascula à nouveau, du côté de l'espérance cette fois. Les trois hommes qui l'emmenèrent loin de sa geôle ne ressemblaient à aucun autre, mais son instinct lui ordonnait de se taire et de se laisser faire.

Une poignée d'heures plus tard, elle se retrouvait sur cette plate-forme glaciale, perdue en pleine mer et habitée par des hommes et des femmes comme elle : des génies méprisés, voire haïs, qu'ici, on comprenait et respectait.

La chance avait enfin tourné. Et, pour la première fois de sa vie, en sa faveur.

La partie habitable de la Salamandre était un incroyable immeuble de cinq étages divisé en une succession de pièces organisées les unes à côté des autres dans une géométrie stricte et fonctionnelle. Au quatrième étage, au cœur de cet ensemble, se nichait le plus étrange et le plus inquiétant des projets d'Orthon. À part le Maître et sa garde rapprochée, restreinte à ses fils et à Markus Olsen, personne n'avait encore eu le privilège d'y pénétrer.

Un sas s'ouvrit à l'approche de Gregor et Leokadia. Il débouchait sur un étroit couloir, éclairé de lumières d'une blancheur aveuglante, le long duquel on pouvait apercevoir trois portes fortement blindées.

Arrivés devant la première d'entre elles, Gregor et Leokadia s'arrêtèrent. Le fils d'Orthon sortit un étui d'une des poches de son pantalon et en extirpa une épaisse limace verte peu ragoûtante qu'il approcha de la serrure. Le gastéropode s'introduisit entièrement dans le trou en contorsionnant son corps informe avec un bruit de succion. Plusieurs cliquetis étouffés se firent entendre avant que la clé vivante ne réapparaisse et que la porte ne s'ouvre. Une lumière crue jaillit de l'intérieur de la pièce, forçant les deux visiteurs à se protéger les yeux de leur main en visière. Gregor fit signe à celle qui l'accompagnait d'entrer et s'effaça pour la laisser passer.

– Leokadia Bor ! résonna la voix d'Orthon.

Le Félon s'approcha et saisit les mains de la femme pour les serrer avec une surprenante chaleur. Si cette dernière était étonnée, elle n'en montra rien, conservant une certaine réserve. Orthon lâcha ses mains et l'observa avec une attention qui aurait pu paraître inconvenante en d'autres circonstances. Mais Leokadia n'oubliait pas ce qu'elle devait à cet homme au regard aluminium – et aux pouvoirs surnaturels. La liberté n'avait pas de prix, il pouvait la jauger comme un animal autant qu'il le voulait si cela pouvait lui faire plaisir...

Soudain, Orthon éclata de rire. Un rire déplaisant, ironique et pourtant atrocement sincère. La femme eut un mouvement de recul.

– Excusez ma muflerie, très chère ! Mais vous avez l'air si... inoffensive !

À ces mots, prononcés dans un polonais parfait, Leokadia se détendit au point de s'autoriser un rictus amusé. Orthon continuait de la détailler : une silhouette courte et enveloppée, des cheveux poivre et sel, coupés court, et un visage parfaitement banal, ni beau ni laid. Elle avait l'allure d'une petite bonne femme anodine dotée d'un physique quelconque et d'une intelligence idoine. On l'imaginait dans son quotidien davantage un plumeau à la main qu'au milieu d'un laboratoire de recherche, et encore moins comme l'incarnation d'une des plus dangereuses scientifiques ayant sévi depuis les médecins nazis du XXe siècle. Seul son regard pouvait trahir sa vivacité, mais uniquement lorsqu'elle voulait bien s'en donner la peine. Ce qui était le cas à l'instant présent.

– Comme ils ont dû être surpris… fit Orthon avec délectation.

Au souvenir de ses détracteurs et juges, de leurs mines effarées, de leurs regards horrifiés, Leokadia acquiesça avec un sourire mordant.

– Ils l'ont été, je peux vous l'assurer, et encore plus que vous ne l'imaginez, dit-elle d'une voix dure.

Orthon la considéra encore un instant avant d'assener en se frottant les mains :

– Bien, très bien… Je suis honoré de vous compter parmi nous, tout à fait honoré.

– Puis-je vous poser une question ?

Orthon fit un léger mouvement de la tête en signe d'assentiment.

– Comment me connaissez-vous ? demanda la femme.

– Voyons, ma chère, comment ne pas connaître la grande Leokadia Bor quand on s'intéresse un tant soit peu à la génétique ?

Il darda sur elle un regard à la fois admiratif et dominateur qu'elle soutint, montrant une force de caractère insoupçonnée.

– Et comment avez-vous fait pour me trouver ?

– Tout est question de moyens, répondit Orthon. Et vous aurez compris que les miens sont grands, n'est-ce pas, ma chère ?

Leokadia opina de la tête d'un air entendu.

– Mais laissons le passé de côté et venons-en à ce qui nous occupe tous les deux… lança le Félon, en lui faisant signe de le suivre.

Elle obtempéra, confiante. Cet homme semblait sur la même longueur d'onde qu'elle. Et le moins qu'elle puisse dire, c'est qu'il ne lui était pas souvent arrivé de faire de telles rencontres au cours de sa vie.

Les quelque cent mètres carrés de la pièce dans laquelle Orthon l'invita à entrer étaient tapissés de céramique immaculée du sol au plafond. Sur de vastes plans de travail trônaient différents instruments de recherche : microscopes, centrifugeuses, chromatographes, séquenceurs, thermocycleurs et autres matériels flambant neufs que Leokadia n'aurait même pas osé rêver posséder un jour.

Un homme vêtu d'une blouse blanche était assis face à un ordinateur immense. La scientifique polonaise parut soudain troublée.

– Pompiliu ? Pompiliu Negus ? fit-elle à mi-voix.

L'homme se retourna. De longues mains, un large crâne presque dégarni, un nez fort et des yeux bleus perçants, c'est ce qu'on remarquait au premier coup d'œil chez cet homme de taille et de corpulence moyennes.

Avec un étonnement ravi, il dévisagea celle qui venait de l'interpeller.

– Leokadia Bor… murmura-t-il.

– Heureux de vous retrouver ? leur demanda Orthon.

Leokadia et le dénommé Pompiliu Negus s'entreregardèrent et, pour toute réponse, sourirent à leur hôte.

– Vous saviez donc que nous nous connaissions ?

Un rictus amusé creusa quelques petites rides autour des yeux d'Orthon.

– Disons que j'ai suivi vos carrières de près, jusqu'à ce qu'elles soient brutalement interrompues…

– Qu'attendez-vous de nous ? enchaîna Leokadia.

– Ni plus ni moins que ce que vous savez faire de mieux : mettre vos génies respectifs au profit d'une noble cause. La génétique pour vous, ma chère Leokadia, et la virologie pour votre confrère, Pompiliu.

L'homme approuva d'un geste de la tête et la généticienne plissa les yeux, tout à l'écoute. Orthon leur tourna le dos pour se diriger vers un écran de télévision fixé au mur. Il glissa les doigts sous le bord de l'objet et tira, dévoilant un coffre-fort dont le code d'accès n'était autre que le reflet de ses étranges pupilles. À l'intérieur, un unique trésor : un minuscule cartouche que le Félon saisit avec mille précautions.

Les deux scientifiques se montraient aussi intrigués qu'impatients. Enfin, Orthon revint vers eux et demanda d'un air impérial :

– Avez-vous déjà entendu parler des Diaphans ?

16

Le grandiose projet

Juchés sur des tabourets hauts, de part et d'autre d'une paillasse carrelée, Orthon et les deux savants avaient scellé une nouvelle page de leur destin. Sans se départir d'une peu discrète jubilation, Orthon avait exposé dans les grandes lignes l'existence d'Édéfia et la nature des Du-Dedans, et s'était laissé aller jusqu'à évoquer Oksa Pollock et les Sauve-Qui-Peut, avec une ironie à peine masquée.

Mais même en n'abordant que l'essentiel, ce qu'il venait de leur confier laissa stupéfaits Leokadia Bor et Pompiliu Negus. Tous deux se doutaient bien que leur hôte – et protecteur – bénéficiait d'un métabolisme *légèrement* différent de celui de Monsieur Tout-le-Monde, mais pas au point de concevoir qu'il puisse venir d'un autre monde. Ils étaient d'authentiques scientifiques et, en dépit des libertés qu'ils avaient pu prendre dans leur discipline, leur esprit rationnel était ébranlé.

Néanmoins, c'est en abordant le sujet fascinant des Diaphans qu'Orthon s'attacha à tout jamais l'intérêt de ses deux nouveaux collaborateurs. La généticienne détraquée imaginait déjà de formidables croisements et mutations, pendant que le virologue délirant se prenait à rêver de contagion mondiale. De si exaltantes perspectives...

Orthon ne fut pas avare de détails : tout ce que Leokadia et Pompiliu voulurent savoir, il le leur dit, sans rien édulcorer, sans rien omettre et, pour une fois, sans attirer les projecteurs sur lui. Sauf au moment de leur présenter l'objet vers lequel toute cette conversation menait : le cartouche qu'il n'avait pas lâché depuis le début de la conversation.

– Cette misérable Oksa Pollock a tué le dernier Diaphan, expliqua-t-il non sans une certaine théâtralité. Un acte insensé et criminel…

Quand on savait pour quoi Leokadia Bor et Pompiliu Negus avaient été condamnés – de monstrueuses expérimentations allant à l'encontre de toute éthique médicale et humaine –, et quand on connaissait le parcours d'Orthon, la remarque avait de quoi laisser songeur. Cependant, chacun d'eux manifestait sa désapprobation sans le moindre complexe.

– Heureusement, j'ai su être prévoyant, fit-il en caressant la petite bouteille.

– Vous avez réussi à conserver de l'ADN de Diaphan… murmura Leokadia avec gourmandise.

– Encore mieux que cela, ma chère ! exulta Orthon. Ce que vous voyez là est un ovule… Un ovule que j'ai eu le bon sens de prélever sur le dernier Diaphan avant qu'il, ou plutôt qu'« elle » ne soit détruite. N'est-ce pas formidable ?

Un ovule de femelle Diaphan !

Les deux scientifiques ne purent dissimuler leur enthousiasme : un spectaculaire embrasement couvrit le visage de Pompiliu alors qu'un tremblement intempestif agitait la lèvre supérieure de Leokadia.

– Master, c'est prodigieux ! souffla l'homme.

– Oui, je le reconnais, fit Orthon, le front haut. Et c'est pourquoi j'ai besoin de vous car cet ovule est plus que précieux, vous vous en doutez. Je ne peux prendre le risque de le perdre en le confiant à n'importe qui.

Il fixa les deux scientifiques avec une intensité aussi encourageante que menaçante. Sans les quitter des yeux, il fit glisser sur la surface froide du plan de travail le précieux cartouche – en l'occurrence un container pas plus gros qu'un cigare, rempli d'azote liquide.

– Si ceci venait à être détruit, détérioré ou même simplement abîmé, sachez que, l'un comme l'autre, vous n'aurez plus qu'un seul but dans la vie : mourir.

Son regard d'aluminium s'obscurcit.

– Mais retenez que cette mort que vous souhaiterez plus que tout si vous échouez, c'est moi qui en suis le décisionnaire. Vous me devez votre liberté, je prends votre vie en hypothèque. Le marché est juste, non ?

Que Leokadia et Pompiliu pouvaient-ils faire d'autre qu'approuver en silence les paroles du Félon ? D'autant plus que leur « bienfaiteur » n'avait pas tout à fait tort et... qu'eux n'avaient pas vraiment le choix. De toute façon, ce que le Master leur proposait n'avait rien d'un marché : le secret qu'il venait de leur dévoiler sur ses origines, leur association, leur présence sur cette plate-forme, ses ambitions et les leurs, tout les rendait désormais dépendants du Félon.

À la vie, à la mort.

C'est pourquoi, passé le frisson de la menace, Leokadia et Pompiliu mesurèrent leur chance. À tout réfléchir, même si les choses devaient mal tourner, mieux valait mourir entre les murs de ce laboratoire luxueux en tentant de changer le monde que crever dans la pestilence d'une prison d'Europe de l'Est...

Mais il n'était pas question de mourir.

Car ils allaient réussir.

– Bien, reprit Orthon en retrouvant son regard aluminium, maintenant que nous avons fixé les conditions de notre collaboration, venons-en à notre projet... C'est d'une extrême simplicité : j'attends de vous que vous conceviez un nouveau Diaphan à partir de cet ovule et que vous meniez sa gestation à son terme.

Les deux savants le dévisagèrent, impassibles mais le cerveau déjà en ébullition. L'existence d'une créature comme le Diaphan représentait une force de frappe extraordinaire. Ou bien une arme dissuasive au potentiel hors du commun. Tout dépendait de quel point de vue on se plaçait.

Leokadia fut la première à s'autoriser un sourire.

Un sourire satisfait, quasiment victorieux, et surtout profondément malveillant.

Malgré son aspect inédit, ce « travail » était à la hauteur de ses compétences – ses expériences passées l'avaient confrontée à bien plus difficile.

– Un seul Diaphan ? demanda-t-elle sur un ton si volontaire qu'il en paraissait presque provocant. Nous pourrions obtenir davantage, vous savez...

– Je n'osais vous le suggérer, très chère, répliqua Orthon. Disons que je compte sur vous pour faire... votre maximum. Sans prendre aucun risque dommageable, bien entendu.

– C'est tout à fait ainsi que je voyais les choses, approuva la Polonaise.

– Quant à vous, très estimé Pompiliu, votre génie sera primordial pour accompagner l'action de notre nouvelle alliée, poursuivit Orthon en se tournant vers le savant aux yeux bleus. Aaahhh ! Je suis si fier de pouvoir unir les avant-gardes de la génétique et de la virologie ! Si fier !

Le rire qui fusa de la gorge des trois associés n'eut rien de charmant.

– Une dernière question, Master... ajouta Leokadia, interrompant ce moment de pure réjouissance. La nature permet beaucoup de choses, mais elle est exigeante. Un détail ne vous aura pas échappé : l'ovule doit être fécondé pour donner vie...

– Voilà ce qu'il vous faut ! la rassura Orthon en lui présentant une éprouvette. Un peu de moi-même...

Leokadia et Pompiliu écarquillèrent les yeux et échangèrent un regard complice : le projet « Peste Amoureuse » dépassait les limites du grandiose.

17

Cauchemar & rêvolerie

Tugdual était là, les bras le long du corps dans une attitude de total renoncement. Le désespoir noyait ses yeux bleu clair en même temps que les larmes coulaient sur les joues d'Oksa. Et pourtant, la jeune fille se saisit de sa Crache-Granoks et la porta à ses lèvres.

Elle ne pouvait plus faire marche arrière.

Car le Mal était là, profondément ancré, indestructible et prêt à se répandre à nouveau.

Sauf si celui qu'il gouvernait mourait.

Alors, Oksa essuya ses larmes et souffla dans sa Crache-Granoks. Tugdual vacilla et s'effondra. Il lui adressa un dernier regard avant que le Crucimaphila n'ait raison de lui et de tout ce qu'il recélait, le Bien et le Mal, l'amour et la haine, la liberté et l'asservissement.

Ses souvenirs, ses pensées, les battements de son cœur, tout ce qui faisait de lui ce qu'il était fut emporté.

Puis la vie quitta son corps à tout jamais dans une explosion de cendres noires.

Oksa se redressa d'un bond dans son lit. Sa couette glissa sur le sol. Elle frissonna, posa les coudes sur ses genoux et se prit la tête entre les mains. Quel terrible cauchemar… Ce n'était pas la première fois qu'elle rêvait qu'elle tuait Tugdual. Ce songe revenait, régulièrement, avec ces images cruelles dont Oksa refusait d'admettre le sens, même symbolique.

Jamais elle n'oublierait Tugdual. Jamais elle ne le tuerait.

Jamais.

Elle essaya de laisser le calme de la nuit reprendre possession de son esprit et respira longuement, à la recherche du vide. Peine perdue... Elle n'arriverait pas à se rendormir aussi facilement. Sans faire de bruit pour ne pas déranger ses camarades qui dormaient dans sa chambre, elle se fraya un chemin parmi les lits de camp et descendit dans la cuisine, la seule pièce non occupée où elle pouvait s'isoler. Elle se prépara un thé, ainsi que l'aurait fait Dragomira si elle était encore parmi eux.

Le nez plongé dans les effluves de bergamote qui lui rappelaient tant de choses, elle s'assit sur le rebord de la fenêtre et tenta de concentrer son attention sur les nuages. L'éclat de la lune les parait d'une blancheur dense et leur mouvement, généré par un vent modéré, avait un rythme presque hypnotique. C'était beau, triste et apaisant.

– Oksa ? murmura une voix derrière elle.

Elle se retourna et, malgré la quasi-obscurité qui régnait, reconnut Abakoum, debout à l'entrée de la pièce.

– Je peux me joindre à toi ?

– Bien sûr, Abakoum...

L'Homme-Fé referma avec soin la porte derrière lui et s'approcha.

– Tu n'arrives pas à dormir ? demanda-t-il.

– Pas vraiment, non... Et toi ?

– Moi non plus.

– Baba avait un truc infaillible dans ces cas-là : l'élixir d'Or-Fée. Mais tu dois connaître...

Abakoum acquiesça. Dragomira devait beaucoup lui manquer, à lui aussi, se dit Oksa. Il avait été présent à chaque instant de sa vie, du jour de sa naissance à l'instant de sa disparition, sur les rives de Gaxun Nur. Son absence représentait sûrement un vide abyssal. Et pourtant, admirable et exemplaire, il avançait, luttait, ne faisait jamais défaut.

L'Homme-Fé et la Jeune Gracieuse restèrent ainsi un moment, côte à côte, dans un silence dont l'un et l'autre partageaient toute la gravité. Une gravité que rien, même le plus puissant des élixirs, ne pouvait apaiser.

– Rien ne s'est passé comme cela aurait dû, fit Oksa.

– On ne sait jamais ce qui va vraiment arriver…

– Oui, mais à ce point-là ! On peut dire que le destin a fait fort et qu'il ne nous a rien épargné.

– Nous sommes presque tous vivants… objecta Abakoum avec une sagesse résignée.

Oksa sentit ses narines se pincer sous l'afflux des larmes qui menaçaient. Cameron, Helena, tous ceux qui s'étaient ralliés à la cause Gracieuse et qui avaient combattu à ses côtés, sans concession ni promesse de gloire… Ils étaient si nombreux à être tombés lors du Nouveau Chaos. Et elle, qu'avait-elle fait ? Elle avait pensé aux siens, à sa mère et à Gus, et s'était empressée de confier les rênes du pouvoir à Réminiscens et d'entraîner ses proches avec elle à Du-Dehors.

Était-ce juste pour tous ces gens qui avaient combattu ?

Méritait-elle la loyauté sans faille qu'ils lui avaient tous accordée ?

Sa précipitation était-elle digne d'une Gracieuse ?

Elle avait agi sans réfléchir, sa plus grande faiblesse s'était révélée dans toute sa splendeur. Elle s'en voulait tellement…

– Tu as fait de ton mieux, tu sais…

Surprise, Oksa leva les yeux vers celui qui était devenu son Veilleur. Même quand les mots ne pouvaient franchir les frontières de l'esprit, Abakoum comprenait toujours.

– Je n'en suis pas sûre… murmura-t-elle.

– Gus et Marie étaient presque mourants. Attendre davantage aurait été une prise de risque aussi imprudente qu'inutile.

– Inutile ?

– Édéfia était profondément meurtrie lorsque nous sommes partis, mais elle ne courait plus aucun danger. En tant que Premier Serviteur du Pompignac, je m'en suis assuré. Ta présence était plus que nécessaire à Du-Dehors. Si cela n'avait pas été le cas, je me serais permis d'intervenir, Oksa… Ma Gracieuse…

– Tu essaies de me rassurer, fit la jeune fille avec une petite moue qui creusa ses fossettes.

– Non. J'essaie de te faire comprendre que nos actes ont parfois plus de sens qu'on ne le pense, même quand on les croit totalement irréfléchis. Ton instinct et ton cœur t'ont poussée à prendre une décision logique. Ne regrette rien.

Ce raisonnement laissa Oksa pensive. Elle contempla le square, blafard sous les rayons de lune, puis sembla soudain prise d'un sursaut.

– Abakoum ? Comment je dois faire pour rêvoler ?

Abakoum se tourna vers elle et, malgré la pénombre, elle décela une grande émotion dans le regard de l'Homme-Fé, comme si, au fond de lui, il attendait qu'elle pose enfin la question.

– Les rêvoleries sont très différentes de l'Autre-Moi, n'est-ce pas ?

– Oui, confirma Abakoum. C'est à toi de les provoquer et de les diriger, comme si ton esprit se saisissait d'une caméra et filmait telles ou telles choses. À l'opposé, rien ne peut commander ton Autre-Moi. C'est ton inconscient et lui seul qui le mène, qui *te* mène là où il le faut.

Oksa siffla entre ses dents.

– Je voudrais rêvoler, fit-elle.

– C'est une très bonne décision, Oksa… Ma Gracieuse…

– Je ne vais jamais y arriver…

– Je pense que si, répliqua Abakoum.

Décontenancée par cette déclaration laconique, Oksa se leva et ouvrit le frigo pour se servir un verre d'eau glacée. La lumière à l'intérieur de l'appareil éclaira le vieil homme. Son émotion s'était muée en une expression de franc espoir et

Oksa en fut bouleversée. Si elle parvenait à rêvoler, elle pourrait ensuite montrer aux Sauve-Qui-Peut et aux Refoulés comment allaient ceux qui étaient restés à Édéfia. Elle imaginait déjà leur émotion, leur soulagement, la consolation qu'ils éprouveraient.

Voir Réminiscens, à laquelle le cœur d'Abakoum était si attaché, Jeanne et Pierre Bellanger, les Knut et le petit Till... Elle aurait quand même pu y penser plus tôt ! Elle n'était qu'une écervelée, doublée d'une sale égoïste...

Rêvoler.

Comment diable faisait-on pour y parvenir ? Oksa n'en avait pas la moindre idée. Depuis qu'elle était Gracieuse, elle n'avait pas senti de changements particuliers en elle. Rien qui lui permette de faire mieux ou autrement que ce qu'elle faisait déjà avant.

Rien de fondamentalement différent.

Affaire de concentration ? Ou bien résultat d'un apprentissage qu'elle aurait dû recevoir, mais que personne n'avait pu lui dispenser ? Avant elle, les Gracieuses avaient toutes bénéficié d'un passage de relais, d'une transmission de savoirs. Elle jeta un coup d'œil désemparé à Abakoum.

– Comment as-tu fait pour découvrir que tu avais des pouvoirs ? lui demanda ce dernier.

– Je... je ne sais pas... Je n'ai pas réfléchi, c'est venu tout seul, comme ça !

– Tu voulais que ça arrive.

– Euh, oui... fit la jeune fille en se remémorant la mise à feu des cheveux de sa vieille poupée, le Knock-Bong sur Mortimer dans les toilettes de St Proximus, son premier Voltical...

– Ma Gracieuse ! Ma Gracieuse ! fit une petite voix étouffée derrière la porte de la cuisine.

Oksa se redressa : son Foldingot arrivait à point ! Elle se leva pour lui ouvrir.

– J'ai besoin de toi ! dit-elle sans perdre un seul instant.

– La domesticité de ma Gracieuse fait la proposition de son intégrale assistance et l'application de renfort si sa compétence connaît l'existence.

– Il faut que je rêvole et je ne sais pas comment m'y prendre. Est-ce que tu peux m'aider ?

Les yeux du Foldingot s'agrandirent, mangeant presque la totalité de sa large face. Il se saisit des deux mains d'Oksa qu'il serra entre les siennes, la fixa longuement, à tel point que la jeune fille finit par se sentir comme hypnotisée.

– La position comblée de confort donnerait la facilité supplémentaire pour l'accès à la Rêvolerie, fit-il en abandonnant soudain Oksa.

Il quitta la cuisine et revint en poussant un fauteuil équipé d'accoudoirs molletonnés. Abakoum et Oksa se précipitèrent pour l'aider et la jeune fille put enfin s'installer.

– Je suis prête !

– Ma Gracieuse a-t-elle la volonté de pratiquer la pose de sa boîte crânienne contre le dossier de ce siège ?

Tout en obtempérant, Oksa ne put s'empêcher de lui adresser un regard plein d'affection. La fantaisie de son Foldingot était un perpétuel enchantement. Elle s'enfonça dans le fauteuil, la tête légèrement en arrière, le corps détendu. Debout derrière elle, son petit intendant posa les mains à plat sur son front. Une étonnante fraîcheur se diffusa d'abord à la surface de sa peau avant de se muer en un flot d'ondes délicates. Le Foldingot se mit à chantonner. Oksa ferma les yeux, abandonnant peu à peu toute résistance et tout ce qui la retenait à Du-Dehors.

– C'est normal que ce soit si long ?

La voix de Pavel, bien qu'assourdie, parvint jusqu'à Oksa et la ramena dans la petite cuisine de la maison de Bigtoe Square. La jeune fille sentit qu'on pressait son poignet, à la recherche de son pouls sans doute.

– Ne t'inquiète pas, Pavel, résonna la voix d'Abakoum. Oksa va bien.

– La confirmation est bardée de positivité, renchérit le Foldingot.

La jeune fille se laissa flotter un instant, entre sommeil et éveil, puis elle entrouvrit enfin les yeux.

– Aaahhh… s'exclama Pavel, soulagé. Tout de même !

Le retour fut si brutal pour Oksa qu'il lui sembla tomber littéralement du ciel pour atterrir dans le fauteuil qu'elle venait à peine de quitter. Pourtant, il s'était passé du temps, plusieurs heures, comme en témoignait le soleil qui éclairait maintenant la rue de sa timide lumière automnale.

– Coucou… fit-elle d'une petite voix.

Les habitants n'ayant pas pu entrer dans la pièce se pressaient dans l'encadrement de la porte.

– Coucou, ma chérie ! s'écria Marie en prenant appui sur sa canne pour venir la serrer dans ses bras.

– Alors, ma vieille, c'était bien, cette excursion à Édéfia ?

Le visage de Gus gardait un sérieux impassible. Seule une minuscule lueur au fond de ses yeux trahissait son plaisir de la revoir. Oksa le regarda d'un air béat.

– Édéfia ? ânonna-t-elle.

Un trouble déçu agita les Sauve-Qui-Peut et les Refoulés. Jusqu'à ce qu'Oksa se lève de son fauteuil en annonçant :

– Je vais tout vous montrer !

18

Un violent mais réconfortant bouleversement

Alors que la Rêvolerie demandait un certain abandon, le Caméroeil, au contraire, exigeait une grande concentration et Oksa s'avouait terrifiée à l'idée de se tromper de souvenirs. Et si elle montrait des choses qui n'appartenaient qu'à elle ? Des parties de son jardin secret ? Réceptif, son Foldingot s'approcha et lui souffla discrètement à l'oreille :

– La domesticité de ma Gracieuse fait la recommandation de l'absorption d'un Capaciteur nommé Excelsior pour faire l'évitement d'une divagation de sa mémoire…

Ces mots dits, il ouvrit la paume de sa main grassouillette au cœur de laquelle se trouvait une gélule nacrée. Oksa s'en saisit en opinant de la tête.

– Tu as tout à fait raison…

Et pendant que son père et Abakoum tendaient un drap blanc sur le mur, elle s'empressa d'avaler le Capaciteur au singulier goût de terre, s'installa au centre du salon et fixa l'écran improvisé.

Il ne fallut qu'une dizaine de secondes pour que les premières images apparaissent. Oksa les sentit littéralement sortir d'elle, puissantes et chargées de vie.

Les Refoulés furent les premiers à réagir. La main sur la bouche, ou bien les doigts crispés sur les accoudoirs de leur fauteuil, ils prenaient de plein fouet le spectacle de désolation qu'offrait Du-Mille-Yeux. Les traces de la terrible bataille ayant opposé les partisans de la Gracieuse Oksa à ceux d'Ocious, l'ancien cicérone tué et remplacé par son fils Orthon, crevaient les yeux et le cœur de ceux qui en étaient les témoins impuissants, groupés autour d'Oksa dans le salon.

Sur fond de décor de fin de guerre, des corps étaient alignés dans l'herbe poussiéreuse : Abominaris, Chiroptères Tête-De-Mort, serpents-zèbres, rhinocéros bleus, tigres aux dents de sabre... Mais aussi des Gétorix, des Merlicoquettes, quelques Insuffisants, tous fauchés en pleine lutte. Plusieurs personnes prenaient une à une les créatures défuntes pour les enterrer avec un respect égal, qu'elles aient été dans le clan Gracieux ou Félon. Le cimetière était vaste, déjà hérissé d'innombrables stèles, simples pierres plates sous lesquelles reposaient les corps des humains ayant perdu la vie lors du Nouveau Chaos. Oksa ne put retenir un frisson en revoyant ces images. En plein cœur de l'action, impossible de voir que tant de gens étaient morts. C'est en rêvolant que cette réalité lui était apparue dans toute sa cruauté et avait provoqué une explosion à l'intérieur de son esprit, de sa conscience. Alors que les sombres paroles d'une chanson s'imposaient à sa mémoire, le Camérœil trembla.

How fortunate the man with none[1]...

Oksa s'essuya les yeux sans ménagement et se pinça le nez. « Oui, mais toi, tu n'es pas seule... Reprends-toi ! » se tança-t-elle.

Le Camérœil retrouva sa netteté et se déplaça, suivant la volonté d'Oksa. Tout était gris, enfumé. La si belle végétation que la Jeune Gracieuse avait réussi à faire sortir de terre, avec l'aide de ceux disposant du pouvoir de la Vertemain, était couverte de cendres. Les lambeaux noirâtres de l'Égide calcinée flottaient aux branches comme de sinistres rubans que des Gobecras et des Luxuriantes – connus pour

1. « Heureux l'homme qui n'a personne »... (Dead Can Dance/*Into the labyrinth.*)

leurs talents ménagers – débarrassaient avec un soin obstiné.

Plus loin, au-delà des sépultures, des incendies expiraient, non sans achever d'engloutir leurs proies, les maisons cubiques ou en forme de dôme que les habitants avaient mis tant de volonté à reconstruire. Autour des ruines fumantes, des silhouettes s'affairaient en faisant voltiger les gravats, ensuite charriés par des créatures vers une immense carrière aux abords de Du-Mille-Yeux. Tout le monde s'activait, le déblaiement avançait à toute vitesse, énergique et volontaire, mais dans un silence dont on sentait cependant toute l'amertume. Parmi les plus acharnés des travailleurs, Pierre Bellanger apparut. En voyant son père, Gus ne put retenir son émotion. Oksa voulut parler et se tourna vers lui. L'effet fut immédiat sur le Caméroeil : les images disparurent aussi spontanément que si le courant venait d'être coupé.

– Oksa, concentre-toi ! la supplia Pavel au nom de tous.

– Ton père va bien, fit simplement la jeune fille en s'adressant à Gus d'un air rassurant. Et ta mère aussi, tu vas voir... Ils assurent tous les deux, vraiment.

Elle fixa à nouveau le drap blanc et s'attarda volontairement sur Pierre. Un peu plus tard, le Caméroeil reprit son cours et montra ce qu'Oksa avait vu en volticalant au-dessus de Du-Mille-Yeux et de la Colonne de Verre dont les étages supérieurs avaient été sévèrement touchés par les bombes acides des Félons. Les images plongèrent à nouveau vers les rues organisées en arc de cercle autour de la Colonne et prirent soin de montrer à chaque Sauve-Qui-Peut et à chaque Refoulé ceux auxquels ils étaient spécialement attachés : Cockerell, Takashi, Olof, Léa, le petit Till...

Puis le Caméroeil montra une bâtisse qu'Oksa avait à peine eu le temps de visiter au cours de son bref règne.

– La Soignerie d'Hildegarde... fit Abakoum d'une voix enrouée à l'intention de ses compagnons.

Le Caméroeil pénétra à l'intérieur de l'hôpital d'Édéfia, baptisé du nom d'Hildegarde von Bingen, la célèbre religieuse aux talents infinis qui avait suscité l'admiration de la Gracieuse Annamira au XIIe siècle.

Le lieu, abîmé, délabré, s'avérait presque une ruine, mais les salles étaient malheureusement pleines à craquer de blessés, humains et créatures. Pourtant, comme dans les quartiers d'habitation et en dépit de cette dévastation, on sentait la farouche volonté de rétablissement du peuple Du-Dedans. Que ce soit pour rebâtir les maisons, nettoyer les traces du Chaos, panser les plaies du corps, chacun s'activait avec une détermination silencieuse mais puissante. Au bout d'un couloir, Brune apparut, toujours aussi impressionnante de dignité, drapée dans un large tablier maculé de taches. Kukka gémit en voyant sa grand-mère. Elle la regarda, le souffle lui manquait. Brune poussait un chariot chargé de fioles et de bocaux d'herbes tout en adressant aux personnes et aux créatures qu'elle croisait un mot gentil. Mais l'impression de solidité physique qui se dégageait d'elle à première vue s'évanouit au fur et à mesure qu'elle se rapprochait et chacun pouvait lire au fond de son regard toute la tristesse insondable d'avoir perdu sa fille, Helena, tuée par Orthon. Si elle savait ce qui s'était passé ensuite pour Tugdual, elle ne s'en relèverait pas, personne n'en doutait…

Derrière elle surgit soudain son petit-fils Till, le frère de Tugdual.

– Qu'est-ce que tu fais là, mon joli bonhomme ? résonna la voix gutturale de Brune.

– Je veux t'aider, grand-mère !

Brune le prit dans ses bras et enfonça son visage dans les douces boucles blondes du garçonnet. Toujours aussi mignon, il entoura le cou de sa grand-mère de ses petits bras potelés et l'embrassa.

Puis Jeanne et Réminiscens sortirent d'une pièce, les cheveux en bataille, faisant monter encore d'un cran l'émotion dans la maison de Bigtoe Square.

– Les Gétorix ne sont pas les patients les plus faciles… fit Jeanne avec un petit sourire. Je crois que je préfère encore m'occuper des Devinailles, c'est tout dire !

– Les Insuffisants nous poseront moins de problèmes ! renchérit Réminiscens.

Haletant et pétrifié sur sa chaise, Gus mangeait l'écran des yeux. Jeanne allait bien, ainsi que l'avait affirmé Oksa. Son beau visage de madone à l'ovale parfait portait les marques d'une évidente fatigue, mais c'était tellement rassurant de la voir plaisanter ! Quant à Réminiscens, personne ne pouvait nier la trouver toujours aussi belle, mais terriblement vieillie. Sa silhouette s'était un peu tassée, son dos arrondi, son teint terni. Le contrechoc du Chaos et le poids de ses nouvelles responsabilités de Gracieuse intérimaire laissaient des marques qui mordaient le cœur d'Abakoum plus que celui de n'importe qui.

Le Caméræil s'éteignit brutalement. Oksa en avait décidé ainsi.

Ce qui avait été montré était suffisamment rassurant. Et bien assez bouleversant.

Dans le salon de Bigtoe Square, à des milliers de lieues de là, si proches et pourtant si loin, les Sauve-Qui-Peut et les Refoulés gardaient les yeux rivés sur le drap blanc. Seule Kukka sanglotait. Comment lui en vouloir ? Dans un geste spontané, Gus lui saisit la main et la serra avec tendresse, sans autre but que de partager cette peine inconsolable d'être séparés de ceux qu'ils aimaient par une terrible frontière invisible. Pavel étreignit Abakoum, Zoé se laissa attirer par Marie et posa la tête au creux de son épaule, et ainsi, chacun apporta à sa façon un peu de réconfort à ceux qui en avaient le plus besoin.

Seule Oksa restait isolée au centre de la pièce, dépitée. Les images qu'elle venait de projeter avaient une intensité bien différente que lorsqu'elle les avait collectées au cours de sa Rêvolerie. Les partager leur donnait une force, une puissance incomparable, et, dans le même temps, permettait de les supporter.

Son regard glissa vers Zoé, blottie contre Marie, s'attarda sur Mortimer et Barbara, le visage triste, s'arrêta sur Gus et Kukka, main dans la main, yeux dans les yeux. Bizarrement, aucun sentiment de jalousie ou d'agacement ne vint la tourmenter. Elle détourna juste la tête, plus par pudeur que par irritation, et se sentit soudain... grande.

– Merci, Oksa...

Les minutes s'étaient écoulées, vides et pleines à la fois, et Gus se trouvait devant elle sans qu'elle l'ait vu arriver.

– L'inauguration de la Rêvolerie et du Caméræil fait l'accompagnement d'un résultat farci de succès ! intervint le Foldingot, décoloré par l'émotion. Ma Gracieuse doit être ensevelie par notre gratitude !

Contre toute attente, il se prosterna devant Oksa, jusqu'à s'allonger de tout son long sur le sol. Le Gétorix se précipita et, à cheval sur le dos du Foldingot, se mit à brailler :

– Oh, Oh, le domestique, tu te crois où ? C'est pas l'heure de la sieste ! On se lève et on se met au boulot, allez, allez !

– Drôle de façon de t'ensevelir de gratitude ! fit remarquer Gus, les yeux rieurs. Si ça ne te gêne pas, je préfère te remercier comme ça...

Et il lui colla un baiser sur la joue, léger et pourtant non dénué d'intensité.

– Merci, répéta-t-il. Vraiment...

Tout le monde l'imita, malgré le désarroi, malgré le paradoxe de se sentir aussi triste qu'heureux. Puis chacun quitta la pièce, laissant entre eux Oksa et les siens.

Cette nouvelle expérience avait vidé la jeune fille de toute son énergie. Elle était si épuisée qu'elle n'avait plus qu'une idée en tête : dormir. Hagarde, elle se dirigea vers l'escalier.

– Hé, ma vieille ! l'interpella Gus.

Oksa se retourna.

– Je me demandais… murmura le garçon, plus timidement. À l'occasion, tu pourras me faire une petite séance de Caméroeil ? Juste pour moi ?

Oksa lui adressa un franc sourire non dénué de malice.

– Quand tu veux… Surtout que j'ai un bon millier de choses à te montrer.

– Alors, tu as intérêt à ne rien oublier parce que je veux tout voir !

Oksa se tapota la tempe du bout du doigt.

– T'inquiète… Tout est là-dedans.

19

Un chaos moderne

Ces dernières décennies, des crises avaient régulièrement secoué les marchés financiers du monde entier et, sur ce plan, les récents cataclysmes avaient entraîné un ébranlement au moins équivalent à celui d'un cyclone de catégorie quatre : de gros dégâts, mais rien pourtant qui ne puisse être réparé.

Aux quatre coins du monde, sur les deux hémisphères, on s'activait d'arrache-pied pour se remettre sur les rails d'une vie normale, tout en sachant que ce qui était perdu ne se retrouvait jamais totalement. Soumis aux épreuves et aux dangers, les priorités et les besoins des hommes s'étaient brutalement reportés vers une unique préoccupation : la survie. Ils pensaient à se nourrir et à se loger et, pour le moment, le reste n'était que superflu. Aussi la consommation se réduisait-elle aux marchandises de base, ralentissant une industrie déjà durement touchée – bon nombre d'usines ayant été détruites, leur reconstruction prendrait du temps.

Les mois qui suivirent le désastre, cette restriction à l'essentiel entraîna inévitablement un effet pervers : la spéculation battit son plein. Pour ceux qui avaient la mainmise sur les produits alimentaires et les matériaux de construction, la tentation de profiter de la situation était immense. Avec le dysfonctionnement des administrations et des systèmes de régulation, le marché noir connaissait de belles heures. Échappant à tout contrôle, certains se retrouvèrent à la tête de véritables empires pendant que les populations courbaient l'échine, parfois révoltées, souvent impuissantes. D'autres, ayant connu les affres du pillage, devinrent pilleurs à leur tour et développèrent des réseaux très organisés, plus structurés que n'importe quel service de l'État.

Mais pour la plupart, c'est le « système D » qui prévalait, la débrouillardise à tous les niveaux. Et malheur à ceux qui manquaient d'audace. Ou d'imagination…

Le bonheur, tel qu'on le concevait avant la catastrophe planétaire, était devenu une idée désuète et ne reposait plus que sur trois principes : être vivant – avec le bonus sous-entendu de rester en bonne santé –, avoir un toit, pouvoir manger. Cependant, l'espoir n'avait pas pour autant été emporté par les tempêtes et les flots de boue. Il restait bien présent en arrière-fond, à l'abri des cœurs qu'il gonflait en silence.

Puis les États reprirent peu à peu la main. Les transports, le système de soins, les banques, la justice, le commerce… Les sociétés retrouvaient leurs fondements, leurs repères, une certaine idée d'ordre et d'équilibre. Un des signes manifestes d'un retour au bon vieux fonctionnement d'antan fut la réouverture des plus grandes places boursières. Loin d'être abolie, la spéculation y gagna une certaine légitimité et le cours des denrées de base frôlait toujours des sommets. Plus les marchandises étaient rares, plus les prix gonflaient : c'était mathématiquement implacable.

Pourtant, ces sommets s'avérèrent dérisoires le jour où les Bourses de New York, Paris et Tokyo connurent une fièvre sans précédent dans l'histoire de la finance mondiale. Chaque minute qui passait voyait s'afficher un nouveau record et remplissait potentiellement les poches d'une infime minorité. Mais alors que ces chanceux virtuels se frottaient les mains, les Bourses se contaminèrent entre elles avant de s'effondrer soudain à la vitesse et dans les mêmes proportions que les limites impensables qu'elles avaient franchies quelques jours plus tôt.

Un krach boursier monstrueux plongea alors les marchés financiers dans un abîme sans précédent. Les fortunes colossales amassées quelques jours plus tôt fondirent comme neige au soleil sans que rien ni personne puisse empêcher l'effondrement. On était sûr d'une seule chose : malgré les spéculations excessives, ce qui se passait n'aurait jamais dû arriver.

Pas à ce point, en tout cas.

Des enquêtes furent aussitôt ordonnées, effectuées par les plus éminents analystes. Et on en arriva à la conclusion que des opérations hors norme avaient été effectuées depuis toutes les places boursières stratégiques, comme le démontraient les sommes astronomiques dépensées pour acheter simultanément des millions de tonnes de blé, cacao, sucre, pétrole et autres matières premières.

En conséquence de quoi les stocks mondiaux diminuèrent de façon inquiétante face à une demande toujours croissante. Les prix, déjà trop élevés, flambèrent et la panique se répandit au sein des populations. Comment allait-on faire pour vivre ? Comment supporter cela ?

Puis, sans qu'on puisse maîtriser quoi que ce soit, les détenteurs de ces stocks surfèrent sur l'effet de panique et revendirent dans un délai anormalement court l'intégralité des marchandises, créant une tornade ravageuse sur les marchés financiers.

Officiellement, on annonça un bug informatique. Mais les professionnels savaient que quelque chose de bien plus grave s'était passé et que ce qu'ils avaient découvert avait de quoi donner le vertige.

Quelqu'un tirait les ficelles, quelque part.

Quelqu'un d'immensément fortuné qui n'hésitait pas à dépenser des milliards et qui, parallèlement, ne visait pas la fortune comme on pouvait le croire à première vue.

Non.

Cet homme, cette femme, cette société secrète, qui que ce soit, agissait à la manière d'un terroriste dont le but était des plus simple : semer une certaine forme de chaos.

20

Pirates !

Sur la plate-forme Salamandre, trois hommes affalés sur leur siège pianotaient sans discontinuer sur des claviers d'ordinateurs. Mais leur nonchalance était de façade. Les yeux rivés sur les écrans, ils regardaient s'afficher avec une intense concentration d'interminables colonnes de chiffres qui, de-ci, de-là, se teintaient de rouge en clignotant les unes après les autres.

– Et voilà ! s'exclama un jeune homme aux cheveux blonds hérissés sur la tête. Je viens de revendre les dernières tonnes de riz quarante fois leur prix d'achat !

– Bien joué, Tom ! le félicita un autre homme avec un fort accent asiatique. De mon côté, j'ai acheté tellement de betterave sucrière que personne sur cette terre ne pourra mettre un seul carreau de sucre dans son café pendant les dix années qui viennent…

Illustrant leurs propos, presque toutes les données figurant sur leurs écrans clignotèrent soudain, touchées par une fièvre galopante. Les trois hommes semblaient s'amuser comme des enfants à ce jeu de mise à feu virtuelle et pourtant si lourde de conséquences. Des enfants terribles dont le rire exprimait cependant bien plus de jubilation et de malice que de malveillance.

La malveillance, c'était le domaine réservé d'Orthon. Omniprésent, il passait d'une salle à l'autre, surveillait tout ce qui se passait avec froideur, le regard tranchant, le front haut. Mais ses « collaborateurs » n'étaient pas dupes : cette posture était factice, tous voyant parfaitement que les préparatifs et leur évolution favorable enivraient l'orgueil du Master qui se délectait.

Pour le moment, l'action du Félon se limitait à la déstabilisation financière des marchés de matières premières et le moins que l'on puisse dire, c'est que l'opération était une pure réussite : trois hommes talentueux, quelques ordinateurs et une connexion Internet haut débit avaient suffi pour semer une pagaille sans précédent.

– Magnifique ! fit Orthon en se frottant les mains.

Les trois informaticiens décollèrent les yeux de leur écran et se retournèrent, l'air groggy.

– Vous êtes de fantastiques pirates, poursuivit Orthon.

– On est les meilleurs... renchérit le jeune homme blond avec un enthousiasme sincère.

Orthon s'immobilisa dans une expression énigmatique et les trois hommes suspendirent leur respiration, vaguement inquiets. Les réactions du Master n'étaient pas toujours celles que l'on pouvait attendre, ainsi que l'avaient prouvé de rares mais spectaculaires explosions à l'encontre de certains membres de l'équipe n'ayant pas donné pleine satisfaction... Cet homme était peut-être un mentor, un sauveur, un bienfaiteur ou tout ce que l'on voulait, il n'en restait pas moins redoutable. Voire dangereux.

– Évidemment que vous êtes les meilleurs ! exulta-t-il soudain.

Malgré la perfidie du sourire qui barrait son visage, les informaticiens parurent aussitôt rassurés.

– Sinon, vous ne seriez pas ici, ajouta-t-il avec un soupir déstabilisant.

Il se pencha vers les écrans, observa un instant les colonnes, son visage anguleux tour à tour éclairé du bleu et du rouge des indicateurs boursiers.

– Vous avez fait du bon travail, conclut-il. Mais considérez que ceci n'était qu'un en-cas, comment dit-on... un amuse-bouche. Maintenant, nous allons passer à la phase deux du plan.

Les trois hommes le regardèrent avec une excitation manifeste, ce qui ravit le Félon.

– Et je vous garantis que vous allez pouvoir vous en donner à cœur joie.

– À votre service, Master ! s'exclama l'Asiatique.

Orthon le toisa sans ménagement.

– Bien entendu ! assena-t-il de sa voix métallique.

Il leur tendit une feuille sur laquelle figuraient des noms de pays.

– Vos cibles… lâcha-t-il.

21

Bazars

Avec ses cent vingt mètres carrés répartis sur quatre étages – combles inclus –, ses deux salles de bains et ses quatre chambres, la maison de Bigtoe Square avait été suffisante pour les Pollock. Mais, aujourd'hui, elle abritait dix-huit personnes, et s'avérait dramatiquement exiguë ; chacun souffrait d'un manque cruel d'espace vital.

C'est pourquoi Andrew, le pasteur, s'était mis en tête de s'installer à nouveau dans le presbytère qu'il occupait avec sa famille avant le cataclysme.

La vaste demeure de style anglican se trouvait dans les faubourgs de Londres, assez loin de Bigtoe Square, mais les Refoulés et les Sauve-Qui-Peut avaient réussi à se rejoindre dans des circonstances autrement moins favorables et ce n'étaient pas quelques kilomètres dans une ville qui les empêcheraient de se mobiliser en cas de besoin.

Pourtant, lorsqu'il revint de son inspection en compagnie d'Abakoum, tout le monde comprit qu'il faudrait encore faire preuve de patience.

– Il n'y a plus rien... annonça Andrew, effondré. Les canalisations d'eau et les fils électriques ont été arrachés... toutes nos affaires volées...

Sa femme et ses jumelles en eurent les larmes aux yeux.

– Même les fenêtres ont été emportées ou brisées, ajouta Abakoum. Il ne reste que les murs et une partie du toit seulement...

– C'était une si belle maison ! murmura Galina.

– Mais vous n'êtes pas à la rue, c'est le plus important ! intervint Pavel. Nous allons continuer à nous serrer les coudes.

Les Sauve-Qui-Peut, comme les Refoulés, ne purent s'empêcher de sourire : l'image était aussi admirablement symbolique que terriblement terre à terre. La solidarité faisait partie de leur quotidien, aussi bien que les files d'attente matinales devant la porte des deux microscopiques salles de bains et les chambres transformées en dortoirs.

Les chambres...

Un sujet sensible, notamment pour Oksa, fille unique habituée à une certaine intimité. Et désormais, dans la pièce où elle avait découvert et expérimenté ses premiers pouvoirs, s'entassaient les lits et les affaires des Cinq Fantastiques. Cette étroite cohabitation se limitait aux moments de sommeil. C'était préférable, car les relations entre la Jeune Gracieuse et la Princesse des Glaces, bien que connaissant de légères accalmies, n'offraient pas l'ébauche d'un espoir de paix durable... Oksa était pourtant convaincue d'avoir mûri, d'être tellement plus raisonnable ! Comment disait son père ? Du plomb dans la tête ? Du plomb en fusion, oui ! La seule preuve de la toute nouvelle « sagesse » d'Oksa, c'était d'éviter Kukka autant que possible. Mais dans les conditions particulières de cette période postcataclysmique, vivre ensemble entraînait une proximité pouvant s'avérer pénible si les personnes concernées rechignaient à faire un minimum de concessions.

– Je ne peux vraiment pas l'encadrer... marmonna Oksa pour elle-même.

Ses yeux ardoise virant au noir charbon étaient rivés sur Kukka qui démêlait ses longs cheveux, assise sur son lit de camp.

Zoé surprit à la fois ses mots et son regard.

– Est-ce que tu sais au moins pourquoi ? souffla-t-elle.

Oksa lui répondit par un silence interloqué.

– Ne me dis pas que c'est encore à cause de Gus ? poursuivit Zoé alors que Kukka quittait la pièce.

Oksa se retourna sur son lit pour ne plus offrir que la vue de son dos à son amie.

– Oh, Oksa… Gus a peut-être été attiré par Kukka à un moment donné et c'est un peu normal, non ? Elle est vraiment belle, pas aussi idiote que tu le penses et il a dû se sentir très seul, tu sais. Mais admets que ce n'est pas pour ça. Tu réagirais de la même façon si c'était moi ou n'importe qui d'autre.

– Non ! s'insurgea Oksa en se tournant à nouveau vers Zoé. Si c'était toi, je serais heureuse pour vous deux !

Zoé ne put cacher sa peine.

– Oksa, je t'en prie…

La honte empourpra le visage de la Jeune Gracieuse. Elle posa la main sur l'épaule de Zoé et la pressa très fort, osant à peine la regarder. Zoé avait été dépossédée de toute capacité à être amoureuse de quiconque. Une perspective atroce. Elle n'avait que quinze ans…

– Excuse-moi…

Zoé balaya l'air d'un geste de la main et poursuivit, la voix un peu tremblante :

– Tu sais très bien que Gus n'a jamais été amoureux de Kukka.

Oksa haussa ostensiblement les épaules.

– Alors pourquoi il accepte qu'elle reste tout le temps collée à lui ? grommela-t-elle. Ça finit par devenir blessant…

– Blessant ? À ce point-là ?

Oksa respira bruyamment.

– Tu ne vas tout de même pas me faire croire que tu lui en veux à cause de ça ? poursuivit Zoé. Parce que dans ce cas, sois honnête et reconnais qu'il peut avoir autant de choses à te reprocher…

À ces mots, Oksa se redressa brutalement et dévisagea Zoé.

– Tu sais très bien que c'est toi qu'il aime, poursuivit Zoé sans se laisser démonter.

Oksa baissa les yeux et entreprit d'agrandir un des trous qui déparaient son dessus-de-lit usé jusqu'à la corde.

– Gus t'aime, Oksa, insista Zoé. Depuis toujours.

– Tu n'exagères pas un peu ?

Zoé secoua la tête.

– Tu sais très bien que non !

Une des jumelles d'Andrew fit soudain irruption dans la chambre.

– Excusez-moi, les filles, je cherche juste une serviette de toilette…

La jeune femme se mit à fouiller dans l'immense penderie.

– Voilà ! fit-elle en brandissant la serviette qu'elle avait fini par dénicher au milieu de la multitude de linge. Vous pouvez reprendre votre conversation… ajouta-t-elle avec un clin d'œil.

Et elle referma doucement la porte derrière elle.

– Est-ce que je peux te poser une question très personnelle ? reprit Zoé avec un voile de tristesse dans la voix.

– Oui…

– Est-ce que tu l'aimes ?

– Qui ?

Zoé soupira.

– Je vais finir par croire que tu me prends pour une imbécile… Ou bien que tu n'as aucune confiance en moi. Ce qui est peut-être pire !

Oksa ramena les bras autour de ses genoux.

– Mais Zoé, on parle de Gus, là ! répondit-elle. Je le connais depuis tellement longtemps !

– Oui, mais tu ne l'aimes pas comme un frère, n'est-ce pas ?

Le souvenir de leur dernier baiser était encore très doux dans l'esprit d'Oksa. Non, pas le souvenir : la chaleur.

– Non… avoua-t-elle. Je ne l'aime pas comme un frère.

– Est-ce que tu l'aimes comme tu aimes Tugdual ? s'enhardit Zoé.

– Comme *j'aimais* Tugdual, tu veux dire… corrigea Oksa.

Zoé bondit sur le lit et s'agenouilla devant Oksa.

– Tu ne peux pas savoir combien je suis heureuse de t'entendre dire ça ! s'exclama-t-elle.

Ses yeux brillaient d'un plaisir sincère.

– Tu penses toujours à lui ? poursuivit-elle d'un ton pressé. Malgré tout ?

Oksa lui prit les mains et les serra très fort.

– Zoé, que ce soit bien clair : j'ai compris beaucoup de choses depuis notre retour… J'avais treize ans quand j'ai rencontré Tugdual pour la première fois. Qu'un garçon comme lui s'intéresse à une fille comme moi était troublant, ça me valorisait, ça me mettait en confiance. Je ne sais pas exactement pourquoi j'ai réagi comme ça, mais je crois que je voulais vraiment lui plaire… pour voir…

– Un peu comme une expérience ?

– Oui… Et plus j'avais l'impression de lui plaire, plus il me plaisait. C'était une espèce de tourbillon aveuglant.

– Tu as réussi à comprendre tout ça…

– Oui, en retrouvant Gus.

Zoé prit une profonde inspiration.

– Ma question va sûrement te contrarier, peut-être même te mettre en colère… mais, si Tugdual était là en ce moment, avec nous, vers qui irais-tu ?

Contrairement à ce que Zoé redoutait, Oksa réfléchit, calme et grave.

– Gus n'est pas un lot de consolation, si c'est ce que tu veux savoir.

Le visage de Zoé s'éclaira.

– C'est *exactement* ce que je voulais savoir…

Les restrictions, ajoutées à la promiscuité et à la perte d'un certain confort, rendaient les conditions de vie de plus en plus difficiles dans la maison de Bigtoe Square. Aussi, le jour où Oksa et Kukka faillirent en venir aux mains pour des broutilles – une sombre histoire de tee-shirt emprunté sans permission –, les Sauve-Qui-Peut et les Refoulés comprirent que les limites avaient été atteintes.

– Je propose que nous nous installions chez moi, annonça Abakoum lors d'un grand conseil réunissant tout le monde. La maison a un peu souffert, mais elle est très grande, nous serons mieux qu'ici.

Oksa sourit. Il lui semblait bien avoir aperçu un gros lièvre bondir à travers le square la nuit précédente. Elle dormait si mal en ce moment qu'elle passait la plus grande partie de ses nuits à regarder par la fenêtre, mille pensées en tête.

– Et nous serons surtout plus en sécurité, ajouta Pavel pour qui cette question restait un tourment permanent.

– Tu sais, Papa, Orthon n'en a rien à faire de nous, intervint Oksa. Il a eu ce qu'il voulait : retourner à Édéfia, montrer à son père qui il était et ressortir. Maintenant, on n'est que du menu fretin à ses yeux.

– Pour le moment, oui, objecta Abakoum. Quand nous passerons à l'action et qu'Orthon comprendra que nous représentons un sérieux obstacle, il vaut mieux que nous soyons un peu à l'écart du monde car je doute que nos retrouvailles soient très discrètes, magiquement parlant.

– Mais lui, il ne se gêne pas pour s'exposer ! fit Gus. Regardez, il a été repéré un peu partout avec ses deux fils…

Il montra les dizaines de notes collectées par les Cinq Fantastiques, témoignant de l'existence d'hommes volants aux pouvoirs surnaturels. Rien n'émanait d'un quelconque organisme officiel, mais personne à Bigtoe Square ne doutait de leur véracité.

– Est-ce que ça vaut encore la peine que nous prenions autant de précautions pour que personne ne devine notre… différence ? demanda Oksa. Franchement, quand on voit tout ça, il y a de quoi être dégoûté, ajouta-t-elle en éparpillant les paquets de notes.

Son père la regarda d'un air effaré.

– Bien sûr que ça vaut encore la peine ! s'exclama-t-il. Aujourd'hui encore plus qu'hier !

– Pourquoi ? poursuivit Oksa à brûle-pourpoint.

– Hier, nous aurions été considérés comme de passionnants sujets de laboratoire, répondit Pavel. Aujourd'hui, nous passerions pour la cause de tous les malheurs du monde.

– Mais pour quelle raison ?

– Malgré tout ce qui s'est passé et les meilleures explications scientifiques possibles, les hommes auront toujours besoin de boucs émissaires pour endosser la responsabilité de ce qu'eux ne sont pas prêts à assumer.

Cette explication laissa Oksa pensive.

– Voilà un raisonnement très sage, mon vieux Papa ! dit-elle enfin.

Pavel lui sourit.

– Alors, que penses-tu de ma proposition, Oksa ? fit Abakoum. Devons-nous déménager ?

– C'est à moi de décider ?

– Ici comme à Édéfia, tu es notre Gracieuse.

La réponse de l'Homme-Fé, bien que laconique, avait le mérite d'être claire.

Et la perspective d'habiter dans son incroyable maison était très tentante...

Oksa n'avait pas eu l'occasion d'y aller très souvent, mais elle gardait un souvenir impérissable de ses séjours dans l'immense ferme réaménagée en habitation confortable avec sa dizaine de chambres – chacune équipée d'une salle de bains ! –, son silo à grains transformé en serre, la campagne environnante, l'absence de voisins curieux convoitant ce que les autres possédaient, l'air pur dénué de l'odeur insupportable des groupes électrogènes qui, à Londres, palliaient les pannes d'électricité en asphyxiant la moitié des citadins... Autant dire le paradis !

– On peut s'installer rapidement ? demanda la jeune fille, les yeux brillants.

– Le temps d'empaqueter nos affaires ! lança Pavel avec un soulagement évident.

Oksa se leva d'un bond.

– Eh bien, le plus tôt sera le mieux…

22

Visite au sommet

Non loin du 1600 Pennsylvania Avenue NW, Washington DC, États-Unis

Le bus s'engagea sur le parking couvert de neige et manœuvra avec prudence pour se garer du mieux possible dans la purée de pois qui régnait.

– Couvrez-vous bien si vous ne voulez pas arriver congelés ! lança le chauffeur à ses passagers.

Les touristes descendirent un à un et plissèrent les yeux pour tenter d'apercevoir à travers le rideau de flocons la fameuse bâtisse pour laquelle ils avaient fait des centaines de kilomètres. Au bout de quelques minutes de marche dans la neige collante, ils la virent enfin au milieu des jardins blanchis, somptueusement immaculée comme la demeure d'une reine arctique. Des cris d'enthousiasme résonnèrent sous les capuches et les parapluies.

Après avoir rempli un nombre incalculable de formulaires et s'être soumis aux indispensables enquêtes de sécurité, chacune des vingt personnes du groupe avait enfin obtenu son sésame : le laissez-passer ouvrant les portes de la Maison-Blanche.

– Je n'arrive pas à croire qu'on va pouvoir la visiter ! s'exclama un jeune homme, apparemment très excité à cette idée.

Il ne tarda pas à comprendre combien il avait raison de ne pas y croire : une silhouette jaillit des tourbillons de flocons qui tombaient serrés, bondit sur lui et le tira en arrière. Tout se passa avec une telle rapidité que personne ne vit quoi que ce soit. Le jeune homme se retrouva enfermé au fond d'un fourgon, ligoté et bâillonné, débarrassé de ses papiers d'identité et bientôt rejoint par quatre autres touristes extraits du groupe avec la même vélocité. Tous avaient au moins deux points communs : ils voyageaient en solitaire et ressemblaient étonnamment à leurs kidnappeurs...

Quelques secondes plus tard, cinq personnes émergèrent du fourgon. Elles enfoncèrent leur capuche jusqu'aux yeux et, un sourire satisfait aux lèvres, pressèrent le pas pour rejoindre le groupe qui disparaissait presque dans la tempête, de plus en plus violente.

– Ne restez surtout pas à la traîne ! fit le guide en comptant les visiteurs. Il ne faut pas se disperser !

Pourtant, c'est bel et bien sur la dispersion que se fondait la stratégie des intrus. Passé les interminables contrôles puis les fastidieuses explications historiques, les cinq compères échangèrent des regards entendus et s'engagèrent vers l'aile ouest de la résidence présidentielle avec autant de discrétion que d'assurance.

Orthon avait arpenté ces couloirs bien des années auparavant, alors qu'il travaillait pour la CIA. Sa mémoire photographique ainsi que son excellent sens de l'orientation lui permettaient de se diriger aujourd'hui avec aisance.

Ses fils n'étaient pas en reste : tous deux connaissaient si parfaitement les plans de la Maison-Blanche qu'ils étaient capables d'aller n'importe où les yeux fermés. Quant au mercenaire Markus Olsen et à sa belle acolyte – Helga Korjus, une véritable Lara Croft intégralement vêtue de blanc –, leur expérience faisait d'eux des escortes infaillibles. Du moins était-ce ainsi qu'ils aimaient se présenter.

– Protection rapprochée, pare-feu, couverture, infiltration, espionnage… nous sommes des mercenaires multicartes ! avait plaisanté Markus lors du montage de l'opération.

Orthon en avait souri. Mais la froide lueur au fond de ses yeux laissait clairement entendre qu'il valait mieux être à la hauteur de cette réputation, car aucun grain de sable ne saurait être toléré dans l'implacable machinerie.

Pour le moment, tout se déroulait selon le plan prévu, ainsi que le confirma l'information qu'Orthon reçut par l'intermédiaire de son oreillette. Gregor et Markus lui jetèrent un regard interrogateur.

– Toutes ces babioles de technologies de pointe sont sous notre contrôle, fit-il en montrant une des innombrables caméras braquées sur eux. Ce monde moderne n'est-il pas formidable ?

Un ricanement intérieur fit tressauter sa mâchoire.

– Merci à nos pirates de nous faciliter la tâche…

Il fut interrompu par l'irruption d'un duo d'agents de sécurité. Car si la technique pouvait être maîtrisée à distance, il n'en allait pas de même avec les humains, surtout quand ils étaient aussi aguerris que ceux des services de sécurité de la Maison-Blanche.

– Halte ! cria l'un des deux hommes, son pistolet braqué sur les intrus. Vous n'avez pas le droit de vous trouver dans cette zone…

Contre toute attente, c'est Tugdual qui fut le plus rapide à dégainer sa Crache-Granoks : les deux agents s'écroulèrent, yeux grands ouverts, stupéfaits de se retrouver paralysés.

– Bravo, mon fils ! s'exclama Orthon. Je savais que je pouvais compter sur toi.

Tugdual rangea sa Crache-Granoks, sans un mot. Dans son regard métallique, on ne lisait ni adhésion ni hostilité. Il se pencha pour prendre un des hommes sous les bras et le traîna jusqu'à un local d'entretien qu'il ouvrit le plus simplement du monde, par une rotation de l'index au ras de la serrure – le passe-partout absolu ! Gregor l'imita en silence, le visage crispé par la concentration.

– Poursuivons... chuchota Orthon.

Le commando s'engagea dans de nouveaux couloirs, réglant leur sort à ceux qu'ils croisaient. Ils débouchèrent devant une porte que rien ne distinguait spécialement des autres.

– Nous y voilà ! annonça Orthon après avoir neutralisé les derniers obstacles humains.

Il regarda ses fils et les mercenaires un à un, tous les quatre hochèrent la tête. Orthon posa alors la main sur la poignée de la porte et la pressa.

– Mais qu'est-ce que...

La combinaison Muselette-Arborescens fut fatale : l'homme assis derrière son bureau n'eut pas plus le temps de finir sa question que de presser le bouton qui aurait pu donner l'alerte générale.

– Monsieur le Président... salua Orthon d'un ton faussement obséquieux.

Autour de lui, Gregor, Tugdual, Markus et la sœur jumelle de Lara Croft s'éparpillèrent pour barrer les quatre issues du Bureau ovale, y compris les deux escamotées dans le mur. Le Président les suivit du regard, ébahi, avant de fixer à nouveau son attention sur Orthon qui faisait négligemment rouler sa Crache-Granoks entre ses doigts.

– Pardonnez ces précautions, fit le Félon en prenant place sur un siège, face au bureau. Mais vous comprendrez très vite que notre conversation nécessite un minimum d'intimité. Inutile de vous préciser qu'il ne vous sera fait aucun mal, à une seule condition, néanmoins : que vous m'écoutiez avec la plus grande concentration. Aucune objection à cette règle, monsieur le Président ?

Le Président s'agita un peu, les yeux écarquillés.

– J'aurais préféré que notre rencontre se déroule autrement, croyez-le...

Il s'interrompit, absorbé par la soudaine contemplation d'un presse-papiers en forme de fer à cheval.

– Mais peu importe la façon dont les choses se passent et considérons que c'est un jour de chance pour nous deux. Nous allons enfin pouvoir faire connaissance... Souhaitez-vous que je vous démuselle ?

Le Président acquiesça d'un bref mouvement de la tête – l'insecte qui enfonçait ses minuscules griffes autour de sa bouche lui était très désagréable. Orthon s'enfonça sur son siège et prononça la formule avec désinvolture :

Par le pouvoir des Granoks
Déchire ta coque
Par tes griffes tu muselles
De tes ailes tu démuselles.

L'insecte rejoignit aussitôt la Crache-Granoks du Félon, suivi du regard par un Président interloqué, toujours entravé par l'Arborescens.

– Qui êtes-vous ? haleta-t-il.

Orthon leva la main.

– Oh, votre curiosité m'honore, fit-il avec son terrible rictus satisfait. Mais vous savez, monsieur le Président, je suis un homme discret. Cependant, vous m'êtes plutôt sympathique, alors je vous permets de m'appeler Master.

– Vous vous permettez beaucoup de choses, rétorqua le Président d'une voix vibrante de colère étouffée. Que voulez-vous ?

– Ce que je veux ? Je vous l'ai dit : faire connaissance. Simplement faire connaissance. Et quand vous me connaîtrez mieux, nous deviendrons les meilleurs amis du monde.

– Pour ma part, je doute que nous ayons quoi que ce soit qui nous permette de devenir amis un jour.

Les yeux d'Orthon virèrent au noir d'encre, mangés par les pupilles qui s'élargissaient et dans lesquelles se reflétaient les flocons tombant sur les jardins extérieurs.

– Les plus grandes amitiés débutent parfois par de petits différends, assena-t-il.

– Celui-ci me paraît suffisamment grave pour compromettre toute entente...

Au lieu de s'offusquer, Orthon posa les avant-bras sur les accoudoirs et croisa les jambes d'un air décontracté.

– Je vous assure que nous sommes faits pour nous entendre, susurra-t-il. Puis-je vous conseiller de vous connecter sur la Bourse de New York ? Ah, oui, pardonnez-moi, vous êtes empêché... ajouta-t-il en jetant un regard provocant aux lianes jaunâtres qui ligotaient le Président. Mon fils va vous montrer quelque chose qui devrait vous convaincre...

Gregor s'approcha et orienta l'ordinateur vers le chef du pays le plus puissant du monde avant de pianoter à toute vitesse sur le clavier. Orthon sortit un téléphone portable de la poche intérieure de sa parka noire.

– Tom, veux-tu bien acheter tous les stocks disponibles de pétrole des compagnies américaines ?

Une voix grésilla dans l'appareil.

– Quel prix suis-je prêt à mettre ? demanda Orthon, franchement amusé. Comme d'habitude, bien sûr : n'importe quel prix !

Il ferma le portable et invita le Président à fixer son attention sur l'ordinateur plutôt que sur lui.

– C'est ici que ça se passe maintenant, lui dit-il.

Quelques secondes plus tard, l'écran indiquait les premiers signes d'affolement. Les chiffres et les colonnes s'embrasèrent bientôt devant les yeux du Président, consterné.

– Me voilà détenteur de bien des trésors ! s'exclama Orthon. Que vais-je bien pouvoir faire de tout ce pétrole ? Une gigantesque marée noire sur les côtes de votre mirifique

Californie ? Ou bien un immense feu de joie à Las Vegas, pourquoi pas ?

– Vous bluffez ! cracha le Président. C'est un tour de passe-passe.

Pour toute réponse, Orthon ressortit son téléphone.

– Tom ? Finalement, j'ai changé d'avis. Tu peux revendre le pétrole, c'est trop salissant. Je préfère acheter du minerai de fer... Tu peux t'en occuper ?... Oui, il m'en faut un maximum, bien entendu...

De nouveaux indicateurs s'enflammèrent un instant plus tard et, alors que le silence envahissait le Bureau ovale, la fièvre emportait la Bourse de New York comme celles du monde entier dans un typhon contre lequel personne ne pouvait lutter.

– C'est donc bien vous qui êtes à l'origine de toute cette... tourmente ! admit-il d'une voix blanche. Vous... vous n'avez pas le droit !

– Monsieur le Président, quand on dispose de la fortune et des moyens qui sont les miens, on a *tous* les droits ! répliqua Orthon d'un air mordant. Et ce n'est pas moi qui l'ai inventé, votre monde est ainsi fait, depuis toujours.

– *Mon* monde ? Mais de quoi voulez-vous parler ?

Les deux hommes se toisèrent un moment. Orthon ne souriait plus.

– Cette démonstration vous aura permis de comprendre qu'il vaut mieux que nous réussissions à nous entendre, n'est-ce pas, monsieur le Président ?

Le Président, abasourdi, secoua la tête sans qu'on puisse deviner ce qu'il voulait vraiment exprimer.

– N'est-ce pas, monsieur le Président ? répéta Orthon.

Sa voix résonna et fit sursauter le Président qui acquiesça.

– Mais nous aurons l'occasion d'en reparler bientôt. Vous me semblez un peu fatigué, je vais prendre congé, si vous le permettez. Disons-nous à très bientôt !

Il se leva brusquement et se dirigea vers une des portes-fenêtres, suivi par ses escortes.

– Oh, j'allais oublier… s'exclama-t-il en se retournant.

Sans bouger autre chose que l'index, il détacha une boule dorée du sapin installé près des fauteuils et la posa délicatement sur le bureau, devant le Président médusé.

– Joyeux Noël, monsieur le Président !

Voyant des inconnus déboucher du Bureau ovale, un groupe d'agents de sécurité les mit en joue, pistolet au poing. Sans comprendre ce qui leur arrivait, ils virent leurs armes projetées à quelques dizaines de mètres dans la neige fraîche alors que les cinq intrus disparaissaient dans la tempête.

23

Dur à encaisser

Après cette intrusion, la Maison-Blanche fut en proie à une sérieuse confusion. Le bilan était sévère, bien qu'on ne déplorât aucun mort, il y avait plusieurs dizaines de blessés parmi les membres du service de sécurité censé représenter l'élite de l'élite.

Et le chef du pays le plus puissant du monde avait été séquestré pendant près d'une demi-heure dans son propre bureau par seulement cinq individus ! C'était inouï et surtout très inquiétant. Comment une telle chose avait-elle été possible ? Où était la faille ? Qui était responsable de ce grave dysfonctionnement ? Bien entendu, interdiction était faite à quiconque de divulguer l'incident, sous peine d'être arrêté pour complicité de terrorisme. Au royaume de la communication, si la presse s'emparait de la nouvelle, ce serait encore plus grave que l'affaire elle-même…

Lors de la séance de debriefing menée avec gravité par le Président, de nombreuses interrogations furent soulevées et peu de réponses apportées : on nageait désormais en pleine paranoïa. Les cinq touristes soustraits du groupe de visiteurs n'eurent pas le bonheur de visiter la Maison-Blanche avec leurs compagnons, mais connurent le privilège de séjourner dans les bureaux de la sécurité interne où ils furent interrogés pendant de longues heures. Ils finirent par être relâchés, profondément choqués, avec le sentiment d'avoir été au cœur d'un événement dont ils avaient été les pantins.

Des intrus, on n'avait que quelques clichés tirés des caméras de surveillance à l'entrée. Des images inexploitables, la technique ayant fait mystérieusement défaut au moment même où il aurait été primordial qu'elle soit à la hauteur.

– Tout notre système a été placé sous contrôle extérieur dès l'arrivée des visiteurs, expliqua le responsable de la sécurité.

– Contrôle extérieur !

Le Président cachait mal sa stupeur.

– Peut-on me dire comment une telle chose est possible avec les millions de dollars qui sont dépensés chaque année pour garantir la sécurité de cet endroit ?

Le malaise était perceptible sur tous les visages et un silence de plomb s'installa. En tout et pour tout, on ne disposait que des éléments fournis par le Président. Ses indications imprécises ne permirent pas de déboucher sur un résultat exploitable par les banques de données.

Par ailleurs, on ne manqua pas d'évoquer la mystérieuse sarbacane dont s'étaient servis les terroristes. Plusieurs théories furent avancées.

– Les adeptes de ninjutsu utilisent ce type d'armes, exposa le secrétaire d'État à la Défense.

– Les activistes prônant un retour à la nature également, ajouta un conseiller.

– Comme certaines tribus indiennes d'Amérique du Sud, compléta un autre homme important.

Le Président lui jeta un regard agacé.

– Ces terroristes n'avaient rien d'Indiens vagabondant à moitié nus dans la jungle à la recherche de nourriture ! fit-il.

– Nous suivons la piste de la sarbacane sportive, intervint le responsable de la sécurité de la Maison-Blanche. En effet, le *blowpipe* compte un certain nombre de pratiquants…

Tout le monde le regarda d'un air abasourdi.

– Ou le tir de dards sur cible, si vous préférez... ajouta l'homme. Il existe même des fédérations aux États-Unis, au Japon, en France...

– Qu'on enquête sur tous leurs membres !

– C'est ce que nos services sont en train de faire, monsieur le Président.

– Et en sait-on plus sur cette étrange matière qui a servi à me ligoter ? C'est après que ce terroriste a soufflé dans sa sarbacane que je me suis retrouvé attaché. Comment une telle quantité de lianes a-t-elle pu sortir d'un si petit contenant ?

Les hommes assis autour de lui s'agitèrent sur leurs sièges.

– Malheureusement, nous n'avons pas de réponse à toutes ces questions, osa reconnaître l'un d'eux, un scientifique réputé. Une seule chose est sûre, la matière est d'origine végétale. Elle est... indestructible car mélangée à une substance coagulante extrêmement dense dont nous ignorons la composition exacte, ainsi que la provenance.

Le Président se passa la main sur le bas du visage.

– Les Russes ? demanda-t-il à mi-voix.

Le directeur de la CIA réagit aussitôt, l'air très embarrassé de la mise en accusation du pays qui endossait pourtant si souvent le rôle de l'éternel ennemi.

– Non...

– Monsieur le Président, intervint un scientifique de la NASA, quand nous disons ignorer la composition et la provenance de cette matière, nous voulons dire qu'il s'agit d'une matière inconnue sur Terre...

Un trouble certain marqua le visage du Président et de ceux des hommes qui siégeaient autour de lui.

– Vous voulez dire...

Il s'interrompit, hésitant à mettre un mot sur quelque chose qu'il lui était si pénible d'accepter.

– Il s'agit d'une substance extraterrestre, monsieur le Président, fit le scientifique sans pouvoir cacher son excitation.

Cette information fut accueillie avec un calme qui aurait surpris n'importe quel témoin extérieur : comment les plus grandes autorités des États-Unis pouvaient-elles évoquer l'existence – et l'intervention – d'extraterrestres avec un tel naturel ?

– Il y a eu des contacts ? demanda le Président d'une voix défaite.

– Aucun contact, répondit le secrétaire d'État à la Défense.

– Vous avez constaté une activité particulière ? continua le Président en se tournant vers celui qui dirigeait la zone 51[1].

– Non, rien d'inhabituel, fit laconiquement ce dernier. Par contre, nos contacts chinois nous ont informés d'une activité magnétique anormale dans le désert de Gobi, il y a quelques mois.

– On a des détails ?

– Voilà ce qu'on nous a communiqué…

Le secrétaire d'État s'affaira sur son ordinateur et, quelques secondes plus tard, une projection de son écran apparut sur le mur, dévoilant une vue satellite de cette partie du monde, grise et monotone. Soudain, une minuscule zone se colora. L'homme zooma sur les détails d'une représentation fournie par les observateurs chinois : des ondes, schématisées en bleu et jaune, entouraient un vaste plan d'eau et s'intensifiaient jusqu'à devenir orange. L'activité dura pendant plusieurs heures, ainsi que l'attestait le compteur qui faisait défiler le temps en accéléré. Puis tout cessa aussi brutalement que si on avait coupé le courant.

– Tout ce que nos contacts ont pu nous dire, c'est que les autorités ont jugé le phénomène suffisamment important pour dépêcher une équipe dans le secteur, précisa l'homme.

– Et ? s'enquit le Président.

---

1. La zone 51 est une base militaire supposée secrète, installée dans le désert du Nevada. Elle est surtout évoquée pour ses activités et expériences technologiques en relation avec l'existence des extraterrestres.

– Votre homologue chinois a aussitôt fait classer l'enquête au niveau ultraconfidentiel.

Le Président laissa échapper un rire pincé.

– Bien sûr… Chacun ses petits secrets… fit-il, son regard glissant vers le haut gradé qui dirigeait la zone 51.

Il se leva, les mains à plat sur le vaste bureau ciré, et considéra son auditoire.

– Messieurs, je compte sur vous pour débusquer au plus vite ces terroristes et ce fameux Master. Bien entendu, vous avez à votre disposition des moyens illimités. Il en va de la sécurité de notre pays et du monde.

24

Un silence unanime

Vivement contrarié, le gouvernement américain ne lésina sur aucun moyen pour garder le secret de l'intrusion d'Orthon. Se croyant la cible principale, le pays considéré comme le plus puissant du monde entama sa vaste enquête dans une confidentialité optimale. Sans imaginer un seul instant qu'ailleurs sur Terre, d'autres gouvernants recevaient eux aussi de bien étranges visites.

Les agents de sécurité du Kremlin restèrent aussi impuissants que ceux de l'Élysée, du 10 Downing Street ou du Kantei[1] lorsqu'ils se trouvèrent face à des intrus dotés d'étranges aptitudes. Pour leur défense, force était de reconnaître qu'Orthon et ses fils étaient passés à la vitesse supérieure en pratiquant la magie à grande échelle. Les opérations comme celle de Washington comportaient une part de non-contrôle que le Félon ne supportait pas. « Avec les humains, on ne sait jamais ce qui peut arriver… » avait-il confié à Gregor et à Tugdual alors qu'ils étaient tous les trois penchés sur le plan détaillé du Kremlin.

Les services de sécurité ne purent arrêter ces hommes qui traversaient les murs, projetaient leurs adversaires à plusieurs mètres sans les toucher, crachaient des substances paralysantes, étouffantes ou putréfiantes dont personne

1. Ce sont les résidences des gouvernants de Russie, France, Grande-Bretagne et Japon.

n'arrivait à déterminer la composition... Même les avions de chasse échouèrent à les neutraliser : qu'ils soient allemands ou russes, chinois ou saoudiens, les missiles filaient droit sur le trio volant avec un sifflement menaçant... et se désintégraient mystérieusement en plein ciel sans avoir atteint leurs cibles.

Un à un, les grands de ce monde furent approchés de cette même façon à la fois brutale et surnaturelle.

Pourtant, tous gardèrent le silence sur ces affaires si embarrassantes.

Pouvaient-ils décemment prendre le risque de dévoiler au monde entier qu'ils avaient été séquestrés, muselés, ligotés par des hommes qui traversaient les murs et volaient plus vite que des missiles ?

Cependant, cette discrétion ne manqua pas de mettre Orthon dans une colère noire.

Ce jour-là, sur la plate-forme Salamandre, les fils et les collaborateurs les plus intimes du Félon se trouvaient réunis pour écouter le bilan de la dernière mission spéciale confiée à Gregor. Dès les premières phrases, Orthon explosa :

— Tu dis que nos visites n'ont même pas été évoquées ?

— Pas officiellement, en tout cas... confirma Gregor.

— Pourtant, ce devrait être la panique générale ! le coupa Orthon, pâle et crispé. Ils devraient tous être en train de parler de moi et de s'unir pour mettre des plans en place comme si je représentais la Troisième Guerre mondiale... Ils n'ont donc pas compris qui j'étais ? Ils n'ont pas vu ce dont j'étais capable ? Quelle bande d'irresponsables !

Personne n'osa le regarder. Les paupières de Tugdual battaient avec nervosité, comme agitées d'un tic. Il porta son regard vers le morceau de mer grise dont on pouvait apercevoir les mouvements désordonnés à travers un hublot et resta aussi immobile qu'une statue dans l'attente du récit de Gregor.

Grâce à ses pouvoirs, le fils aîné du Félon avait pris la place d'un traducteur soudain atteint d'une indescriptible confusion mentale – la Granok de Cafouillis était si injustement sous-utilisée malgré son réel intérêt offensif... Ainsi Gregor s'était-il infiltré à la dernière réunion de l'ONU[1] où les représentants des gouvernements du monde entier étaient rassemblés. Sa mission : mesurer les effets des intrusions menées par son père, Tugdual et lui-même. La Poluslingua lui avait été précieuse pour espionner une multitude de discussions, lors des séances officielles ou bien au bar de la célèbre institution, jusque dans les ascenseurs ou les toilettes, les conversations les plus discrètes s'avérant souvent être les plus intéressantes.

Devant le courroux de son père, il s'empressa de poursuivre, le front haut :

– Rien n'a été abordé ouvertement. Néanmoins, j'ai surpris des échanges en coulisse qui laissent à penser que certaines informations ont réussi à filtrer...

Son silence, supposé entretenir le suspense, ne fut pas du tout du goût d'Orthon. Ce dernier abattit son poing sur la table, les yeux virant au noir profond.

– Parle ! ordonna-t-il sans ménagement.

Tout en réprimant le tremblement subit de sa lèvre inférieure et de ses mains, Gregor poursuivit :

– J'ai pris quelques verres avec un Français et un Chinois. Quand j'ai prétendu avoir entendu parler d'intrusions inexpliquées au plus haut sommet de l'État, suivies de tirs de missiles de l'armée, vous savez ce qui s'est passé ? Les deux hommes m'ont demandé presque en chœur : « Comment êtes-vous au courant ? »

Le visage d'Orthon changea d'expression.

1. Organisation des Nations unies.

– Excellent !

Peu s'en fallait qu'il n'applaudisse.

– Malgré leur légère ébriété, les deux hommes se sont regardés, stupéfaits d'avoir eu la même réaction et plutôt contrariés, comme s'ils venaient de faire une énorme gaffe, précisa Gregor. Puis ils se sont ravisés en prétendant qu'il ne s'agissait que de rumeurs amplifiées par le contexte difficile dans lequel le monde se trouve.

Orthon se tapota le menton, les yeux plissés.

– Ont-ils évoqué les Bourses ?

– En réunion officielle, oui. Mais j'ai clairement senti le malaise général que soulevait cette question. Chacun faisait son possible pour sous-évaluer ou esquiver le problème.

– Ce qui laisserait à penser que nos chers gouvernants ont à cœur de ne pas se montrer vulnérables et qu'ils se suspectent les uns les autres.

– Tout à fait, confirma Gregor. Ils ont simplement convenu de continuer leur lutte contre la spéculation au niveau international et de réglementer les échanges de façon plus sévère...

– Du bla-bla, comme d'habitude... fit Orthon en balayant l'air de la main. C'est tout ce qu'ils savent faire. Et as-tu entendu quelque chose à propos de nos prélèvements dans les réserves d'or de nos banques centrales préférées ?

– Il semblerait que Moscou soit au courant pour New York...

Orthon rit.

– Nos amis russes n'ont pas perdu la main !

– Ni leur curiosité pour tout ce qui se passe de l'autre côté de l'Atlantique... ajouta Markus.

– Mais le secret est aussi bien gardé qu'une maladie honteuse à Paris, Londres, Francfort et Tokyo, ajouta Gregor.

Orthon laissa échapper un rire grinçant, accompagné d'un bruyant claquement de langue.

– Les puissants sont vraiment incroyables ! lança-t-il sur un ton franchement amusé. Malgré le cataclysme qui a failli entraîner le monde vers l'anéantissement total, ils n'ont rien appris. La solidarité, l'union des moyens et des forces, l'humilité, tout cela échappe toujours autant à leurs conceptions. L'orgueil et l'arrogance restent leur éternel fondement et pour rien au monde ils ne voudraient reconnaître leur… embarras…

Autour de la table, tout le monde opina de la tête, en dépit du fait qu'il était parfaitement incongru d'entendre Orthon parler de ces vertus, à mille lieues des principes qui régissaient chacun de ses actes.

Le visage du Félon se durcit à nouveau. Il ajusta sa veste, puis joignit les mains devant lui.

– Mais en définitive, tout cela s'annonce sous le meilleur augure, susurra-t-il avec une onctuosité cruelle dans la voix. Ils ne veulent pas prendre mes avertissements au sérieux ? Eh bien, c'est souvent en se croyant au-dessus de tous qu'on finit par tomber. Et nos amis ne le savent pas encore, mais leur chute risque bien de leur être fatale.

25

Carnet rose

Orthon fit le tour d'une des six cuves, les yeux brillants d'une exaltation qu'il devait reconnaître avoir peu souvent éprouvée dans sa vie. À travers la paroi de la cuve, ronde et transparente comme celle d'un cylindre de verre, on pouvait apercevoir ce qui ressemblait à une silhouette humaine flottant dans un liquide laiteux. Orthon passa de l'une à l'autre, en tout point semblables, les contempla un moment, puis se tourna vers Leokadia et Pompiliu, debout à l'écart, les mains croisées devant eux.

– Ils sont magnifiques… murmura-t-il.

Les deux scientifiques approuvèrent d'un mouvement de tête.

– Quand vont-ils pouvoir naître ? demanda le Félon.

– Nous ignorons la durée exacte de leur gestation, répondit Leokadia. Mais d'après les derniers examens, il semblerait qu'elle arrive à terme.

– Oh… ce fut plus rapide que je n'osais l'espérer.

– Je sais comment accélérer certains processus… renchérit Leokadia.

Orthon lui jeta un coup d'œil suspicieux, voire menaçant.

– Sans prendre le risque d'entraîner la moindre séquelle, bien entendu, le rassura-t-elle.

Orthon s'approcha à nouveau et se colla contre une des cuves. Le liquide ondula, des filaments blancs et légers flottèrent jusqu'à la surface.

La silhouette apparut plus nettement.

N'importe quelle personne normalement constituée aurait pris ses jambes à son cou en poussant des cris d'horreur et en se retenant de vomir.

N'importe qui d'autre qu'Orthon et les deux scientifiques chez lesquels n'apparaissait aucune trace de crainte ou de dégoût. Car c'est avec une fascination impatiente que tous les trois observaient ce qui se passait à quelques centimètres : les silhouettes s'agitaient, d'abord en douceur, puis avec davantage de force, comme si elles voulaient se libérer d'une emprise. Dotés d'un tronc, de membres et d'une tête, les êtres avaient une apparence humaine.

Mais ni pleinement ni *normalement* humaine.

Leokadia se précipita vers le téléphone et appela les équipes de renfort qu'elle avait constituées en prévision de l'événement. Orthon fronça les sourcils.

– Le moment est venu, Master, expliqua-t-elle en mettant de longs gants en latex.

– Rappelez-vous notre contrat, murmura Orthon entre ses dents. S'il arrive quoi que ce soit à... ma progéniture...

– Il n'arrivera rien ! le coupa Leokadia avec l'air à la fois calme et impérieux de celle qui maîtrise la situation.

Elle consulta les différents appareils installés près de chaque cuve et choisit celle où les données semblaient indiquer une plus grande urgence.

Alors que dix résidents de la Salamandre – tous des scientifiques ou d'anciens personnels médicaux – revêtaient de longues blouses immaculées, la généticienne poussa un escabeau contre la cuve la plus agitée et se jucha à son sommet, à deux mètres du sol. Pompiliu l'imita de l'autre côté et tous deux attrapèrent à pleines mains une sorte de boyau gluant connecté à un respirateur artificiel : d'une vingtaine de centimètres de diamètre, strié d'épaisses veines bleues, le cordon ombilical palpitait sur toute sa longueur comme un énorme boa constrictor décoloré, depuis la machine jusqu'au nombril de l'être flottant à l'intérieur de la cuve. Leokadia et Pompiliu attirèrent le corps jusqu'à la surface en tirant le cordon vers eux et la Polonaise entreprit de l'examiner.

– Il est prêt ! conclut-elle, la voix vibrante.

Les deux scientifiques redescendirent précipitamment et actionnèrent une petite manivelle reliée à la cuve. Le niveau commença à baisser alors que le liquide s'évacuait par un tube devant le regard soucieux d'Orthon et celui, plus concentré, des autres scientifiques.

Peu à peu, l'être fut dévoilé. Quand il n'y eut presque plus d'eau, il resta allongé au fond de la cuve, recroquevillé sur lui-même en se tordant mollement. Leokadia ouvrit la trappe au bas de l'immense récipient, pénétra à l'intérieur et, agenouillée dans le reste de liquide, entreprit de couper le cordon ombilical toujours relié à la machine – plusieurs coups de scalpel furent nécessaires pour venir à bout de l'énorme boyau.

– Il va bien ? s'enquit Orthon en se penchant dans l'ouverture.

Trop affairée, Leokadia ne répondit pas et fit signe à ses assistants d'approcher le lit médical sur roulettes. Pompiliu la rejoignit pour l'aider à extirper l'être hors de sa matrice de verre et tous deux le déposèrent avec autant de délicatesse que possible sur le lit.

Avec ses quatre-vingt-dix centimètres de hauteur et ses dix kilos, on pouvait considérer que l'être était plutôt massif pour un nouveau-né. Cette corpulence inhabituelle n'était cependant pas la caractéristique la plus impressionnante. Son corps et sa peau évoquaient ceux d'un vieillard, incolores et flasques, marbrés de veines si apparentes qu'on voyait le sang noir circuler en formant de petits reliefs. Le cœur apparaissait en transparence, il fonctionnait à merveille.

Mais si on parvenait à oublier la hideur de ce corps, c'est sur le visage que s'arrêtait l'attention, suscitant une réaction soit de pure horreur, soit d'absolue fascination. Plus humain que Diaphan, il avait cette beauté grave et inquiétante que peuvent avoir certains enfants – sans doute Orthon était-il ainsi lorsqu'il était un bambin : des joues d'une rondeur parfaite, des lèvres superbement dessinées, un nez délicat et surtout un regard étonnant.

Tout était là, dans ces yeux sans cils, d'un gris orageux, métallique comme du plomb, dans lesquels se lisait la perception acérée de l'autre, ainsi qu'une cruauté capable de s'affranchir de tous les obstacles.

Leokadia pratiqua les soins d'usage sur le nouveau-né qui gigotait doucement tout en essayant de la mordre à plusieurs reprises. Elle nettoya sa peau des derniers filaments blancs, désinfecta le morceau de cordon ombilical dépassant du ventre à la manière d'une excroissance saugrenue et recouvrit le corps monstrueux d'un drap avant d'aller s'occuper des cinq autres nouveau-nés dont l'arrivée semblait imminente.

Penché au-dessus du lit, Orthon admirait avec une fierté de jeune père celui qu'il considérait comme le premier de sa création. Il approcha la main pour lui caresser le visage et les témoins de ce geste écarquillèrent les yeux, tout en gardant un silence méfiant.

– Tu es parfait, murmura-t-il.

L'être tourna la tête et ébaucha un sourire, dévoilant de minuscules dents. Ce qui entraîna une immense émotion chez Orthon qui approcha son visage au plus près de celui de l'être. Tous deux se plongèrent dans le regard de l'autre, réciproquement captivés.

Alors, l'être ouvrit la bouche.

Le cri jaillit, d'abord rauque et grinçant, puis de plus en plus aigu pour devenir aussi strident qu'une alarme.

Vibrant, saturé d'ondes saccadées mais puissantes, puisées au plus profond de l'être, il glaçait d'effroi.

Les cinq autres nouveau-nés lui firent bientôt écho avec la même intensité. Tout le monde plaqua les mains sur ses oreilles en grimaçant. Seul Orthon restait sourd à l'épouvantable braillement.

– Parfait… répéta-t-il, les yeux rivés sur le premier-né. Absolument parfait…

26

Changements

Ainsi que l'avait annoncé Abakoum, sa maison avait souffert du cataclysme. Il manquait une partie du toit et, en tombant, les arbres avaient endommagé la jolie chambre-forêt pour laquelle Oksa gardait le souvenir particulier de ses premiers tête-à-tête avec Tugdual. Mais le système de sécurité magique avait préservé la propriété d'un péril bien plus grave : les pillages.

Sans témoin aux alentours, les Sauve-Qui-Peut purent réparer les dégâts avec une facilité qui aurait fait pâlir d'envie n'importe quel ouvrier en bâtiment. Les volticaleurs firent office de grue et unirent leurs forces pour remettre en place les charpentes effondrées, puis les tuiles voltigèrent du sol vers le toit dans une sorte de chorégraphie parfaitement ordonnée.

– C'est génial ! commenta Oksa en suivant le mouvement des yeux. On se croirait dans *Mary Poppins* !

Elle tapota la tête de l'Insuffisant qui la contemplait avec une grande incertitude dans le regard alors qu'elle consolidait le mur de la cuisine avec du mortier.

– Mary Poppins ? s'étonna-t-il.

– Oui, tu sais, la magicienne !

Cette réponse approfondit encore le gouffre de perplexité dans lequel l'Insuffisant se laissait flotter.

– Ah ? fit-il simplement.

– Ouh, le nigaud ! se moqua le Gétorix. Il ne connaît même pas Mary Poppins !

– Si, je la connais… se défendit la créature indolente. C'est elle…

Il tendit son bras flasque et désigna Oksa, ce qui eut pour effet de déclencher l'hilarité des créatures qui s'ébattaient sur l'herbe, ravies d'être dans la nature – à part les Devinailles qui ronchonnaient à cause des températures « quasi glaciaires ».

– Elle est drôle, cette Mary Poppins, n'est-ce pas ? réagit l'Insuffisant.

– Elle est très drôle ! répondit Oksa avec la bienveillance qu'elle ne pouvait s'empêcher d'éprouver envers la gentille créature.

– Pfffff ! siffla le Gétorix. Si vous l'encouragez, on n'y arrivera pas, ma Gracieuse.

– Mais Gétorix, avec l'Insuffisant, on n'y arrivera jamais de toute façon… rétorqua Oksa en riant.

Le petit être chevelu marqua un temps d'arrêt et conclut en tournant autour de l'Insuffisant :

– Eh non ! Jamais, jamais, jamais…

Enrôlé par Abakoum, Gus observait la scène depuis le toit où il prenait une petite pause, assis au bord de la gouttière, les jambes dans le vide. Depuis son refoulement sur le seuil du Portail qui menait à Édéfia, il avait beaucoup changé. Le choc de se retrouver séparé de ceux qu'il aimait, la confrontation avec la violence et les privations, le mal qui le tuait de l'intérieur, tout l'avait confronté à des responsabilités qu'il avait bien fallu accepter. Le choix avait été simple et il l'avait rapidement compris : soit il continuait de se lamenter sur son triste état de Du-Dehors en proie aux duretés du monde, soit il s'adaptait.

Pendant toute la difficile période précédant le retour des Sauve-Qui-Peut, il avait fait des efforts dont il ne se serait jamais cru capable avant, quand tout allait si bien. Petit à petit, il avait fini par s'accommoder de son nouveau rôle, celui d'un jeune homme sur qui on pouvait compter. Les

Refoulés avaient besoin de lui, notamment Marie Pollock avec laquelle il partageait l'angoisse silencieuse de la menace planant au-dessus d'eux. Ils n'en parlaient jamais, savoir que chaque jour les rapprochait de la mort était déjà assez pénible. Sans compter la souffrance physique, mordante, qui ne manquait pas de le leur rappeler cruellement. Mais cette expérience les avait rapprochés à tel point qu'un jour, Gus appela la mère d'Oksa « Maman ». Le mot était sorti avec une telle spontanéité... Ébahi et confus, il s'était mordu la lèvre jusqu'au sang. Quant à Marie, si elle avait entendu, elle n'en avait rien montré.

Puis les Sauve-Qui-Peut étaient revenus. Oksa avait retrouvé sa mère, Gus avait retrouvé Oksa. Elle aussi avait bien changé. Plus forte, plus déterminée, mais toujours aussi impulsive.

Et encore plus jolie.

Quand tout fut à peu près remis en état, les Cinq Fantastiques installèrent leur quartier général là où la connexion Internet était la plus efficace : dans l'ancien silo à grains, sur la vaste mezzanine surplombant ce qui servait autrefois de serre aux plantes.

L'endroit était nettement moins peuplé que lors de la première visite d'Oksa, mais tout aussi vivant. Le confinement dans la Boximinus d'Abakoum avait entraîné une certaine frustration chez les plantes et le retour à une taille normale avait été vécu comme une véritable résurrection. Très vite, les végétaux avaient retrouvé leurs bonnes habitudes, faites de chamailleries, d'exigences affectives et de manifestations turbulentes en tout genre.

Ce jour-là, les jeunes internautes parcouraient le Web pour y débusquer de nouvelles informations. Une théorie se dessinait enfin, il fallait creuser...

Ainsi qu'il le faisait plusieurs dizaines de fois par jour, Gus dévia son regard jusqu'à Oksa, l'air de rien. Concentrée sur son écran, elle ramena une mèche de cheveux derrière son oreille et palpa un instant son lobe – le jeune homme s'était rendu compte quelques jours plus tôt qu'il aimait beaucoup la voir faire ce geste. Tout comme il aimait beaucoup le petit pli qui se formait entre ses yeux quand elle réfléchissait, la façon dont se creusaient ses fossettes quand elle était amusée, sa bouche qui se tordait légèrement quand elle se rongeait un ongle, son rire quand l'Insuffisant lui demandait qui elle était, ses soupirs taquins quand les Devinailles se plaignaient de la température…

Mais tout compte fait, qu'est-ce qu'il n'aimait pas chez Oksa ? se demanda-t-il.

Rien.

Il aimait tout.

Même sa mauvaise foi, sa susceptibilité, ses colères.

Il aimait tout, sauf son goût incompréhensible pour les gothiques du genre de Tugdual Knut.

Il ne pouvait ouvertement se réjouir de la tournure des événements. La trahison du jeune Scandinave avait meurtri tout le monde, Oksa la première, et sa douleur avait fait peine à voir. Pourtant, au fond de lui, Gus ressentait une immense satisfaction. « Ce n'est pas pour rien que je n'ai jamais pu le voir, le corbeau… » Et même si le cœur d'Oksa n'était pas encore tout à fait libéré – c'était rageant, mais Gus en avait la conviction –, Tugdual ne pouvait plus être considéré comme un rival. Ce qui représentait une très bonne chose.

Quand Oksa tourna la tête vers lui, il sursauta, pris en flagrant délit.

– Hé ! Mais qu'est-ce que tu fais ? s'exclama la jeune fille en fronçant les sourcils. Tu rêvasses ?

– On peut dire ça… répondit le garçon sans la quitter des yeux.

Oksa inspira à fond et fit pivoter son siège pour lui faire face.

– Gus, mon pauvre Gus, tu es vraiment incorrigible…

– Eh bien, permets-moi de te dire, Oksa, ma pauvre Oksa, que tu te trompes lourdement, rétorqua-t-il en étirant les bras devant lui. Depuis le temps que tu me connais, tu devrais savoir que je suis un authentique contemplatif.

Oksa pouffa de rire.

– Un contemplatif, rien que ça ! Tu ne te refuses rien !

– La réalité ne se refuse pas…

Ils restèrent un moment immobiles, les yeux marine de Gus dans ceux, ardoise, d'Oksa, à mi-chemin entre l'amusement et une certaine gravité. Quelques années plus tôt, quand ils étaient des enfants, ils jouaient ainsi à se fixer jusqu'à ce que l'autre cède, souvent en éclatant de rire. C'était Gus qui gagnait toujours, Oksa ne parvenait pas à rester concentrée plus de quelques dizaines de secondes. Mais elle avait fait d'immenses progrès depuis… Aujourd'hui, elle se révélait être une sérieuse concurrente qui semblait pouvoir tenir des heures.

– Dommage pour toi que ce ne soit plus un jeu, tu gagnerais haut la main… murmura Gus en reculant légèrement son siège.

– Qu'est-ce que tu dis ?

– Je dis qu'il faut qu'on bosse.

– Contemplatif et sérieux ! Ça rigole plus, dis donc…

Pour toute réponse, Gus fit rouler son siège en arrière jusqu'à son bureau, sans quitter Oksa des yeux, sans un sourire. De son côté, Oksa n'était pas sûre qu'il ait décelé l'infime déception qui ombra soudain son regard.

Elle était persuadée qu'il allait l'embrasser.

Elle aurait aimé qu'il l'embrasse.

Elle aurait beaucoup aimé.

Mais il se concentrait à nouveau sur son écran, du moins en apparence. Car en l'observant de plus près, elle put clairement constater qu'il était en train de taper n'importe quoi sur son clavier.

Elle en fut amusée. Et touchée.

Alors elle se leva, marcha sans bruit jusqu'au fauteuil de Gus et posa les mains sur les épaules du garçon. Il ne se retourna pas, mais, en revanche, il s'arrêta d'écrire. Oksa sourit intérieurement de le sentir se figer, puis se laisser aller contre le dossier du siège. Il reposa les doigts sur le clavier et pianota à toute vitesse. Des lettres énormes apparurent au milieu de l'écran :

SI TU CHERCHES À M'EMBRASSER,
JE SUIS D'ACCORD !

Oksa éclata de rire.

– Plus romantique, tu meurs… Mais qu'est-ce que tu crois, mon pauvre garçon, je n'ai pas du tout envie de t'embrasser !

Elle retira les mains des épaules de Gus et lui assena une petite tape sur la tête. Réactif, le garçon tourna sur son siège, attrapa son poignet et, sans qu'elle ait eu le temps de faire le moindre geste, il l'attira vers lui et l'embrassa.

Elle envisagea un instant de résister, puis se laissa faire tendrement sous le regard outré de Kukka et celui, plus pudique, de Zoé.

27

Un nouvel allié

Quand Abakoum, Pavel et Mortimer firent irruption sur la mezzanine, les quatre internautes s'étonnèrent de la présence d'un jeune homme à leurs côtés.

– Waouh ! Vous êtes plutôt bien équipés, ici ! fit ce dernier en se précipitant vers les différents ordinateurs.

– Niall, je te présente Gus, Kukka, Oksa et ma cousine Zoé, fit Mortimer.

– Euh… on s'est déjà vus… lança le garçon.

Il dévisagea chacun d'eux et surtout Zoé sur laquelle il s'attarda spécialement.

– C'est vrai ! admit Mortimer. J'avais presque oublié qu'on était tous à St Proximus.

Effectivement, ils s'étaient tous côtoyés dans la cour et, s'ils n'avaient jamais lié connaissance, ils se souvenaient très bien les uns des autres.

– Vous avez un peu… changé, non ? s'étonna Niall, en observant Oksa et Gus.

– Un peu… confirma Oksa tout en interrogeant Mortimer du regard.

Mortimer fit un léger signe de tête signifiant « non ». Il valait mieux en rester là pour le moment.

– Moi, je n'étais pas à St Proximus ! intervint Kukka en minaudant.

Gus leva les yeux au ciel, d'une façon si fugace qu'Oksa eut tout juste le temps de s'en apercevoir. Mais le peu qu'elle vit ne manqua pas de la ravir.

– Niall ? Niall Monroe ? fit Zoé en regardant tour à tour le jeune homme et Mortimer.

– Le meilleur pirate informatique du monde ! précisa Mortimer.

– Oh, le meilleur, c'est un peu abuser… fit le jeune homme avec un embarras sincère.

Son regard glissa vers Zoé. Sa peau, sombre et veloutée comme du chocolat, ne trahit pas l'embrasement qui le saisit. Seules ses paupières bordées de longs cils de soie noire battirent anormalement vite quand la jeune fille lui renvoya un regard plein d'admiration. Mais il ne la lâcha pas des yeux pour autant.

– Alors, tu n'as pas été recruté par Orthon ! s'exclama Oksa.

Gus se frotta le visage, soudain épuisé. Oksa avait peut-être changé sur bien des points, mais elle était restée aussi terriblement spontanée.

– Disons qu'il a été approché… répondit Mortimer.

– C'était sûr ! répliqua Oksa.

– Comment ça s'est passé ? demanda Zoé.

Niall la regarda d'un air soudain inquiet.

– Je ne peux pas t'obliger à nous faire confiance, fit Mortimer, blanc comme un linge. Mais je t'assure que tu ne crains rien avec nous. Et n'oublie pas que tu as reçu de sérieuses garanties de notre fiabilité…

Les Cinq Fantastiques observaient Niall avec une nette curiosité.

– Nous aussi, nous sommes victimes de la folie d'Orthon, finit par lancer Zoé.

Niall laissa échapper un gémissement dépité.

– Mais c'est ton oncle ! s'écria-t-il. Et c'est aussi ton père, Mortimer…

– Justement ! rétorqua Zoé avec une détermination inébranlable. C'est encore pire et je crois que tu peux le comprendre.

Avait-elle vu le trouble qu'elle provoquait chez le garçon ? S'était-elle rendu compte de l'agitation stupéfaite qui le saisissait dès qu'il posait les yeux sur elle ? En tout cas, cela n'avait pas échappé à Oksa. Volontaire ou non, le charme de Zoé semblait opérer. « Il se passe un truc entre ces deux-là ou je ne m'y connais pas... » se dit la Jeune Gracieuse.

– Je n'étais pas à la maison le jour où ton oncle... euh... le père de Mortimer... bref, le professeur McGraw s'est présenté chez moi, expliqua Niall en jetant à Zoé des coups d'œil de plus en plus appuyés.

– Tu peux l'appeler Orthon, ce sera plus simple... le coupa Zoé avec un minuscule sourire.

– Mes parents ont été surpris, continua-t-il. Ils ne l'avaient pas vu depuis la rencontre parents-professeurs, l'année précédente, c'était bizarre. Il a d'abord été très aimable. Il a expliqué qu'il avait besoin de mes compétences pour une mission très spéciale. Puis quand mes parents ont exprimé quelques réticences à me confier à lui, il s'est montré sous un jour très différent. Selon l'expression de mes parents, c'était lui et pas lui, un peu comme... toi, Oksa... et comme toi, Gus.

Oksa se mordilla la lèvre.

– Oui, sauf que nous, on ne cherche pas à déstabiliser le monde, finit-elle par lâcher. Au contraire !

– Oksa, s'il te plaît... fit Gus. Laisse-le parler !

– Continue, Niall, l'encouragea Zoé.

– À partir de là, les choses se sont envenimées. Il a commencé à menacer mes parents, c'était très incohérent, ils avaient un mal fou à comprendre ce qu'il cherchait exactement. Tout à coup, il a sorti une sarbacane. Il l'a braquée sur mon père et, quand il a soufflé dedans, c'est comme si une tempête s'était levée. Ç'a été un vrai saccage. Tout ce qu'on avait réussi à garder à peu près en état après les cataclysmes a été détruit.

– Quelle pourriture... ne put s'empêcher de pester Mortimer depuis le seuil de la mezzanine où il s'était posté debout, les bras croisés.

– Comment tes parents se sont sortis de ce piège ? demanda Oksa.

– Eh bien… je ne sais pas si vous allez me croire…

– On est prêts à croire beaucoup de choses, je t'assure… murmura Zoé.

– Orthon a dit qu'il reviendrait me chercher et que cette fois-ci il repartirait avec moi, de gré ou de force. Et puis, il…

Il s'arrêta net. Sa main battait nerveusement le long de sa cuisse. Il n'irait pas plus loin.

– Il s'est envolé, n'est-ce pas, Niall ? fit Zoé d'une voix très douce.

Niall la regarda, chancelant. Tout cela était aberrant et pourtant, personne n'avait l'air de douter. Pire encore : ils semblaient tous savoir exactement ce qui s'était passé.

– Oui… finit-il par lâcher dans un souffle. Mais comment tu sais ça ?

– Et ensuite ? esquiva Zoé.

– Mes parents étaient très choqués. Ils ont pris les menaces d'Orthon très au sérieux.

– Et ils avaient tout à fait raison, confirma Zoé.

– Ils sont venus me chercher et, depuis, nous nous cachons.

Les regards se tournèrent vers Mortimer.

– Comment tu as fait pour le retrouver ? demanda Zoé.

– Il ne faut pas croire que je n'étais qu'une grosse brute, une sorte d'Ostrogoth rustre… répondit-il en jetant un coup d'œil amical à Oksa qui le lui rendit par un sourire un peu gêné. J'ai beaucoup observé les liens qui unissaient certains élèves de St Proximus et je sais que les parents de Niall et de Merlin Poicassé étaient très amis.

– Merlin ! s'exclama Oksa. Tu l'as revu ? Il va bien ?

– Oui, il va bien. C'est chez lui que j'ai retrouvé Niall et ses parents.

Un silence pensif s'imposa. Surprenant tout le monde, c'est Zoé qui le rompit.

– Je crois qu'on te doit quelques explications, maintenant…

Une heure plus tard, le jeune homme ne contenait plus son exaltation.

– Niall, tu crois que tu peux découvrir où se cache Orthon ? Tu crois que tu peux le retrouver ?

Il y avait une certaine supplication et surtout beaucoup d'espoir derrière les questions de Zoé. Oksa, elle, y voyait en plus beaucoup d'habileté.

Zoé était étonnante. Très étonnante.

Et Niall la mangeait des yeux.

Il répondit avec enthousiasme aux questions de Zoé alors qu'Oksa se réjouissait d'assister en direct à un coup de foudre.

– Quand je te voyais dans la cour, jamais je n'aurais cru que tu étais un génie de l'informatique… fit la jeune fille.

– Et moi, jamais je n'aurais cru que tu venais d'un autre monde…

28

Sublime

Quand Zoé découvrit la vidéo, elle n'en crut pas ses yeux. Vite, elle fit glisser le curseur pour ouvrir un nouvel onglet, tout en pressant frénétiquement sur la touche réglant le volume du son de l'ordinateur pour le rendre muet. Peine perdue… L'oreille dressée, Oksa faisait déjà volte-face sur son siège.

– Qu'est-ce que c'est ? bredouilla-t-elle d'une voix blanche.

Alertés, Mortimer l'observa d'un air inquiet, Gus retira ses écouteurs et Niall interrogea Zoé du regard. Quant à Kukka, elle était aussi décomposée qu'Oksa.

– Zoé ? Qu'est-ce que tu regardais ?

Oksa était derrière sa petite-cousine, si tendue qu'on pouvait craindre qu'elle ne déclenche bientôt un violent orage. Elle n'avait rien vu, mais ce qu'elle avait entendu ne laissait aucune place au doute.

Elle connaissait cette voix. Elle la connaissait très bien.

Cette voix évoquait les moments les plus doux et les plus durs de sa vie. Les plus ardents et les plus féroces.

Et elle accompagnait la pire désillusion qu'elle ait connue jusqu'alors.

– Zoé, montre-moi cette vidéo…

La jeune fille obtempéra. À quoi bon résister ? Le mal était fait. Elle cliqua sur l'onglet resté ouvert, puis relança la vidéo. Les images surgirent avec la violence d'une explosion. Kukka s'approcha, livide. Pour la première fois depuis qu'elles se connaissaient, Oksa se sentit proche d'elle. Ou, plutôt, proche de sa stupeur et de sa colère.

Leurs amis autour d'elles, elles regardèrent la vidéo jusqu'au bout, sans un mot. Puis Kukka laissa échapper ce qui devait être un juron en finlandais alors que des tremblements nerveux agitaient les paupières d'Oksa.

La mélodie était rythmée et intense, envoûtante.

La voix du chanteur, magnétique, vibrante.

Son visage fermé, son regard polaire, son attitude détachée du monde.

Ailleurs. Nulle part. Au-delà.

Seules ses mains sur le piano semblaient vouloir exprimer quelque chose sans qu'on puisse pourtant définir quoi.

La caméra tournait autour de lui, faisait soudain des gros plans de ses yeux ou de ses mains, s'arrêtait par intermittence sur sa silhouette longiligne et sur les autres musiciens du groupe, baptisé New Hope[1]. Tout semblait réuni pour captiver ceux qui regardaient ces images à l'esthétique aussi mystérieuse qu'efficace. Car davantage que les paroles – l'histoire ordinaire d'un garçon qui aime une fille qui en aime un autre... –, elles happaient par l'ouïe et la vue, se diffusaient dans l'esprit en procurant une irrésistible sensation, puis s'y ancraient solidement pour ne plus le lâcher.

Dix fois, vingt fois, cinquante fois... Oksa ne pouvait plus se détacher de ces images et de cette chanson. Mais alors que ce besoin de voir et revoir la vidéo était compréhensible en ce qui concernait la Jeune Gracieuse ou ceux qui connaissaient celui qui y évoluait, il l'était beaucoup moins pour Niall pour lequel il n'était qu'un inconnu. Et c'est ce qui interpella le jeune prodige.

– Il y a quelque chose qui cloche, ce n'est pas normal... murmura-t-il.

1. Le Nouvel Espoir.

Sous la vidéo, le compteur indiquant le nombre de visionnages s'affolait. Niall s'installa devant un autre ordinateur et pianota à toute vitesse sur le clavier.

– Ça, c'est le buzz du siècle… marmonna-t-il.

– Qu'est-ce que tu veux dire ? lui demanda Zoé, en lâchant laborieusement l'écran des yeux.

– Regarde ! C'est hallucinant !

Oksa et les autres Fantastiques, intrigués, prêtèrent attention à la démonstration de Niall. Les réseaux sociaux diffusaient en boucle la fameuse vidéo dans les volets publicitaires où il était impossible de l'éviter. Quant aux principaux sites du monde entier, qu'ils soient marchands, institutionnels, informatifs ou de pur divertissement, ils la présentaient tous en page d'accueil.

– Et le pire, c'est qu'au lieu de passer cette intro imposée, on ne peut pas s'empêcher de la regarder jusqu'au bout… Alors que le plus souvent, on ne perd pas de temps avec ça, on zappe et on va directement sur le site.

– C'est peut-être parce qu'on est jeunes et réceptifs à ce genre de chanson… hasarda Zoé. Il faut reconnaître qu'elle est vraiment bien, non ? Le thème et le texte sont peut-être un peu banals, mais porteurs. Avec une mélodie efficace comme celle-là, il n'en faut pas plus pour accrocher des milliers de jeunes aux quatre coins du monde.

– Tu veux dire que ce serait une histoire de génération et que cette chanson est faite sur mesure pour nous plaire ? Possible… On n'a qu'à faire le test.

Abakoum, Pavel, Marie, Andrew… Les adultes, quel que soit leur âge, réagissaient tous de la même façon : l'écoute de la chanson ne suscitait aucune réaction particulière. Par contre, dès qu'ils découvraient le clip, tout devenait très différent. Passé la stupeur de reconnaître l'un des leurs, ils restaient unanimement rivés aux images qui défilaient, dans une sorte de fascination qu'ils laissaient s'installer sans vraiment réagir.

Oksa se laissa tomber sur son siège, épuisée et livide. Tout le monde lui jetait des coups d'œil soucieux. Le chanteur était magnifique sur cette vidéo et personne ne pouvait nier qu'il endossait à merveille le rôle très charismatique de leader de groupe de rock.

– Je ne veux pas minimiser la puissance de ce type, fit Niall, mais j'ai l'impression qu'il y a autre chose derrière tout ça.

La vidéo terminait son soixante-troisième passage sur l'ordinateur de Zoé. La jeune fille laissa la machine se mettre en veille. Aussitôt, la mezzanine fut plongée dans le silence et la pénombre, le soir étant venu sans que personne s'en rende compte ni pense à allumer les lumières.

– En tout cas, vous avez l'air de bien le connaître, fit remarquer le jeune pirate. C'est qui exactement ?

– Tugdual, répondit Zoé. Tugdual Knut, ou peut-être dois-je dire Tugdual McGraw.

Mortimer se crispa sensiblement.

– Un des fils d'Orthon McGraw ? s'enquit Niall.

Zoé lui expliqua brièvement les derniers événements qui avaient bouleversé leur vie et celle du jeune homme qui avait fait partie des Sauve-Qui-Peut avant son… ralliement inattendu.

– Ah, d'accord ! fit Niall. Je comprends pourquoi vous êtes si bouleversés.

Il mit les mains derrière sa tête et se laissa aller en arrière. Ses yeux en amande s'étrécirent alors qu'il réfléchissait.

– Malgré tout, il y a un truc bizarre.

Oksa ânonna quelques mots qui interpellèrent le garçon.

– Qu'est-ce que tu dis, Oksa ?

– Des images subliminales…

Tout le monde resta en arrêt.

– Hé ! Mais tu sais que c'est une sacrée bonne idée ! commenta Gus. Et c'est tout à fait le genre d'Orthon de manipuler les consciences. On peut arriver à décrypter ces images ?

– Bien sûr ! s'exclama Niall. Je me suis déjà amusé à le faire pour des clips de campagne d'hommes politiques. Vous connaissez ce scandale à propos d'un clip en faveur de George W. Bush ?

Les plus jeunes répondirent non.

– Les images présentant l'adversaire de Bush contenaient des incrustations de mots injurieux. Ce qui influençait la perception que les téléspectateurs pouvaient avoir de cet homme par le simple fait qu'il soit alors associé à des termes très négatifs. Le procédé est connu, surtout dans la publicité où des images imperceptibles à l'œil mais intégrées par le cerveau vous poussent à consommer telle ou telle marque.

– Ce qui explique qu'en plein milieu d'un film, on éprouve une envie soudaine de manger du chocolat ou de boire un soda ! précisa Zoé.

– Exactement ! approuva Niall. Des cinéastes ont également utilisé les images subliminales pour intensifier un effet dramatique ou terrifiant. Hitchcock, dans *Psychose*, par exemple, a intercalé quelques images de tête de mort pour renforcer l'effroi qu'on peut ressentir en regardant le film.

– C'est dingue… fit Oksa.

– Et dès qu'on s'intéresse au sujet, il y a matière à être surpris, je vous assure. Donnez-moi quelques heures et je vous montre exactement ce que New Hope, ou plutôt Orthon, a voulu faire passer à travers ce clip !

29

Un édifiant décryptage

Prostrée dans un fauteuil, le visage contracté, Oksa fixait Niall et Gus – très doué en informatique, lui aussi – qui découpaient méthodiquement la vidéo image par image. À leurs côtés, Zoé et Mortimer observaient la progression de ce décorticage dans un mutisme respectueux. À peine laissaient-ils échapper de temps à autre un soupir ou une exclamation étouffée. Depuis l'autre extrémité de la mezzanine où elle s'était réfugiée auprès d'Andrew, Kukka levait alors la tête et affichait une expression de profond écœurement.

Elle détestait son cousin Tugdual, l'accusant d'être la cause du bouleversement qui avait poussé la famille Knut tout entière à quitter la Finlande natale pour la Suède. Le jeune homme endossait en effet une part de responsabilité, mais Kukka refusait de reconnaître que c'était avant tout l'obstination de Brune et Naftali à vouloir taire leurs origines à leurs descendants qui avait entraîné cette fuite. Le visage en gros plan de son cousin lui fit pousser un nouveau juron.

– *On kirottu ! Paskiainen*[1] !

Abakoum, dont la Poluslingua était perpétuellement active, se retourna.

– Ta tante et tes grands-parents n'y sont pour rien... murmura-t-il avec douceur à la jeune fille.

Au souvenir de ses valeureux aïeux et d'Helena, la mère de Tugdual, tuée à Édéfia par celui qui l'avait abusée des

1. « Sois maudit ! Fils de chien ! »

années plus tôt, Kukka blêmit. Ses yeux s'embuèrent, elle était au bord des larmes. Le Foldingot s'approcha d'elle et tapota sa main.

– Le bien ne fait la connaissance de l'existence que par l'existence du mal, dit-il de sa voix aigrelette.

Ces paroles interpellèrent tous ceux qui se trouvaient sur la mezzanine, et particulièrement Oksa. Se sentant le point de mire, le Foldingot se troubla et sa face prit une inquiétante couleur aubergine.

– Si le blanc et le jour faisaient la rencontre de l'inexistence, ni le noir ni la nuit n'auraient la capacité d'être, bredouilla-t-il. L'association des contraires fournit l'équivalence comblée d'évidence avec le mâle et la femelle : un mâle sans femelle, une femelle sans mâle, et la vie fait l'accession au naufrage et à l'anéantissement.

Cela dit, il se précipita vers Oksa de sa démarche maladroite et se posta près d'elle dans une posture un peu gênée.

– Tu sais toujours trouver les mots justes, souffla Oksa. Tu es vraiment incroyable.

– La mansuétude de ma Gracieuse ne se heurte à aucune limite, commenta la petite créature en se tortillant.

– *Il y a dans l'homme, à Du-Dedans, à Du-Dehors, du bon et du mauvais*... poursuivit Oksa en reprenant une partie du serment des Gracieuses.

Le Foldingot acquiesça en agitant si vigoureusement sa grosse tête ronde de bas en haut qu'il en perdit l'équilibre. Le Gétorix, moqueur mais prompt à venir en aide à son prochain, le soutint en ironisant sur son manque de modération.

– Eh bien, je crois qu'on y voit plus clair maintenant ! annonça Niall. Venez...

La suggestion d'Oksa et l'ingéniosité de Niall et de Gus s'avéraient fructueuses. Le clip passé au ralenti, une image après l'autre, un message prédominait dans la première moitié : les dirigeants des pays les plus puissants du monde étaient assimilés à des calamités effroyables et, de façon plus insidieuse, aux derniers cataclysmes qui avaient plongé la Terre dans des difficultés sans précédent. Entre deux plans sur les musiciens du groupe, on pouvait voir une image d'à peine un vingtième de seconde du Président français, suivie de celle de bâtiments en ruine. Un peu plus tard, le Président des États-Unis se retrouvait lié à la vision de corps affligés de maux terrifiants, de peaux corrodées et de regards atrocement douloureux.

– C'est dingue, aucun des grands de ce monde n'est épargné, fit remarquer Oksa. Ils sont tous associés à des images de guérillas urbaines, de violence ou de maladies, ça fait vraiment flipper.

– Et ça crée surtout un fort sentiment d'anxiété vis-à-vis de ceux qui nous dirigent et qui sont censés veiller à notre sécurité, ajouta Pavel.

– On essaie de nous dire qu'on ne peut pas leur faire confiance, dit Oksa.

– Ou pire : qu'on ne *doit* pas leur faire confiance, renchérit Zoé.

– C'est tout à fait ça ! approuva Niall. Par contre, dans la seconde partie du clip, le message prend une autre voie, regardez…

Les mains de Tugdual évoluant avec grâce sur les touches du piano, ses yeux d'une transparence polaire, sa silhouette sombre, tous les plans sur le jeune homme étaient entrecoupés de visions nettement moins négatives. Fugitives mais lumineuses, elles présentaient des gens épanouis évoluant dans des environnements harmonieux, une sorte de monde paisible et sain, propre et abondant, idéal. Quand le visage d'Orthon apparut, d'abord de façon intermittente, puis de plus en plus régulière au fur et à mesure que le clip s'approchait de la fin, personne au sein des Sauve-Qui-Peut et des Refoulés ne fut surpris.

– La sublimation n'est pas que visuelle, intervint Niall. Elle est aussi auditive, écoutez, il y a une alternance entre

« *Hold on* » et « Orthon ». C'est subtil, sans s'en rendre compte on associe le fait de tenir bon et l'homme qui est représenté.

– Il est gonflé, quand même ! s'exclama Oksa après la toute dernière image montrant le Félon, mains ouvertes devant lui. Il se prend pour un messie !

– C'est le message qu'il veut faire passer en tout cas, acquiesça Abakoum. Un message qui va se répandre comme une traînée de poudre.

Un pli s'était creusé entre ses yeux gris. La colère, contenue mais vibrante, faisait trembler ses lèvres et surprenait ses amis. L'Homme-Fé se montrait d'habitude tellement maître de ses émotions…

– Et en utilisant un jeune homme aussi charismatique et mystérieux que Tugdual, il va s'aliéner toute la jeunesse du monde, grinça-t-il.

Oksa chancela. Son corps s'affaissa, elle s'accrocha au dossier du siège de Niall, prête à pleurer ou à crier de rage, elle ne savait plus. Prenant appui sur sa canne, Marie s'approcha d'elle, l'air malheureux, et de sa main libre lui caressa les cheveux. Oksa serra les poings.

– Il faut qu'on arrête tout ça… assena-t-elle avec fébrilité. Il faut qu'on trouve Orthon.

Marie attira sa tête dans le creux de son épaule et serra la jeune fille contre elle.

– On va le trouver, ma chérie. On va le trouver.

Par-dessus l'épaule de sa mère, Oksa croisa le regard de Gus, amer. Ce nouveau coup porté par Orthon touchait tout le monde. Sans exception.

30

Par une froide nuit

Le jeune couple pressait le pas dans les rues désertées. Il faisait froid en cette fin d'hiver. Le garçon enlaça la jeune fille, elle se colla contre lui. Très vite, ils accordèrent leur rythme et bifurquèrent dans une ruelle déjà plongée dans l'obscurité de la nuit tombante. La maison n'était plus très loin.

– Un bon chocolat chaud, voilà ce qu'il me faut… souffla la fille, grelottante.

– En attendant, serre-toi contre moi ! fit le garçon, le visage penché vers elle.

La fille s'arrêta, le regarda avec amour et lui donna un baiser sur les lèvres.

Ce tendre instant d'inattention les empêcha de voir l'enfant surgir de l'ombre d'une porte cochère. En le trouvant soudain devant elle, la fille poussa une exclamation de surprise.

– Mais que fais-tu là tout seul dehors, toi ? Tu vas attraper la mort ! se récria-t-elle.

Vu sa stature, il ne devait pas avoir plus de huit ans. Il restait immobile, les bras le long du corps, le regard rivé sur le trottoir. La fille se pencha vers lui pour essayer d'apercevoir sa frimousse sous la casquette à large visière.

– Où tu habites, petit ? murmura-t-elle pour ne pas l'effaroucher.

L'enfant releva la tête, doucement, très doucement, et son visage apparut bientôt à la faveur de l'unique réverbère de la ruelle.

La fille se redressa et fit un bond en arrière. Incapable de dire quoi que ce soit, ne serait-ce que pousser un cri, elle agrippa le bras du garçon aussi épouvanté qu'elle. Ils reculèrent de quelques pas sans quitter l'enfant des yeux – mais pouvait-on vraiment qualifier cet être d'enfant ? – et se figèrent soudain.

Quelque chose derrière eux les bloquait.

Quelque chose. Ou quelqu'un. Quelqu'un comme celui qui se trouvait devant eux et qui les dévisageait avec un air de gourmandise brutale.

Fallait-il se retourner ? Ne savaient-ils pas déjà que toute fuite était vaine ? Pourtant, le garçon se risqua et pivota lentement sur ses talons.

Un enfant, identique à l'autre, le regardait avec le même sourire gourmand que son compagnon.

Dans un mouvement simultané, ils sautèrent tous les deux au cou du garçon et de la fille, leur enserrèrent fermement la taille de leurs jambes malingres et les embrassèrent goulûment.

Le garçon secoua la tête, incrédule, et regarda la fille, aussi égarée que lui. Devant eux, les enfants récupéraient dans de petites fioles l'épaisse morve noire qui s'écoulait en abondance de leurs narines béantes. Horrifié mais incapable de bouger, le couple resta dans la contemplation de ces êtres dont le visage affichait une expression de ravissement absolu, en proie au sentiment que tout cela était complètement, définitivement… anormal.

Soudain, les êtres tournèrent le dos et disparurent dans le ciel vide, emportant avec eux le souvenir de leur rencontre avec le couple d'amoureux.

Mais pas seulement.

Par pur réflexe, le garçon se rapprocha de la fille pour la prendre dans ses bras. La crispation de son corps et son mouvement de recul, bien qu'infimes, n'échappèrent pas au jeune homme. Il écarquilla les yeux.

Mais ce qui le stupéfia, ce n'était pas que la fille le repousse.

Non.

Ce qui le stupéfiait, c'était de n'en ressentir aucune peine.

Car tout au fond de lui, il savait qu'il n'avait désormais plus aucune envie de la serrer contre lui, de l'embrasser, de caresser sa joue, de l'entendre rire, de la regarder à chaque seconde qui s'écoulait.

Alors, côte à côte, dans un mutisme embarrassé, ils s'enfoncèrent dans la ruelle glacée. Il était temps de rentrer à la maison, il faisait si froid ce soir.

Pendant qu'ils buvaient un chocolat chaud, installés chacun à une extrémité de leur canapé, une minuscule mais impitoyable armée de six enfants sillonnait la petite ville.

Six enfants silencieux qui frappaient aux portes.

S'engouffraient dans les maisons.

Sautaient au cou de leurs occupants.

Remplissaient des fioles de morve noire comme du pétrole brut.

Disparaissaient, les yeux vitreux et le cœur prêt à exploser.

31

La piste se précise

« … Et pour clôturer ce journal, un fait divers qui suscite de nombreuses questions dans les communautés scientifiques et médicales : Castelac, une petite ville de près de 17 000 habitants située dans le sud-ouest de la France, subit depuis quelques jours une succession d'événements dont les causes restent inexpliquées. En un temps record, on a constaté un taux exceptionnellement élevé de demandes express de divorces. Soixante-quinze pour cent des couples mariés de Castelac ont d'ores et déjà engagé des procédures de séparation. L'affaire pourrait en rester là si on n'avait pas constaté une multiplication par cinq cents des violences conjugales. Plus grave encore, en quelques jours seulement, quarante pour cent des moins de 25 ans ont fait des tentatives de suicide suite à des ruptures amoureuses, on déplore déjà quarante-deux décès.

« Rapidement débordés, les médecins, les avocats et les forces de police ont demandé des renforts, attirant l'attention sur cet étrange phénomène qui vient d'entraîner la mise en quarantaine de Castelac. L'armée contrôle tous les accès de la ville alors que des spécialistes du monde entier ont été dépêchés sur place pour pratiquer des analyses sur la population. Contrecoup psychologique des cataclysmes qui ont affecté notre monde ? Expérimentation biologique ? Virus ? Plusieurs hypothèses sont évoquées… »

– C'est lui ! s'exclama Oksa. C'est Orthon qui est derrière tout ça !

Abakoum caressa sa courte barbe d'un air soucieux. Les Sauve-Qui-Peut et les Refoulés, réunis autour de la télévision dans le grand salon de l'Homme-Fé, ne disaient rien. Mais leur regard trahissait leur conviction : qui d'autre que le Félon pouvait être à l'origine d'une telle bizarrerie ?

– Les Diaphans. Il a recréé des Diaphans.

Zoé faisait preuve d'une force surprenante. Les mots étaient sortis, calmes, presque détachés. Pourtant, la contracture qui creusait son visage pâle prouvait que cette impassibilité était factice.

– C'est impossible ! lui opposa Oksa. J'ai... j'ai tué le dernier Diaphan. Il a explosé sous l'effet du Crucimaphila, il ne restait plus rien.

– Seuls les Diaphans peuvent être la cause de ce qui est en train de se passer dans cette ville, insista Zoé.

Ses yeux ne quittaient pas l'écran de la télé : un nouveau reportage sur la mise en quarantaine de Castelac était diffusé.

– Je ne vois qu'un moyen d'en avoir le cœur net, intervint Abakoum.

Tout le monde s'agita. Peut-être tenaient-ils enfin un début de piste concrète ?

– C'est vrai ? s'écria Oksa. On va aller sur place ?

– Allez, va préparer ton sac, Jeune Gracieuse, lui répondit Pavel avec un soupir exagéré.

Oksa ne put s'empêcher de jeter un coup d'œil préoccupé à Zoé. La jeune fille esquiva d'abord son regard, puis fixa résolument Oksa.

– Ne t'inquiète pas, murmura-t-elle en s'approchant de son amie. Si j'ai survécu à tout ça, je peux supporter beaucoup de choses. Et n'oublie pas que je suis une Sauve-Qui-Peut, doublée d'un Cœur Gracieux.

– Je ne l'oublie pas... répondit Oksa sur le même ton de la confidence.

L'opération fut lancée le soir même. Les lignes aériennes n'étant pas toutes rétablies, Abakoum, Pavel, Oksa, Zoé et Mortimer optèrent pour un Voltical de nuit à très haute altitude.

Une prise de risque à la mesure de l'enjeu.

– Après tout, Orthon ne s'est pas encombré de précautions pour libérer ses complices de prison ! fit remarquer Pavel. Au pire, si notre présence est détectée, ce sera mis sur son compte !

Les cinq enquêteurs décollèrent directement du potager et s'élevèrent à la verticale à une vitesse à peine perceptible par tout œil normalement constitué. Abakoum surprit tout le monde avec un nouveau Capaciteur, aux effets spectaculaires quoique très éphémères : le Grammeur, au goût affirmé de raisin plus que mûr, se révélait être un convertisseur de kilos... en grammes ! Harnaché à Pavel, l'Homme-Fé ne pesait pas plus lourd qu'une tomate !

– Je n'aurais pas cru m'en servir dans de telles circonstances... avoua le vieil homme.

Le Grammeur n'était pas la seule source d'étonnement. Oksa fut sidérée de n'éprouver aucune gêne respiratoire et de ne pas être transformée en glaçon en volticalant plus haut que les avions. Elle fit quelques pirouettes pour s'amuser – elle maîtrisait si bien le Voltical maintenant...

– On est comme Superman ! hurla-t-elle, les mains en porte-voix en direction de son père. Tu crois qu'on pourrait traverser l'atmosphère et volticaler dans l'espace ?

– Oksa ! On parlera de ça plus tard, pour le moment, concentre-toi ! la réprimanda Pavel, le corps en oblique, les bras parfaitement plaqués.

La Jeune Gracieuse essaya d'obéir et fonça en prenant la posture la plus aérodynamique possible. Les nuages se succédaient, légers, parfois denses, et déposaient un film d'humidité sur les peaux glacées. Plus bas, de vagues halos de lumière apparaissaient de temps à autre, les villes dormaient sans que personne puisse imaginer qu'à quelques kilomètres au-dessus d'eux, une famille volait en plein ciel. De temps à autre, Oksa poussait un long cri d'exaltation qui ne manquait pas d'amuser ses compagnons.

Au bout de trois heures, le Culbu-gueulard se manifesta.

– Ma Jeune Gracieuse, dans douze minutes nous atteindrons notre point destinataire, informa-t-il. La température au sol est de moins un degré Celsius et le taux d'humidité de quatre-vingt-quatre pour cent.

– Parfait ! fit Oksa en le remerciant d'une petite caresse. Je ne suis pas mécontente d'arriver… Peux-tu nous dire comment se présente la situation à Castelac ?

Le Culbu-gueulard s'éclipsa et réapparut deux minutes plus tard. Les Volticaleurs se regroupèrent en vol stationnaire, chacun tenant les épaules de son voisin.

– Les seize mille cinq cent trois habitants sont maintenus chez eux par deux mille quatre cents militaires qui ont décrété l'état d'urgence. De dix-huit heures à six heures du matin, personne n'est autorisé à sortir de chez soi. Toutes les routes permettant d'entrer ou de sortir de la ville sont bloquées, Castelac est une zone strictement interdite sous contrôle total de l'armée de terre et de l'air.

– De l'air ? s'étonna Oksa. Ça craint ! J'espère qu'on ne va pas recevoir des missiles…

– Je propose que nous atterrissions à quelques kilomètres pour éviter ce genre de déconvenue, fit Pavel.

– Bonne idée, approuva Abakoum, accroché à son ami.

– Un champ se situe exactement à la verticale du point où nous nous trouvons, signala le petit informateur ailé. Sa localisation est favorable : deux kilomètres et huit cent cinquante-quatre mètres, sud-sud-est de la ville où nous devons nous rendre.

– C'est parfait, lança Pavel. Allons-y.

Les Sauve-Qui-Peut plongèrent et disparurent, engloutis par les nuages denses comme des blancs en neige. Un long cri de jubilation retentit, aussitôt absorbé par l'altitude. Oksa venait de céder une dernière fois à son jeu favori…

La terre grossièrement labourée du champ gelé ne facilitait pas la progression des Volticaleurs redevenus de simples noctambules. Aussi se mirent-ils à courir, rebondissant sur les mottes et franchissant les clôtures avec l'aisance d'exceptionnels sauteurs de haies. Abakoum en profita pour se transformer en lièvre et s'en donna à cœur joie après avoir été dépendant du don aérien de Pavel.

Au loin, le timide éclairage urbain formait des boules de lumière aux contours indistincts, pâlies par le brouillard. À l'approche de Castelac, les observations du Culbu-gueulard se confirmèrent : des véhicules militaires ceinturaient la ville et des hommes en armes faisaient le guet devant les accès routiers. L'atmosphère était glaciale et saturée d'humidité, l'ambiance martiale et inquiétante.

– Jamais je n'aurais cru que je reviendrais en France dans ces conditions… marmonna Oksa, un soupçon de tristesse dans la voix.

Personne ne releva, mais la jeune fille savait que son père et Abakoum partageaient son sentiment. La France, les jours heureux, une certaine forme d'insouciance…

– Vous croyez qu'ils ont des détecteurs thermiques ? intervint Mortimer.

– On va vérifier cela tout de suite, répondit Abakoum-le-lièvre en s'élançant.

Il parcourut les quelques dizaines de mètres qui les séparaient des premiers militaires, s'arrêta pratiquement sous leur nez, fit des zigzags et des bonds pendant cinq bonnes minutes, franchit la barrière de véhicules et de herses, pénétra dans la ville et en ressortit sans que les soldats manifestent le moindre signe d'alarme.

– Rien à craindre du côté de la détection thermique, signala-t-il, légèrement haletant. Les contrôles doivent être uniquement visuels.

Oksa caressa son doux pelage, il se laissa faire en bombant l'échine avant de reprendre forme humaine.

– Aussi une arrivée par les airs me paraît-elle tout à fait appropriée… conclut-il. Culbu, guide-nous, veux-tu ?

La petite créature volante se mit en position d'éclaireur et s'élança vers la ville endormie qui recélait, aucun des cinq Sauve-Qui-Peut n'en doutait, la clé pouvant les mener à Orthon.

Quand ils se posèrent sur le toit du collège, ils ignoraient cependant qu'ils n'en avaient jamais été aussi près…

32

Le marché aux informations

Se trouver aux premières loges lorsque sa formidable progéniture s'était repue des sentiments amoureux de la population de Castelac avait apporté à Orthon une puissante satisfaction. Le plan se déroulait merveilleusement bien. Jusqu'à maintenant, rien ni personne ne semblait pouvoir l'empêcher d'aller là où sa destinée le conduisait.

Ses six petits se portaient bien. Sitôt leur premier repas dévoré, Orthon les avait reconduits sur la Salamandre où Pompiliu Negus attendait impatiemment les fioles de goudron noir promises pour pouvoir se mettre enfin à l'œuvre. Puis le Félon n'avait pas pu résister : se faisant passer pour un reporter, il était retourné à Castelac.

Il fallait qu'il voie.

Qu'il mesure l'étendue de sa brillante action.

Qu'il lise dans les yeux des hommes et des femmes approchés par ses six divins enfants combien il avait bouleversé leur vie.

Qu'il sente la panique qu'il avait semée.

Oh, comme il riait en écoutant ses « confrères » journalistes et en assistant aux communiqués de l'armée et des politiques ! Les uns faisaient le choix de la dramatisation – des effets de style auxquels il n'était pas insensible – tandis que les autres clamaient haut et fort qu'ils maîtrisaient la situation.

Ils se trompaient.

Les anonymes, les dirigeants, les professionnels, tous.

Mais qu'est-ce qu'ils croyaient ? C'était lui, Orthon McGraw, qui maîtrisait toute chose en ce misérable monde ! Et ils n'allaient pas tarder à le comprendre.

De sa chambre donnant sur la place principale de la ville, il avait une vue imprenable sur les mouvements de troupes et surtout sur les unités de recherche installées sous de grandes tentes médicalisées. Sévèrement gardé, leur accès était interdit à quiconque ne faisait pas partie des équipes de spécialistes en bactériologie, virologie, chimie… Mais Orthon n'avait pas besoin de cet accès pour prendre connaissance de leurs hypothèses et suivre l'avancée de leurs travaux – tous plus absurdes les uns que les autres. Il lui suffisait de tendre l'oreille et sa Chucholotte faisait le reste…

Dès que le jour fut levé et que des gens commencèrent à apparaître dans les rues, les Sauve-Qui-Peut descendirent de leur perchoir. Par chance, c'était jour de marché, le moment idéal pour se mêler à la population. Avisant un café déjà à moitié plein, Pavel et Abakoum s'assirent au comptoir et engagèrent aussitôt la conversation avec le cafetier et ses clients. Pendant ce temps, Oksa, Mortimer et Zoé déambulaient sur le marché s'étalant de l'extrémité de la place centrale jusqu'aux rues environnantes. Un sac de viennoiseries toutes chaudes à la main – les trois adolescents étaient affamés après leur vol nocturne –, ils observaient, écoutaient, à l'affût de la moindre information.

La voix criarde d'une femme en pleine discussion avec la fromagère attira leur attention.

– Je ne vois pas pourquoi on veut me faire passer tous ces tests ! vitupérait-elle. Je n'aime plus mon mari, nous sommes devenus des étrangers l'un pour l'autre, je veux divorcer et personne ne m'en empêchera !

– Mais vous aviez l'air si heureux lorsque vous avez fêté vos noces d'argent le mois dernier... lui fit remarquer la fromagère.

– Eh bien, il faut croire que nous ne l'étions pas tant que cela, rétorqua la femme, piquée au vif.

Oksa jeta un coup d'œil à ses amis. Le front plissé, Zoé se mordait l'intérieur des joues. Elle remonta son écharpe sur le bas de son visage et lui tourna le dos pour continuer son chemin. Oksa et Mortimer la rattrapèrent, sans un mot, et l'obligèrent à les regarder. Oksa posa la main sur l'avant-bras de la jeune fille. Ses proches demeuraient impuissants face au traumatisme indélébile qu'elle avait subi. Mais elle pouvait compter sur eux, leur fidélité, leur affection.

Zoé leur adressa un mince sourire. Elle avait compris.

– Continuons... murmura-t-elle en redressant la tête. Je suis sûre qu'on est sur une bonne piste.

Devant les étals et au milieu des allées, les conversations étaient toutes focalisées sur un unique sujet : les événements qui frappaient Castelac et la mise en quarantaine de la ville. Les trois amis s'approchèrent d'un homme particulièrement bavard.

– J'ai raconté tout ce que j'ai vu aux militaires, exposait-il à qui voulait l'entendre. On m'a fait passer un véritable interrogatoire, toutes mes réponses ont été enregistrées. Et finalement, tout ce qu'on trouve à me dire, c'est que j'ai été victime d'hallucinations ! Vous vous rendez compte ? Mais moi, je vous le dis, je n'ai pas eu d'hallucinations ! Je les ai vus, ces monstres, aussi sûrement que je vous vois, ajouta-t-il en faisant de grands gestes circulaires pour désigner les témoins autour de lui.

– Et apparemment vous n'êtes pas le seul, regardez ! fit le primeur en lui tendant un journal.

L'homme déplia le quotidien. Le gros titre s'étalant en première page interpella les trois jeunes enquêteurs.

ATTAQUE MUTANTE À CASTELAC ?
DE MONSTRUEUSES CRÉATURES NON HUMAINES
SERAIENT À L'ORIGINE DES ÉVÉNEMENTS
QUI FRAPPENT LA POPULATION

– Ah ! exulta l'homme en se frappant la cuisse du plat de la main. Je savais bien que je n'avais pas halluciné ! Nous sommes plusieurs à avoir vu exactement la même chose et, là-bas, personne ne veut nous croire !

Disant cela, il tendit le doigt vers la place couverte de tentes blanches aux logos menaçants d'où des hommes en combinaison et des militaires entraient et sortaient.

– Et qu'est-ce que vous avez vu ? se risqua Oksa.

L'homme lui jeta un regard étonné. Comment ? Quelqu'un n'était pas encore au courant de son histoire ? Cependant, il ne résista pas au plaisir de pouvoir la raconter à nouveau.

– On aurait dit des enfants… commença-t-il sur le ton de la confidence. Ils n'étaient pas plus hauts que ça.

De la main, il indiqua son ventre.

– Les deux que j'ai croisés étaient habillés en noir de la tête aux pieds, continua-t-il. Je n'ai pas vu leur visage tout de suite parce qu'il était caché par la visière de leur casquette. Mais soudain, la porte d'une maison s'est ouverte, un autre monstre est sorti et les a rejoints…

– Un autre monstre ? l'interrompit Oksa.

L'homme prit un air théâtral.

– Si tu avais vu ce que j'ai vu, jeune fille, tu ne pourrais pas appeler cela autrement.

– Pourquoi ? renchérit Oksa sur un ton attisant la loquacité de l'homme.

– Ces créatures… De vrais monstres… Leur visage était celui de vieillards, fripé, si translucide qu'on voyait leurs veines… Et leurs yeux, mon Dieu, leurs yeux étaient complètement noirs, immenses, et si… cruels !

Il marqua un temps d'arrêt avant de reprendre :

– Mais le pire, c'était leur nez... Il semblait manquer, comme si l'os et le cartilage avaient fondu. Il ne restait qu'un tout petit morceau, à peine une pointe et des narines d'où coulait de la morve noire...

Zoé ne put retenir un gémissement. Elle s'accrocha au bras de Mortimer, le jeune homme prit sa main.

– C'est horrible, je sais... fit l'homme en remarquant l'extrême pâleur de la jeune fille.

– Qu'est-ce qui s'est passé ensuite ? demanda Oksa.

– Vous n'allez pas me croire... Les monstres se sont envolés. Ils ont décollé à la verticale et ont disparu, pfftt, comme ça ! fit-il en accompagnant ses mots par un geste explicite.

– On vous croit... commenta Oksa dans un souffle.

– Et les gens qui habitaient dans la maison d'où est sorti le monstre ? intervint Mortimer.

– Eh bien, figure-toi qu'ils n'ont rien vu ni entendu ! répondit l'homme. C'est moi qui ai signalé la présence de la créature aux autorités militaires. Les habitants de la maison ont été interrogés, ils ont subi une batterie de tests médicaux et psychologiques...

– C'était un couple ? l'interrompit Zoé.

L'homme la dévisagea, étonné.

– Pourquoi tu me demandes ça, jeune fille ?

– Comme ça...

– Oui, c'était un couple. Un jeune couple d'une vingtaine d'années qui a fini au commissariat après une dispute conjugale ayant mal tourné...

Les trois jeunes gens s'entreregardèrent d'un air entendu.

– C'est une sacrée histoire... commenta Oksa.

– Oui, une sacrée histoire... acquiesça l'homme.

– Merci, monsieur ! Bonne journée !

Oksa entraîna ses amis dans une petite ruelle.

– Ça se précise... fit-elle.

– Je le savais depuis le début, murmura Zoé.

La jeune fille inspira à fond, toujours soutenue par Mortimer. Ses grands yeux ourlés de cils blond-roux s'agrandirent. Elle secoua la tête, puis se passa les mains sur le visage pour se débarrasser de l'humidité déposée par le brouillard.

– Et si on rejoignait Pavel et Abakoum maintenant ? proposa-t-elle avec une fermeté surprenante. Tout cela va beaucoup les intéresser, vous ne pensez pas ?

33

Convergence

Depuis sa chambre, Orthon dardait un regard orageux sur le fond de la place, là où étaient installés les premiers étals du marché.

– Maudits Sauve-Qui-Peut ! marmonna-t-il, les poings frappant nerveusement le rebord de la fenêtre. Ils n'ont pas perdu de temps…

Ses nièces, son renégat de fils… Qui d'autre encore se trouvait à Castelac ? Sûrement ce satané Abakoum et Pavel Pollock… La Gracieuse ne faisait rien sans son « papa chéri », il faudrait qu'elle apprenne à grandir un jour. C'est en s'affranchissant d'Ocious que lui, Orthon, était devenu un homme puissant et ce n'est pas en restant dans l'ombre paternelle qu'il y serait parvenu. Un râle plein de rancœur gronda au fond de sa gorge.

Mais une franche exultation le gagna alors qu'il quittait son poste d'observation, enfilait son caban marin, nouait une épaisse écharpe de laine noire autour de son cou et sortait de sa chambre. Puisque les Sauve-Qui-Peut avaient pris la peine de venir jusqu'à lui, autant en profiter pour s'amuser un peu !

Attablés autour d'un plat fumant de pommes de terre rôties, les cinq Sauve-Qui-Peut reprenaient des forces. L'inventaire des informations que les uns et les autres avaient collectées s'avérait terrifiant mais fructueux. Pendant que les trois jeunes gens obtenaient la preuve qu'Orthon avait réussi à recréer des Diaphans, Pavel et

Abakoum s'étaient liés avec le cafetier, une véritable agence de renseignements à lui tout seul.

– Parmi tous les gens en rupture amoureuse ou mêlés à des violences conjugales, aucun n'est capable de dire comment les ennuis ont commencé, annonça Abakoum entre deux bouchées.

– Ils sont amnésiques ? demanda Oksa.

– Uniquement par rapport à leur rencontre avec les Diaphans. Il y a avant, et après. Entre les deux, il n'existe rien.

– Comme si déposséder ces pauvres gens de tout sentiment amoureux ne suffisait pas... fit Mortimer en grimaçant. Il fallait en plus qu'on leur retire leurs souvenirs.

– Sans compter l'agressivité qui semble avoir été instillée en même temps que l'amour leur était retiré, renchérit Pavel.

Il se tourna vers Zoé, hésita. La jeune fille se tassa sur sa chaise, le regard fiévreux, et répondit à la question muette de Pavel :

– Non, je n'ai jamais ressenti aucune agressivité, juste... un immense vide.

Elle releva la tête, redressa les épaules.

– Cette nouvelle lignée de Diaphans a l'air beaucoup plus féroce que la précédente, intervint Oksa. Avec de tels monstres en liberté, on peut craindre un vrai péril.

– À mon avis, ils ne sont pas autant en liberté que tu le penses, objecta son père. Comme tous ceux qu'il a fait évader de prison, comme ses fils – pardon, Mortimer –, ils servent d'armes, Orthon les manipule selon son gré.

– Et surtout selon ses ambitions de mégalo ! ajouta Oksa.

– En haut lieu, qu'est-ce qu'on en pense ? demanda Mortimer.

– D'après le cafetier, on privilégie la thèse d'une drogue synthétique mise au point par l'armée pour annihiler l'affectivité et développer la combativité. Castelac aurait servi de test grandeur nature, à moins qu'il ne s'agisse d'une bavure, ou encore de l'attaque chimique d'un pays étranger. Les trois thèses sont évoquées et, nous qui savons exactement de quoi il s'agit, avouons que la dernière n'est pas très éloignée de la réalité… Mais en coulisse, à vrai dire on patauge complètement. Les témoignages sur l'existence d'« extraterrestres translucides suceurs de sentiments » se répandent, ceux qui les ont vus n'hésitent pas à le proclamer malgré l'armée et ses tentatives de dissuasion.

– Souvent, dans ce type de situation, les autorités laissent dire : en n'opposant aucun démenti, c'est comme si les faits n'existaient pas ou n'avaient qu'une valeur dérisoire. Comme s'ils ne méritaient même pas qu'on y prête attention, compléta Abakoum.

– On ne dit rien parce qu'il n'y a rien, commenta Oksa.

– Tout à fait ! approuva Pavel. Et avec une bonne couche de désinformation, on arrive à de véritables complots du silence organisés et menés à l'unisson par les dirigeants de ce monde.

– Alors ils ne valent pas mieux qu'Orthon… pesta Oksa. Aucun n'est capable de dire la vérité, ils ne pensent qu'à manipuler les populations pour servir leurs intérêts !

– Oui, mais les gens se laissent de moins en moins abuser, Oksa, réfuta Mortimer. Ils ont à la fois perdu la confiance qu'ils avaient envers les gouvernants et gagné les moyens d'assouvir leur curiosité. Les informations circulent quasiment sans aucune limite, c'est si facile de se renseigner, d'apprendre, d'accéder à ce qui était autrefois complètement confidentiel.

Oksa remua doucement la tête.

– Tu as raison. Les gens sont moins crédules, ça laisse un peu d'espoir, non ?

La jeune fille se laissa aller à ses pensées, les coudes sur la table, le menton en appui sur les paumes de ses mains en coupe. En y réfléchissant bien, pendant des siècles, les Gracieuses avaient agi exactement de la même façon que les gouvernants auxquels elle adressait tant de reproches. Elles avaient caché l'existence de Du-Dehors à leur peuple pour des raisons de sécurité et de paix intérieure, certes, mais le résultat revenait au même, ou presque : la vérité et la réalité avaient été niées.

La fenêtre embuée du restaurant se reflétait dans le grand miroir accroché face à elle. Elle regarda sans les voir vraiment les piétons, les badauds, les marchands qui repliaient leurs étals.

Qu'allait-il se passer maintenant ?

À quoi servaient les Diaphans d'Orthon ? Étaient-ils de simples outils de chantage, de pression ? Ou bien le point de départ d'une manœuvre d'envergure mondiale ?

Et quel était le lien entre le « buzz Tugdual » et tout cela ?

Où Orthon voulait-il en venir ?

Oksa soupira, fatiguée, perdue.

Ce n'est pas le bruit du percolateur ni celui de la pluie tombant dru qui la tirèrent de ses pensées, mais plutôt son instinct, l'impression confuse qu'elle devait revenir sur terre.

Maintenant.

À ses côtés, sirotant un café, les quatre Sauve-Qui-Peut conversaient dans un murmure à peine audible. Elle cligna des yeux, finit son verre d'eau et fixa à nouveau le miroir, encore un peu hagarde.

Quand elle se leva, projetant brutalement sa chaise en arrière, le brouhaha qui régnait dans le restaurant s'interrompit pour laisser place à l'étonnement. Tous les clients la dévisagèrent, interrogateurs : une jeune fille, debout, le visage tendu, les yeux rivés sur le miroir. Pourtant, il n'y avait rien d'autre que le reflet de la rue où des hommes et des femmes se hâtaient sous la pluie battante.

Mais seuls les Sauve-Qui-Peut pouvaient comprendre : parmi les piétons pressés, l'un d'entre eux se tenait immobile, face à la fenêtre du restaurant. Se voyant reconnu, il sourit.

– Tu veux jouer à ce petit jeu, Orthon ? fit Abakoum dans un souffle. Alors, allons-y…

34

Quand la provocation ne connaît pas de limites…

Orthon et Oksa se fixaient mutuellement par l'intermédiaire du miroir qui déformait légèrement les contours de leur silhouette. Le temps sembla se figer, mais cette immobilité fut bientôt bouleversée par la ruée d'Abakoum et de Pavel à l'extérieur du restaurant.

Orthon les attendait, debout sur le trottoir, les mains enfoncées dans les poches de son caban. Il avait un peu changé, mais restait ô combien reconnaissable malgré son crâne désormais chauve et son visage encore plus émacié qu'à Édéfia. Quand les Sauve-Qui-Peut débouchèrent à quelques mètres de lui, son regard glissa impassiblement sur Mortimer avant de se porter sur Oksa et Zoé, et sa bouche s'étira dans un sourire sans joie.

– Tiens tiens, mes adorables nièces et leurs gardes du corps… fit-il, narquois.

La respiration de Mortimer s'accéléra, ses narines palpitaient au rythme saccadé de sa poitrine qui se gonflait et se dégonflait. Il n'existait plus aux yeux de son père, c'était évident. Et douloureux.

– On fait du tourisme ? poursuivit Orthon. La région est belle, n'est-ce pas ? Dommage qu'il fasse si mauv…

– Ça suffit, Orthon ! assena Pavel, Crache-Granoks à la main. Tu sais très bien pourquoi nous sommes là.

– On sait tout ! intervint Oksa. Les évasions, le recrutement des spécialistes en biologie et en informatique, les mercenaires, tous ces gens qui constituent votre armée…

Elle reprit son souffle et continua aussitôt pour ne pas laisser à son ennemi de toujours le temps de commenter quoi que ce soit.

– Le clip et les images subliminales, les Diaphans ! explosa-t-elle, s'attirant le regard des quelques passants intrigués par ces hommes et ces jeunes gens, face à face, immobiles sous la pluie.

Le gris aluminium des yeux d'Orthon se noircit et, l'espace d'un instant, devint presque corrosif. Puis le Félon éclata de rire.

– C'est ce que tu appelles *tout savoir* ? lança-t-il. Ces… broutilles ? Que tu es drôle !

Ses mots chuintaient à la fois d'ironie et de défi.

– Des *broutilles* ? gronda Pavel.

Comme pour contredire les propos d'Orthon, une voiture militaire passa en trombe à côté d'eux en direction des tentes d'expertises biologiques.

– Mais ma Toujours-Très-Jeune-Gracieuse, tout cela n'est rien par rapport à ce qui va arriver !

– Vous êtes monstrueux !

La fureur faisait suffoquer Oksa. Peu s'en fallait qu'elle n'envoie un Knock-Bong. Mais à quelques dizaines de mètres d'autant de témoins bardés d'armes et prêts à leur sauter dessus au nom de la sécurité nationale, elle savait parfaitement qu'une telle initiative aurait été un risque insensé.

Une conviction qu'Orthon, aveuglé par sa surpuissance, ne partageait pas le moins du monde.

Quand de ses longs doigts maigres jaillirent les éclairs bleutés, la panique se saisit des Sauve-Qui-Peut. Outre le danger de recevoir une décharge électrique – d'autant plus grand sous la pluie –, il était impossible de réagir *magiquement* sans attirer l'attention. Oksa eut néanmoins le réflexe de dévier le courant par la force de sa pensée, décuplée par sa colère. Zoé et Mortimer l'imitèrent aussitôt et, dans un crépitement menaçant, les éclairs terminèrent leur course dans le mur du restaurant.

– Ah, fougueuse jeunesse… ricana Orthon sans se départir de son déplaisant petit sourire. Mais je doute que vous puissiez faire grand-chose contre ça !

Sortir sa Crache-Granoks de sa poche et souffler dedans ne prit pas plus d'un quart de seconde. L'effet fut immédiat et imparable : la première tente installée sur la place trembla sur sa base constituée d'un plancher étanche, la toile gonfla, se tendit dangereusement jusqu'à ce que le logo indiquant le danger de mort soit déchiré par un accroc allant du sol au sommet de la tente. Puis la toile fut éjectée dans les airs où elle s'éloigna, telle une montgolfière éventrée. Au sol, l'alerte générale créait un beau désordre.

– C'est bon, Orthon… bougonna Abakoum sans cacher son mépris. On sait tous combien tu es puissant et de quoi tu es capable, ce n'est pas la peine de nous faire toutes ces démonstrations inutiles…

– Et toi, ce n'est pas la peine de prendre cet air désabusé alors que tu trembles de peur d'être découvert ! répliqua le Félon.

– Nous tremblons tous de peur d'être découverts ! rétorqua l'Homme-Fé. Toi comme n'importe lequel d'entre nous.

Le sourire d'Orthon s'accentua, laissant craindre le pire.

– C'est là où l'homme servile que tu es se trompe lourdement, fit-il.

Et, jetant un dernier regard lourd de provocation, il souffla à nouveau dans sa Crache-Granoks : projeté en arrière, le camion militaire qu'il visait entraîna une dizaine d'hommes dans son élan. Puis il heurta deux voitures dans un fracas de tôles froissées avant de pulvériser les barrières de sécurité et d'arrêter sa course, complètement défoncé, contre le mur de la mairie.

Satisfait, Orthon rangea sa Crache-Granoks et s'envola. Stupéfaits, les Sauve-Qui-Peut assistèrent à sa fuite verticale sans pouvoir faire quoi que ce soit, puis constatèrent avec effroi qu'elle n'avait pas échappé à un groupe de militaires.

Les hommes, mitraillette au poing, se dirigeaient déjà vers eux.

– Hé ! Vous là-bas ! cria l'un d'eux. Restez où vous êtes, mains sur la tête !

Les cinq Sauve-Qui-Peut échangèrent un bref coup d'œil et Oksa opina de la tête.

– J'ai dit : les mains sur la tête ! hurla le soldat.

C'est ce qu'Oksa et les siens firent, mais leur obéissance visait uniquement à se mettre dans une position aussi aérodynamique que possible. Après un bref regard, Oksa et Zoé baissèrent les bras et saisirent Abakoum chacune par une main. Puis les cinq Sauve-Qui-Peut disparurent si vite dans le ciel que tous ceux qui les avaient vus sur la place pouvaient se demander s'ils n'avaient pas été victimes d'hallucinations à leur tour.

À peine le temps de cligner des paupières et les individus avaient disparu. Ils s'étaient tout simplement volatilisés. Devant la soudaineté et la menace de ce mystère, les soldats dressèrent leurs armes vers le ciel et ouvrirent le feu.

35

Chaos en plein ciel

Les rafales de balles faisaient un raffut infernal, mais, au-delà de la première couche de nuages, les Sauve-Qui-Peut ne les entendaient déjà plus. Pavel prit le relais des deux filles pour porter Abakoum et prit encore de l'altitude. L'Homme-Fé avala rapidement un Capaciteur de Grammeur pour faciliter la tâche de son ami et cria :

– On a peut-être une chance de le rattraper !

– Je crois qu'il est parti par là, fit Mortimer, le bras tendu.

– Culbu, aide-nous ! implora Oksa son dévoué informateur.

Ce dernier prit à peine le temps de déplier ses ailes et, narines palpitantes, se concentra sur la direction indiquée par Mortimer.

– Le Félon Orthon volticale actuellement à huit cent quatre-vingt-un kilomètres par heure vers le nord-nord-ouest, à quatre mille huit cent cinquante-trois mètres d'altitude, annonça-t-il. La température est de moins dix-huit degrés Celsius et…

– Merci, Culbu ! l'interrompit Oksa sans ménagement. Par où doit-on aller ?

– Suivez-moi !

Il fonça, véritable petit radar de poche, et tous le suivirent.

– Quand je pense qu'à cause de ce pourri, on s'est mis en danger ! maugréa Oksa. J'espère que personne n'a pris de photos…

– Il y avait des caméras de surveillance, signala Zoé, et j'ai bien peur que les images de nos exploits ne soient déjà en train de passer en boucle dans les états-majors…

La jeune fille volticalait à ses côtés, le corps tendu et volontaire.

– Il croit qu'il peut tout détruire comme ça, simplement pour servir sa mégalomanie… marmonna-t-elle entre ses dents. Mais on va le rattraper et on va trouver où il se cache. Ça suffit maintenant !

Ces trois derniers mots étaient sortis avec la violence d'un coup de fouet. Sous son air doux et triste, Zoé était une vraie guerrière. Oksa le savait, mais ce contraste ne manquait pas de la surprendre chaque fois qu'il se manifestait. Et jamais elle ne se sentait aussi proche de sa petite-cousine – et meilleure amie ! – qu'à ces moments-là. Elle pencha davantage son corps en avant et accéléra l'allure.

Orthon filait dans les airs, confiant et enivré par le bon coup qu'il venait de jouer à ces lâches de Sauve-Qui-Peut. Jamais ils n'auraient le courage de le suivre. Oh, non, surtout pas ! Ce serait s'exposer et ils redoutaient cela plus que tout. Aussi fut-il plus que surpris quand il s'aperçut qu'ils le filaient.

Il poussa un juron. Sans ces maudites éclaircies qui perçaient les nuages de trouées de ciel bleu, il aurait certainement pu leur échapper. Mais le ciel semblait être contre lui.

Son avance fondait à vue d'œil, les Sauve-Qui-Peut compensaient leur retard par une détermination inébranlable. Il redoubla d'efforts et de concentration, sa vitesse augmenta pour atteindre le maximum supportable. Il fit quelques brutales embardées pour fausser compagnie à ses poursuivants. Mais, où qu'il se dirige, à l'instar d'un missile, ils fonçaient toujours sur lui.

Il était repéré.

Ils ne le lâcheraient plus.

– On va l'avoir ! s'exclama Oksa avec l'ardeur d'un cri de guerre.

À quelques dizaines de mètres seulement, Orthon plongea dans les nuages. Les Sauve-Qui-Peut l'imitèrent, conduits par le Culbu-gueulard pour lequel la nébulosité n'était pas un obstacle. Des grêlons, fins mais acérés, fouettaient les visages rougis par des températures effroyablement froides qui auraient transformé sur-le-champ n'importe quel humain en glaçon. Les Sauve-Qui-Peut, eux, frissonnaient à peine. « Heureusement qu'on n'a pas emmené les Devinailles… » ne put s'empêcher de penser Oksa.

Quand soudain Orthon se retourna et se positionna en vol stationnaire, tous s'arrêtèrent, pilant comme pour un freinage d'urgence. Aussitôt, le Félon leur envoya d'une main un déluge de Granoks, de l'autre une avalanche de Knock-Bong et des éclairs en abondance.

Étonnante image que cet homme chauve, maigre et si élégant, debout en plein ciel, distribuant les fléaux…

– En fait, il ne se prend pas pour un messie, mais pour Dieu en personne ! s'écria Oksa en déviant un éclair *in extremis.*

– Lancez tout ce que vous avez ! hurla Pavel.

À cet instant, il reçut un Knock-Bong si violent qu'il le fit plier en deux, si bien que le harnais qui le reliait à Abakoum faillit céder.

Tout le monde se mit à souffler dans sa Crache-Granoks. Les Granoks des Sauve-Qui-Peut et d'Orthon se rencontraient à mi-chemin, se fracassaient les unes contre les autres dans des explosions aussi spectaculaires qu'assourdissantes. Les Tornaphyllons annulaient leurs effets après s'être enroulées en d'incontrôlables tourbillons et les Colocynthis s'entrechoquaient dans des gerbes d'éclats de verre tranchant. D'un bord comme de l'autre, il fallait se reculer pour échapper à une mort certaine.

C'est au milieu de ce chaos en plein ciel qu'Orthon eut un geste d'une incroyable audace : après la collision de deux Tornaphyllons, une tornade se forma, grondante, monstrueuse. Sans que personne puisse l'anticiper, le Félon se précipita dans l'entonnoir diabolique et disparut.

– Ah non ! hurla Oksa.

Ni son père ni personne n'aurait pu la retenir.

Elle fonça vers le sommet de la tornade et plongea.

– Oksaaaaa !

Une main s'abattit sur l'épaule de la Jeune Gracieuse et l'agrippa avec fermeté. Elle reconnut sans peine la poigne de son père et le visage d'Abakoum, juste derrière lui. Quand elle se tourna pour vérifier si Zoé et Mortimer les suivaient, son corps tangua et ses cheveux cinglèrent son visage. Malgré le danger, elle était rassurée : personne ne manquait à l'appel.

Tant que les Volticaleurs pouvaient se maintenir au centre de l'entonnoir, cette chute restait supportable. Mais plus le sol se rapprochait, plus la tornade se rétrécissait et plus il devenait difficile de ne pas se laisser entraîner par ses parois tourbillonnantes. Tout comme Orthon qu'on voyait filer plus bas, les Sauve-Qui-Peut tendirent leurs muscles et orientèrent leur corps à la verticale dans un parfait plongeon.

– Il faut foncer ! lança Oksa. On va l'avoir !

Dans un panache de poussière mêlée d'eau salée, la tornade finit par rejeter les intrus, les crachant littéralement vers les côtes maritimes qu'elle venait de survoler. Étourdis par leur descente infernale, ils eurent tous la mauvaise surprise de constater l'absence désastreuse de discrétion avec laquelle ils venaient de déboucher du ciel. Alertés par les sirènes hurlantes, bouche bée et plutôt terrifiés, des dizaines de témoins avaient les yeux braqués sur les six silhouettes humaines volant au ras de la mer dans une course-poursuite irréelle.

Ce que certains médias avaient relaté au sujet de l'existence d'extraterrestres capables de prodiges tels que celui auquel ils assistaient était donc vrai !

Mais si l'affolement saisissait les spectateurs involontaires de cette scène, les Sauve-Qui-Peut, eux, ressentaient un sévère désarroi. Toutes ces années à s'efforcer de ne rien montrer de leur différence, à dissimuler des pans entiers d'eux-mêmes, et voilà qu'en quelques heures seulement, ils s'étaient dévoilés à deux reprises et dans des conditions pouvant déclencher de très graves conséquences.

Un coup de feu retentit, confirmant leurs craintes. Leur esprit focalisé sur les risques venant des humains, ils s'éloignèrent à toute vitesse vers les nuages alors qu'Orthon, débarrassé de tout scrupule, faisait s'abattre sur la zone une pluie de Granoks chargées d'acide. Les explosions générèrent une véritable panique au sol, mais force était de reconnaître que la diversion était réussie.

– Par là ! fit Abakoum.

Les Sauve-Qui-Peut s'élancèrent à nouveau à la poursuite d'Orthon, déjà hors de vue des côtes. Ils tournoyèrent dans le ciel pendant un long moment, mais ni le Culbu-gueulard d'Oksa ni aucun d'eux ne parvint à déterminer par où leur ennemi était parti. Dépités, ils se posèrent sur une falaise désertique.

– Mais qu'est-ce qui t'a pris de plonger dans cette tornade ? rugit Pavel, les pieds sitôt sur la terre ferme. On a failli y laisser la vie !

Oksa le regarda avec surprise. Il semblait exténué. Et surtout furieux... Derrière lui, Abakoum tournait le dos, voûté, la tête inclinée sur le côté, Zoé à ses côtés, accroupie. Quant à Mortimer, il se tenait courbé, les mains posées à plat sur les cuisses. Tout le monde était harassé. Oksa, elle, ne ressentait qu'une immense frustration mêlée de colère.

– Il fallait qu'on le rattrape ! répondit-elle à son père avec une exaspération dont elle ne maîtrisait pas l'intensité.

Son ton eut le mérite de surprendre et d'adoucir Pavel.

– Oui, Oksa, mais pas à n'importe quel prix… fit-il.

– Eh bien, si, justement ! s'emporta la jeune fille. Tu as vu ce qu'il est devenu ? Tu as vu ce qu'il a fait à Castelac ? Il est en train de semer le chaos, Papa, et si ce n'est pas nous qui l'arrêtons, qui pourra le faire ?

– Elle a raison, intervint Abakoum sans se retourner.

Pavel donna un coup de pied dans les touffes de végétation jaunie.

– Je sais bien qu'elle a raison… grommela-t-il. Mais prendre tous ces risques pour rien, ça me met hors de moi.

Oksa détourna les yeux et se mordilla la lèvre.

– On ne fait jamais les choses pour rien, lui opposa soudain Zoé. Même si on n'en a pas conscience sur le moment, on s'aperçoit toujours un jour ou l'autre que ce qu'on fait finit par servir.

Mortimer acquiesça en silence alors que les deux hommes la dévisageaient. Quant à Oksa, elle tentait au mieux de contenir son soulagement – Zoé était définitivement sa meilleure alliée.

– N'oubliez pas que nous étions sur les traces d'Orthon, rebondit la Jeune Gracieuse. Et même si nous l'avons perdu, nous nous sommes rapprochés de son repaire.

Elle fouilla dans sa sacoche.

– Culbu, où sommes-nous ?

La petite créature trembla sous l'effet de la température, mais s'adonna aussitôt à sa mission. La réponse fusa :

– Nous nous trouvons actuellement au Groenland, à onze kilomètres au nord de Tasiilaq, soixante-cinq degrés nord, trente-sept degrés ouest. La température est de moins sept degrés Celsius.

Oksa éclata d'un rire nerveux.

– Au Groenland ? On a volticalé jusqu'au Groenland ?

Elle tenta d'arrêter de rire, mais c'était plus fort qu'elle. Des spasmes l'agitaient, la faisaient hoqueter, noyaient ses yeux. Décontenancés, ses compagnons d'aventure l'observaient, le front plissé. Puis le visage d'Abakoum se détendit et l'Homme-Fé fut à son tour happé par le fou rire.

– Le Groenland ! s'esclaffa Oksa. Non, mais vous vous rendez compte ?

Pavel fut le dernier à céder, complétant le singulier tableau des cinq Sauve-Qui-Peut hilares sur une falaise battue par le grésil, à l'autre bout de l'océan Atlantique.

36

Consolidation

Lorsque les Sauve-Qui-Peut atterrirent à l'aube dans le potager d'Abakoum, l'admiration de Niall pour Zoé éclata aux yeux de tous. Pendant que les Sauve-Qui-Peut exposaient les détails de la mission spéciale « France-Groenland », le jeune homme ne dévia pas son attention un seul instant du visage de madone médiévale de la jeune fille. Zoé dégageait un charme particulier, paradoxalement accentué par la fatigue qui délivrait ses traits de la tristesse les creusant si souvent. La lumière du soleil illuminait sa peau laiteuse et ses cheveux blond vénitien ramenés en chignon mou sur sa nuque. Niall la trouvait si éblouissante qu'il en oubliait presque de respirer.

– Et voilà comment on s'est retrouvés au Groenland sans s'en apercevoir ! lança Oksa en conclusion du récit de l'incroyable épopée.

Si Niall regardait Zoé avec une sorte de subjugation béate, l'attitude de Gus vis-à-vis d'Oksa s'avérait plus difficile à définir. Assis sur un pouf, les coudes sur les genoux, ses yeux étirés en amande laissant à peine entrevoir leur iris bleu marine, il écoutait. Mais impossible de savoir ce qu'il pensait, et encore moins ce qu'il ressentait.

Tout au long de son compte rendu, Oksa lui jeta régulièrement de petits coups d'œil, interrogateurs puis inquiets, auxquels il ne répondit pas et la jeune fille commença à sentir ses nerfs bouillir.

– Qu'est-ce que tu as encore ? lui murmura-t-elle alors que tout le monde était affairé à commenter l'expédition.

Gus se leva et, contre toute attente, posa les mains sur les épaules d'Oksa, la regarda bien en face et l'embrassa.

Un baiser bref, doux et intense à la fois.

Surprenant.

– Qu'est-ce que j'ai ? fit-il. Mais je n'ai rien. Rien du tout.

Et il lui adressa un sourire rayonnant, révélant un attachement insoupçonnable quelques secondes plus tôt.

Et qui manqua de faire tomber Oksa à la renverse.

Malgré son évidente fascination pour Zoé, Niall, piaffant d'impatience, dansait d'un pied sur l'autre.

– Il faut que je vous montre quelque chose ! annonça-t-il à l'assemblée.

Tous le suivirent vers l'ordinateur sur lequel le jeune homme s'affaira. Il ouvrit plusieurs fichiers, des colonnes de chiffres et des graphiques s'affichèrent.

– Qu'est-ce que c'est ? interrogea Zoé.

– D'énormes opérations financières sont menées depuis quelques semaines, ce qui semble déstabiliser les marchés.

– On en a parlé dans les médias, renchérit Oksa. Les prix n'ont pas arrêté de monter aussi vite qu'ils descendaient, c'est un vrai bazar dans toutes les Bourses du monde.

– Oui, il y a une importante spéculation, ce qui est inévitable dans des périodes comme celle que nous traversons, concéda Niall. Mais depuis plusieurs jours, ce qui est acheté n'est plus revendu.

– Que veux-tu dire ? s'inquiéta Pavel.

– Quelqu'un vide les marchés en achetant des tonnes de marchandises, les stocke mais ne les revend pas. Et point important : les achats ne sont pas virtuels, cette personne engage de vrais fonds, elle paie cash et stocke réellement ce qu'elle achète.

– Il faut une véritable fortune ! intervint Zoé.

– Des milliards…

– Orthon est immensément riche, fit Abakoum.

Les plus jeunes l'observèrent, plutôt sceptiques.

– Orthon ? s'étonna Oksa. Tu crois que c'est lui qui orchestre tout ça ? Remarque, ce serait bien son genre, mégalo comme il est…

– Gregor, Tugdual et lui sont sortis de la fontaine de Trafalgar Square avec des sacs sur le dos, souvenez-vous…

– Des sacs d'argent ? suggéra Marie.

– Non, Marie. Mieux que ça : des sacs de diamants.

Oksa se frappa le front du plat de la main.

– Évidemment ! Les grottes troglodytes des montagnes À-Pic sont truffées de pierres précieuses. J'ai vu des murs entiers couverts de rubis, d'émeraudes, de diamants… C'était incroyable… Vous imaginez les sommes colossales que peuvent représenter les kilos de pierres qui ont été sortis d'Édéfia ?

– Oh, oui… soupira Marie, l'air dégoûté. On imagine très bien.

Oksa et ses proches considérèrent un moment l'écran, concentrés et silencieux.

– Eh bien, voilà d'excellentes nouvelles ! s'exclama enfin Pavel.

– Papa ? Je rêve ou tu es content de ce que tu viens d'apprendre ?

– Je ne le reconnais plus, fit Marie à l'intention d'Oksa sur le ton de la confidence. Mais qu'est devenu mon anxieux de mari, si tourmenté, si alarmiste ?

– C'est l'air vivifiant du Groenland qui a dû perturber ses neurones ! ajouta Oksa, trop heureuse de retrouver avec ses parents la complicité qu'elle aimait tant.

– Taisez-vous donc, mes vilaines… rétorqua Pavel, l'air pince-sans-rire. Si je me réjouis de ces nouvelles, c'est parce qu'à partir de maintenant, nous allons pouvoir envisager l'avenir d'une manière bien plus concrète.

– Oui, et j'avoue que je n'en suis pas mécontent, moi non plus, renchérit Abakoum. Ça devenait difficile d'avancer à tâtons.

Il se tourna vers Zoé qui avait posé l'avant-bras juste à côté de celui de Niall, de telle sorte que leur peau se touchait dès que le garçon actionnait sa souris.

– Et puis, tu avais tout à fait raison, jeune fille… dit l'Homme-Fé.

– À propos de quoi, Abakoum ?

– À propos des choses qui nous paraissent inutiles et qui, un jour ou l'autre, s'avèrent capitales…

Niall dévisagea Zoé de ses grands yeux, doux comme du caramel fondu. Elle resta fixée sur l'écran, un léger sourire aux lèvres, et tout le monde fut touché par ce qui se passait entre les deux jeunes gens.

Si Zoé avait été dépossédée de toute possibilité de passion amoureuse, elle n'en demeurait pas moins désireuse d'être aimée.

– Ça va, Oksa ? Tu as l'air ailleurs…

Oksa sursauta. Elle s'éloigna de la baie vitrée et s'assit en tailleur sur son lit, poings sous le menton. Zoé s'adossa à la fenêtre et attendit.

– Ça va peut-être te paraître bizarre, mais… je ne peux pas m'empêcher de me demander si Tugdual se rend compte de ce qui se passe… Est-ce qu'il a gardé un peu de lucidité ? Est-ce qu'il souffre de ne pas pouvoir résister à l'emprise d'Orthon ? Je te l'avoue, Zoé, ça me tourmente.

– Tu ne t'es jamais dit qu'il se sentait peut-être très bien auprès d'Orthon ? Que ça pouvait être sa place ?

– Zoé ! Comment… comment peux-tu dire une chose pareille ? bredouilla la Jeune Gracieuse.

On aurait pu voir de la dureté dans l'attitude de Zoé. Mais son léger et soudain tassement d'épaules trahissait autre chose.

– Tu sais bien que rien n'est tout à fait blanc ni tout à fait noir, lança-t-elle. Tugdual n'a certainement pas un mauvais fond et son cœur possède sûrement une forme de pureté, comme le dit ton Foldingot. Ce qui ne l'empêche pas de choisir la voie la plus ténébreuse. Et tu sais bien que ce n'est pas la première fois.

Oksa suffoquait, partagée entre l'envie de fuir et celle de hurler.

– Regarde, toi, tu as choisi la voie du Bien et pourtant, tu es prête à faire du mal pour parvenir à ton but, poursuivit Zoé. Je veux dire par là…

Elle hésita un court instant devant la mine atterrée d'Oksa avant de se décider à poursuivre :

– Ton cœur est pur, mais cette pureté ne t'a pas empêchée de blesser des gens ou de tuer des êtres vivants…

Comme souvent, sa douceur apparente tranchait avec ses mots, francs et brutaux.

– Tugdual est manipulé par Orthon, lui opposa péniblement Oksa. Il n'a pas le choix.

– On a toujours le choix, Oksa.

Comme un bourreau au visage d'ange, Zoé venait de faire tomber le couperet d'une réalité qu'Oksa refusait corps et âme d'admettre.

Devant le désarroi de son amie, Zoé tendit la main pour la poser avec prudence sur celle d'Oksa. La Jeune Gracieuse faillit refuser le contact, fut tentée de rejeter ce geste qui la déstabilisait plus qu'il ne la consolait.

Puis elle croisa le regard de Zoé débordant de signaux, de messages. Là où elle voyait chacun dépendant de sa propre destinée, Zoé, elle, abordait la vie sous un angle où la liberté personnelle restait essentielle.

Sa grand-mère Réminiscens était-elle restée soumise à la domination d'Ocious, son terrible père, et d'Orthon, son psychopathe de frère jumeau ?

Non. Elle avait fui.

Elle avait fait ce choix. Non sans mal. Non sans conséquences.

Et Mortimer, son cousin ? Nul ne pouvait douter de l'effroyable domination d'Orthon sur lui. Et pourtant, le jeune homme avait réussi à s'en arracher. Par courage ? par peur ? par désespoir ?

Peu importait ce qui l'avait poussé.

Il avait eu un choix à faire. Et il l'avait fait.

Quant à Zoé, en se sacrifiant, n'avait-elle pas fait le plus atroce ?

Oksa ferma les yeux et laissa sa tête retomber en avant.

Tugdual. Orthon. La manipulation était trop évidente pour qu'on puisse la nier. Mais expliquait-elle tout ? N'était-elle pas… une excuse ? un prétexte ?

La Jeune Gracieuse gémit.

Si Zoé n'avait pas entièrement raison, elle n'avait pas tout à fait tort non plus.

37

Rapprochements

Oksa laissa résonner les derniers accords de la chanson et éteignit l'ordinateur. Il était tard, tout le monde avait déjà rejoint sa chambre, les plantes ronflaient doucement à l'intérieur du silo.

La jeune fille se laissa aller contre le dossier de son siège, les mains derrière la tête. Ses yeux lui brûlaient un peu, elle se sentait lasse, mais n'avait pas la moindre envie de dormir. Deux heures plus tôt, à l'abri des immenses feuilles de la Centaurée, Gus l'avait à nouveau embrassée.

Non, ce n'était pas tout à fait exact.

Car, si elle voulait être honnête, elle devait reconnaître que pour la première fois depuis son retour, l'initiative venait autant d'elle que de lui. Ce baiser avait été différent des autres. Loin de la spontanéité du premier et de l'audace fugitive des suivants, il avait été voulu par eux deux. Ce qui lui avait donné une saveur et une intensité tout à fait... étourdissantes.

Au-delà du baiser, les mains s'étaient enhardies, osant des caresses, s'aventurant sur la peau, une étape que ni l'un ni l'autre ne s'était autorisée jusqu'alors.

Oksa n'était pas dupe : le choc causé par sa discussion avec Zoé comptait dans cet élan vers Gus. Pourtant, il n'en était pas l'élément essentiel.

Oui, Tugdual représentait une grande souffrance pour elle.

Oui, il prenait une place différente, mais encore immense dans son cœur.

Mais celle qu'occupait Gus s'avérait plus solide, plus rassurante et, à son plus grand étonnement, plus profonde. Elle n'en doutait plus. Peut-être même l'avait-elle toujours su.

By the way I tried to say
I'd be there... waiting for[1].

Gus avait chantonné les paroles de cette chanson pendant presque toute la soirée. Oksa n'y avait pas tout de suite prêté attention, se contentant d'être vaguement agacée par la répétition. Puis elle avait écouté, s'était surprise à s'amuser de ce qui ressemblait à un message codé – Gus n'avait pas toujours été aussi entreprenant. Quand elle avait pris Niall la main dans le sac, souriant de toutes ses dents à Gus et roulant des yeux en direction de l'endroit où elle travaillait, elle avait sauté sur l'occasion.

– Qu'est-ce que vous complotez, tous les deux ?

– Je t'avais dit qu'elle était complètement parano... avait chuchoté Gus à l'intention de son complice.

– Parano ? Moi ? s'était insurgée Oksa, non sans se retenir de rire. Viens, on va régler ça en tête à tête...

Elle s'était levée, l'avait attrapé par le bras et conduit sans qu'il oppose la moindre résistance vers le centre du silo où les plantes s'épanouissaient avec luxuriance.

Là, seule la Centaurée avait été témoin du délicieux duel.

Et Zoé, depuis la mezzanine, un étrange sourire aux lèvres.

Oksa soupira, encore un peu perdue dans ses pensées. La tête renversée en arrière, en appui sur le dossier, elle regardait en l'air, vers le dôme de pavés de verre qui constituait

1. « À propos, j'essayais de dire que je serais là... à attendre. »
(Red Hot Chili Peppers, *By the Way*.)

le sommet du silo. Les lumières étant toutes éteintes à l'intérieur, le halo laiteux de la lune n'en éclairait que mieux la surface transparente et ne laissait aucune place au doute.

Quelqu'un était sur le toit du silo.

Allongé, bras et jambes écartés, immobile.

Comme tombé du ciel.

Écrasé par la nuit.

Oksa retint son souffle et, sans lâcher le dôme des yeux, elle descendit les marches de la mezzanine. La silhouette ne bougeait pas, sombre croix incrustée dans le verre. Intriguée, la jeune fille décida d'aller voir de plus près. Elle s'éleva du sol avec agilité, jusqu'à faire face à l'énigmatique visiteur. Sans comprendre pourquoi elle faisait cela et sans qu'aucune crainte empêche son geste, elle se plaqua contre le dôme dans une réplique parfaite de sa position. Enveloppée par les rayons de la lune, elle eut l'impression troublante de se trouver en tête à tête avec l'ombre de son propre corps.

Elle aurait pu rester ainsi pendant des heures, captivée par l'étrangeté figée de cette situation. Pourtant, face à elle, la silhouette s'était mise à bouger. Ou, plus exactement, elle commençait à *s'enfoncer* dans le verre.

C'est seulement en sentant la matière se réchauffer qu'Oksa comprit qu'il se passait quelque chose. Le danger fondit alors sur elle à une telle vitesse qu'elle se retrouva plaquée contre le corps du visiteur sans avoir eu le temps d'esquiver.

Des bras et des jambes l'enveloppèrent aussitôt.

L'emprisonnant en l'air, de force.

L'entraînant dans un gouffre de panique glacée.

Oksa se débattit.

– Tugdual ! Lâche-moi !

Au lieu de céder, il la serra au point de lui faire mal. Un long cri de rage s'étouffa dans la gorge d'Oksa alors qu'elle s'élançait de toutes ses forces vers le sommet du silo, Tugdual accroché à elle. Singulière évocation du passé : la première fois qu'Oksa avait accompli cette manœuvre, elle s'était assommée contre le plafond. Tugdual était à ses côtés lorsqu'elle était revenue à elle, c'est là que tout avait véritablement commencé entre eux. Et quelques mois plus tard, il était devenu un de ses plus dangereux ennemis…

Collés l'un à l'autre, ils franchirent la barrière de verre, devenue molle à leur contact, et se retrouvèrent au-dessus de la maison d'Abakoum, au cœur de la nuit froide.

– Lâche-moi maintenant ! rugit à nouveau la Jeune Gracieuse.

– Oksa, ce n'est pas ce que tu crois ! gronda Tugdual en la serrant plus fort encore.

Oksa rassembla toutes ses forces et la réplique ne se fit pas attendre : un Knock-Bong lancé quasiment à bout portant envoya Celui-qui-était-devenu-un-Félon au-delà de la première couche de nuages. Ébranlée, Oksa fit plusieurs fois le tour de la propriété, les jambes flageolantes et la respiration haletante.

« Ce n'est pas ce que tu crois… » avait dit Tugdual ? Évidemment que ce n'était pas ce qu'elle croyait. C'était bien pire ! Elle scruta le ciel, le garçon revenait déjà, avec la puissance massive d'une météorite. Il n'allait pas la lâcher comme ça… Que devait-elle faire ? Accepter de l'écouter ? À quoi bon ? Elle savait tout. Tenter de le persuader qu'il courait à sa perte en restant près d'Orthon ? Peut-être demeurait-il malgré tout une chance ? En vertu de leurs liens, de tout ce qui s'était passé entre eux…

– Oksa, attention !

À l'unisson, Mortimer et Zoé soufflèrent dans leur Crache-Granoks. Tugdual interrompit son approche, à quelques mètres seulement d'Oksa, vitrifié en plein vol par deux Colocynthis.

Pendant quelques centièmes de seconde, le temps sembla ne plus exister. Puis il reprit son cours et s'emballa presque lorsqu'un Volticaleur surgit de nulle part. Il saisit Tugdual sous les bras et l'emmena au loin avec une telle célérité que rien ni personne ne put l'en empêcher.

Oksa manqua de défaillir, proche de la chute libre.

– Mais pourquoi vous avez fait ça ? s'exclama-t-elle, la main sur la bouche.

Mortimer et Zoé s'approchèrent d'elle et les trois amis se dévisagèrent tout en flottant au-dessus du toit de la maison.

– Tugdual n'était pas là pour tes beaux yeux... commença Zoé.

Contrairement à son habitude, elle contenait mal la colère qui jaillissait de ses mots et de son regard alors qu'Oksa se décomposait devant elle.

– Qu'est-ce que tu en sais ? souffla la Jeune Gracieuse, à la fois piquée au vif et au bord des larmes.

– Oh, Oksa... Dans ce cas, comment expliques-tu la présence de ce Félon à ses côtés ? Tu ne l'as peut-être pas reconnu, mais c'était Gregor. Si Tugdual était animé de bonnes intentions, il serait venu seul, non ? Il n'aurait pas eu besoin d'une escorte comme Gregor qui, je te le rappelle, n'a aucune bienveillance à notre égard.

Oksa la regarda bouche bée. Tout se mélangeait dans sa tête, elle frémit alors que son équilibre commençait à faiblir.

– Viens, rentrons maintenant, il fait froid, suggéra Mortimer.

Oksa repoussa l'appui de ses amis d'un mouvement plus brutal qu'elle ne l'aurait souhaité. Zoé leva les mains dans un signe de renoncement et suivit la Jeune Gracieuse jusqu'au dôme de verre dans lequel tous les trois s'enfoncèrent.

38

Ondes de choc

Dire que cette visite nocturne avait provoqué un vrai tumulte n'était pas loin de la réalité.

Contre toute attente et pour des raisons qui échappaient à Tugdual, Gregor n'avait pas jugé utile de parler de cette escapade à Orthon. Et, contrairement à ce que pensait Zoé, Tugdual ne s'était aperçu de la présence de Gregor que lorsque ce dernier l'avait « dévitrifié », au bord d'une falaise des Cornouailles, avant de traverser l'océan Atlantique pour rejoindre la Salamandre.

En lui sauvant la vie – car, sans ce sauvetage, Tugdual aurait explosé en mille morceaux dans le potager d'Abakoum, il le savait bien – et surtout en gardant le silence, Gregor avait généré un tout autre rapport entre les deux demi-frères. Un rapport que Tugdual ne définissait pas encore. Le secret autour de son escapade entraînait une dépendance muette et réciproque : les foudres d'Orthon s'abattraient autant sur l'un que sur l'autre s'il venait à savoir. Et pourtant, le fils aîné du Félon semblait si dévoué à son père…

Alors, à quoi jouait-il ?

Pourquoi avait-il suivi Tugdual ?

Et que cherchait-il en se taisant ?

Du côté de la demeure d'Abakoum, l'ambiance se révélait plus volcanique. Oksa était furieuse, Gus très furieux,

Pavel plus que furieux… Tout le monde, à un degré ou à un autre, était furieux.

– Bon, vous n'allez pas me faire des reproches jusqu'à la fin de ma vie ! s'énerva Oksa. Je crois que j'ai compris, maintenant. Oui, j'ai été imprudente ! Oui, j'ai agi avec une inconscience impardonnable ! Oui, je suis une écervelée… Et, oui, heureusement que Zoé et Mortimer étaient vigilants, sinon qui sait ce qui serait arrivé…

L'esprit dardé par mille aiguillons de susceptibilité, elle s'interrompit, étourdie par sa propre colère. Le ton qu'elle venait d'employer était coupant, inutilement blessant. Si son corps avait maintenant plus de dix-sept ans, son caractère avait conservé quelques-unes de ses plus mauvaises… aptitudes adolescentes.

Assise dans un coin, Zoé gardait la tête basse, les mains jointes entre ses genoux. Mortimer, lui, s'était crispé à chaque mot qu'Oksa avait prononcé et se tenait désormais debout devant une des fenêtres du salon où tout le monde se trouvait réuni. Son attitude restait impassible, mais ses poings fermés et les infimes crispations de son visage laissaient entrevoir ses meurtrissures.

Il encaissait. Mal.

Le seul à disposer d'un minimum de recul était Niall. Comme tous les autres, il écouta le récit de l'incident nocturne, déplora ce qui était arrivé, se forgea son avis, mais mit un point d'honneur à ne pas l'exprimer. Pourtant, après le dernier accès de colère d'Oksa, ce fut plus fort que lui : il se rapprocha de Zoé pour saisir sa main. Elle se laissa faire, sans le regarder. À cet instant précis, personne ne voyait les tremblements de la jeune fille, personne ne sentait sa peine, à part lui. Il en éprouvait un sentiment à la fois de révolte, de désolation et de fierté, comme si être près d'elle à ce moment pour lui apporter un peu de réconfort représentait un privilège.

Quand la tension fut à son comble, il jeta un coup d'œil furtif à Gus et dit dans un silence pénible :

– Un concert des New Hope est annoncé.

Oksa blêmit, Kukka émit un juron, Pavel s'anima, Abakoum redressa la tête. Tous les regards se tournèrent vers Oksa, sauf celui de Zoé, résolument bloqué dans le vide.

– Il faut y aller… fit Mortimer dans un murmure. C'est notre seule chance de comprendre ce que mon père manigance.

Tous acquiescèrent, avec plus ou moins d'ardeur en ce qui concernait Gus, Marie et les Refoulés. Plus le temps passait, plus on en apprenait sur Orthon et ses motivations. Et plus les Sauve-Qui-Peut se retrouvaient exposés à des dangers sans cesse croissants face auxquels eux, modestes Refoulés, mesuraient toute leur impuissance.

– Il a lieu quand, ce concert ? demanda Oksa, l'œil sombre.

– L'astuce est là, justement, répondit Niall. Histoire de faire monter la pression, le lieu, le jour et l'heure seront donnés au dernier moment sur Internet. Par conséquent, seuls les plus chanceux et les plus motivés pourront obtenir une place pour assister au concert. C'est très contraignant, mais vu l'hystérie et le nombre colossal de fans que le groupe a gagnés en si peu de temps, ça risque d'être quelque chose de complètement dingue.

– Est-ce qu'on a déjà des indices ? questionna Pavel.

– Aucun, intervint Gus. Uniquement des centaines et des centaines de rumeurs. C'est conçu de telle façon que les systèmes habituels d'alerte ne filtrent rien. Il faut être connecté en continu sur la page de New Hope avec l'écoute en boucle de leur satanée chanson pour avoir la chance de glaner une info fiable.

Pour la première fois depuis longtemps, Abakoum et Pavel sourirent.

– Eh bien, nous saurons être prêts… fit l'Homme-Fé.

– Surtout que nous avons un avantage incomparable sur n'importe qui pour honorer ce rendez-vous, renchérit le père d'Oksa. Quels que soient le lieu et le moment, nous y serons. En attendant, continuez de surfer et de nous tenir au courant à la moindre nouvelle, les garçons… ajouta-t-il en adressant un clin d'œil à Gus et à Niall.

Au milieu de l'escalier menant de la mezzanine au sol du silo, il se retourna et dévisagea longuement les deux jeunes hommes adossés à la rambarde.

– Bravo… Vous avez fait du bon travail, vraiment…

– Merci, Pavel ! répondit Gus. Tu peux compter sur nous.

Pavel, les cheveux et le teint ternes comme du sable gris, hocha la tête.

– Je n'en ai jamais douté, Gus, murmura-t-il. Jamais.

Et même si le jeune homme s'empressa de détourner la tête, Pavel sut que ses mots l'avaient touché.

Le suspense enfla pendant deux jours et deux nuits, affolant jusqu'à l'explosion la fréquentation des pages des réseaux sociaux dédiés à New Hope, ainsi que le cœur d'Oksa. Le troisième jour, un peu avant midi selon le méridien de Greenwich, la date finit par tomber, créant sur la Toile un début de pure folie.

Le concert aurait lieu le soir même, à vingt-deux heures, heure locale de l'endroit où l'événement était prévu.

Partout dans le monde, des millions de fans se préparèrent, frénétiques, fous d'impatience.

Et puis le lieu fut annoncé, provoquant chez une minuscule minorité d'entre eux un bonheur sans nom et jetant tous les autres dans une déception proche du désespoir.

Dans la maison d'Abakoum, l'agitation atteignait des sommets. Comme convenu, les Sauve-Qui-Peut se tenaient prêts.

Il restait quelques heures avant de se mettre en route, un moment qu'ils tentèrent de mettre à profit : remplissage à ras bord des Crache-Granoks et des Coffretons, choix de vêtements chauds, repas énergétique et surtout élaboration de plusieurs stratégies à appliquer selon ce qu'ils allaient découvrir.

La nuit tomba enfin dans une sorte de rougeoiement magnifique et inquiétant à la fois, et c'est dans un ciel en fusion que le noyau dur des Sauve-Qui-Peut s'envola.

– Tu y es déjà allée ?

Oksa tourna la tête, surprise. Zoé s'était rapprochée pour volticaler à ses côtés. Les deux jeunes filles n'avaient pas échangé un seul mot depuis la crise d'Oksa, la Jeune Gracieuse étant bien trop honteuse et Zoé trop blessée. Mais toutes deux savaient que rien ne pourrait réellement les désunir.

– Jamais ! répondit Oksa.

Elle se risqua à la regarder. De son amie, elle ne voyait que le profil dont la perfection se trouvait rehaussée par le bonnet d'épaisse laine noire. Impossible de discerner quoi que ce soit d'autre que l'habituelle douceur triste.

– Et toi ? s'enhardit Oksa.

– Oui, j'y suis allée avec ma grand-mère, quelques semaines avant qu'elle ne soit entableautée. C'était formidable…

Elles volticalèrent côte à côte en silence, heureuses de se retrouver même en de si étranges circonstances – mais qu'est-ce qui était encore normal dans ce que faisaient les Sauve-Qui-Peut ?

– Zoé ?

– Oui, Oksa ?

– Je peux te poser une question très importante ?

Zoé jeta à son amie un coup d'œil intrigué.

– Oui…

– Il paraît que des hommes ont plongé dans les chutes du Niagara enfermés dans des barils, tu crois que c'est possible ?

Zoé éclata de rire avec une telle spontanéité que son Voltical s'en ressentit. Elle vacilla en haute altitude, comme soumise à de minuscules trous d'air.

– Je crois surtout que quand tu verras les chutes, il ne te viendra pas à l'idée de faire une telle folie ! dit-elle, tout sourires.

39

Le concert du siècle

Niagara avait bien entendu souffert des cataclysmes et, comme presque partout sur Terre, l'alimentation électrique demeurait un problème crucial. Aussi est-ce une ville gagnée par une quasi-obscurité que les Sauve-Qui-Peut découvrirent à l'autre bout de l'Atlantique. Par précaution, ils restèrent à une altitude où la rencontre avec des avions restait improbable et volticalèrent jusqu'aux célèbres chutes. Dès que le Culbu-gueulard leur fit signe, ils plongèrent à la verticale pour traverser les nuages qui les séparaient de la terre ferme. Sitôt la dernière couche franchie, un spectacle hallucinant s'offrit à leurs yeux.

Leur phare perçant la nuit comme un énorme faisceau laser, une dizaine d'hélicoptères tournaient en rond, des hommes en noir penchés vers l'extérieur telles d'austères vigies. Plus bas, on apercevait une immense scène installée sur la terrasse surplombant le versant canadien de la rivière, juste avant Horseshoe, le grand gouffre en forme de fer à cheval où elle se précipitait dans un puissant fracas. Sur la rive, un vaste espace avait été aménagé pour accueillir les fans qui commençaient à arriver par longues cohortes d'autobus et de voitures.

Disposés de façon stratégique, des écrans géants diffusaient en boucle des images de Tugdual, et Oksa luttait pour résister à la tentation de rester en vol stationnaire afin de les dévorer des yeux jusqu'au bout de la nuit.

– Qu'est-ce qu'on fait ? demanda-t-elle en s'arrachant enfin à sa contemplation.

Entre le vacarme des rotors d'hélicoptères, les haut-parleurs qui déversaient à tue-tête les chansons de New Hope et les flots mugissants du Niagara, il était difficile de s'entendre. Pavel fit signe à ses compagnons d'attendre un instant et partit en reconnaissance. Après avoir contourné le site et évité avec habileté les rondes aériennes, il revint avec un plan d'intrusion qu'Oksa n'hésitait pas à comparer à « un ver dans la pomme ». Et paradoxalement, elle se surprit à regretter que Gus ne soit pas à ses côtés pour partager cette périlleuse aventure.

Les accès aux zones prévues pour le public étaient sévèrement gardés. Car, hormis les quelque six mille privilégiés ayant gagné leur sésame sur Internet, des milliers d'autres affluaient pour tenter d'entrer. Des vigiles, véritables miliciens paramilitaires, faisaient le tri et repoussaient sans ménagement les malchanceux, provoquant d'inévitables scènes d'émeute. Quand les Sauve-Qui-Peut se mêlèrent aux longues files d'attente, quatre jeunes filles attaquaient un groupe de fans de New York qu'un pénible voyage avait rendues à la fois groggy et hystériques. Armes blanches à la main, leurs intentions étaient claires : débarrasser les New-Yorkaises de leurs précieuses places.

– On ne peut pas les laisser se faire dépouiller ! s'indigna Oksa.

– Oksa, tu restes ici et tu fais comme si tu ne voyais rien ! lui intima son père en la retenant par le bras. Ce n'est pas à nous de nous occuper de cela.

– Mais Papa…

– Oksa, stop ! gronda Pavel entre ses dents. S'il y a un endroit où on ne doit pas se faire remarquer, c'est bien ici.

Ces mots dits, il enfonça son bonnet sur sa tête. Oksa obtempéra de mauvaise grâce. Mais, reconnaissant que son père n'avait pas tort, elle enroula sa grosse écharpe autour de son cou et la remonta jusqu'au nez en soupirant copieusement. Quelques secondes plus tard, Zoé lui donna un coup de coude.

– Regarde…

Des vigiles-miliciens se ruaient vers les voleuses et, matraques, pistolets tasers ou prises de kung-fu à l'appui, les embarquaient vers un véhicule qui n'était pas sans rappeler les fourgons de transferts de fonds ultrablindés.

– Rassurée, ma fille ? murmura Pavel en pressant le bras d'Oksa. Tu estimes que justice est faite ?

– Oui… fit Oksa en retour. Mais j'aime mieux ne pas savoir ce qui se passe à l'intérieur de ce fourgon…

Un homme attira leur attention, non pas à cause de sa stature impressionnante, mais plutôt d'une désagréable impression de déjà-vu.

– Markus Olsen… marmonna Abakoum en se remémorant les reportages diffusés sur les chaînes télévisées au moment de l'évasion du célèbre mercenaire.

– Eh bien, le lien avec Orthon se confirme, renchérit Pavel. Nous avions vu juste.

– En plein dans le mille, tu veux dire ! s'exclama Oksa.

– Oui, et pourtant je ne suis pas certain qu'on doive s'en réjouir.

Une ombre voila les regards des cinq Sauve-Qui-Peut. Le père d'Oksa inspira profondément alors que son front se barrait de deux plis profonds.

– Tout cela sent très mauvais… lâcha-t-il. Très très mauvais.

À quelques mètres du passage fatidique dans la zone où le concert aurait lieu, les palissades qui encerclaient le site parurent encore plus hautes, encore plus infranchissables – pour tout être humain normalement constitué, en tout cas.

– C'est vraiment flippant… commenta Oksa en avisant les herses barrant l'accès. On se croirait sur une base militaire ultrastratégique.

– Ça va aller ? s'inquiéta Zoé.

Oksa acquiesça. À côté des deux filles, les poings fourrés dans les poches de sa parka, Mortimer était livide.

– Bon, c'est ici que nous nous séparons, annonça Pavel. Des vieux comme nous à ce genre de manifestation, ça ferait vraiment *space*, comme dirait une certaine Jeune Gracieuse…

Oksa fit un pâle sourire devant cette tentative pour détendre les esprits nerveux.

– Vous savez où nous retrouver, Abakoum et moi, poursuivit son père. Au moindre problème, au moindre danger, vous quittez cet endroit aussi vite que vous le pouvez et vous nous rejoignez, d'accord ?

Les trois jeunes gens opinèrent de la tête.

– Allons-y… murmura Oksa.

Les vigiles scannèrent les inestimables invitations imprimées seulement quelques heures plus tôt, passèrent Mortimer, Zoé et Oksa au détecteur de métaux et les laissèrent entrer à l'intérieur de l'enceinte.

La sono était si puissante que l'onde produite par les basses faisait vibrer le sol pour se diffuser à l'intérieur des corps et des cerveaux de tous les spectateurs présents sur l'esplanade. Les sens saisis par le rythme de la musique et exacerbés par l'attente, certains – et surtout certaines – poussaient des cris qui avaient le don d'irriter Oksa au plus haut point. Comment réagiraient ces hordes de filles hystériques si elles savaient qu'elle, Oksa Pollock, jeune fille d'allure si ordinaire patientant à leurs côtés, avait été si proche de Tugdual, un des êtres les plus adulés de cette période postcataclysmique ? Sans parler de ses baisers, fiévreux sous la glace apparente… La Jeune Gracieuse secoua la tête. Mieux valait ne pas penser à cela. À tous points de vue.

– Je… ande… quoi… giles… gaz…

Oksa se tourna vers Mortimer.

– Qu'est-ce que tu dis ? lui cria-t-elle.

Elle se concentra pour mettre en action sa Chucholotte.

– Je me demande pourquoi les vigiles ont des masques à gaz, répéta Mortimer.

Sourcils froncés, Oksa repéra quelques-uns des hommes, campés tout autour du lieu dans une posture martiale, bras derrière le dos, visage impassible. Effectivement, des masques à gaz pendaient à leur ceinture, noirs comme leur tenue et leur regard. Le seul élément de couleur – et de reconnaissance – était représenté par une salamandre rouge brodée sur leur pull à col roulé et leur bonnet.

– Avançons un peu… proposa Zoé.

Les trois jeunes gens firent quelques pas, Les faisceaux des projecteurs et des phares d'hélicoptères balayant l'esplanade les éblouissaient et le volume surpuissant de la musique troublait leurs repères spatiaux. Le seul qui subsistait au milieu de cette débauche d'effets était la scène et son écran géant sur lequel passait maintenant le clip de la chanson *Hold on* avec tous les messages subliminaux que les Sauve-Qui-Peut connaissaient désormais.

Oksa et ses compagnons renoncèrent à progresser davantage : plus on s'approchait de la scène, plus les places étaient farouchement convoitées. Des bagarres éclataient même ici ou là, vite maîtrisées par les vigiles qui jaillissaient comme des molosses – muselière en moins…

La tension monta de plusieurs crans quand tous les projecteurs s'éteignirent pour ne plus éclairer que la scène et les écrans. Le chiffre « trois cents » apparut, puis « deux cent quatre-vingt-dix-neuf », « deux cent quatre-vingt-dix-huit » et ainsi de suite. Un immense tumulte agita l'esplanade pleine à craquer de fans : dans moins de cinq minutes, New Hope et son si charismatique leader seraient sur scène ! Celui devenu en quelques semaines un véritable phénomène, presque un mythe, allait faire sa première apparition publique ! Accrochées à de longues perches, des caméras filmaient sans interruption ce qui prenait la tournure du concert du siècle.

Oksa, Zoé et Mortimer ne furent pas surpris de reconnaître la voix grave d'Orthon, amplifiée par les haut-parleurs, scandant le compte à rebours en même temps que la foule, les yeux rivés sur les écrans où défilaient les chiffres.

– C'est plus fort que lui, il faut qu'il se mette en avant ! pesta Oksa.

– Restez concentrées, mit en garde Mortimer. Fixez votre attention sur autre chose que ce décompte.

Trente-deux.

Trente et un.

Trente…

Les trois jeunes Sauve-Qui-Peut baissèrent la tête. Derrière, autour, partout, la foule exerçait une poussée de plus en plus insistante, attirée par la scène comme un papillon de nuit par la lumière.

Rien ne comptait plus.

Malgré la fatigue accumulée tout au long de cette interminable journée.

Malgré la température, si basse.

Malgré les flocons de neige qui commençaient à voltiger et piquaient la peau.

Vingt.

Dix-neuf.

Dix-huit…

La clameur devenait assourdissante et gonflait alors que la foule prenait la vigueur d'une incontrôlable vague de fond.

Neuf.

Huit.

Sept…

Oksa saisit la main de Mortimer et celle de Zoé et les serra très fort.

Deux.

Un…

Tous les projecteurs s'éteignirent. Puis un monstrueux coup de tonnerre retentit, suivi d'éclairs stroboscopiques au travers desquels tous essayaient de percevoir l'arrivée de celui qui les mettait déjà en transe.

Quand la lumière revint, éblouissante, il était là.

40

Emprise

Le goût métallique du sang envahit la bouche d'Oksa. Instinctivement, elle se passa la langue sur les lèvres et sentit la morsure qu'elle venait de s'infliger malgré elle. Mais peu importait la douleur. Car aucune ne pouvait l'atteindre davantage que la vision de Tugdual, debout sur scène, à quelques mètres seulement.

Il n'était jamais aussi beau que lorsqu'il avait cette attitude à la fois polaire et ardente – la glace savait brûler aussi férocement que le feu. Il avait beaucoup maigri et ses cheveux courts ne cachaient rien de ses joues creuses, de ses yeux cernés, de ses piercings, innombrables, qui sous les projecteurs illuminaient son visage comme de minuscules paillettes.

Oksa tressaillit. Mortimer et Zoé entremêlèrent leurs doigts aux siens, autant par affection que par souci de ne pas se perdre au milieu de la foule galvanisée. Les premiers accords de *Hold on* résonnèrent sur les rives du Niagara, éclatants et fédérateurs, et tout le monde accompagna Tugdual lors du refrain. Lorsque ce dernier s'installa au piano à la fin de la chanson, les cris, les sanglots, les appels suppliants redoublèrent. Certaines filles pleuraient tellement qu'elles en étaient presque défigurées, les joues sillonnées de longues traînées de maquillage multicolore. Les trois jeunes Sauve-Qui-Peut, eux, s'avouaient consternés par de telles réactions. En d'autres circonstances, Oksa n'aurait d'ailleurs pas manqué d'en rire, ce genre de comportement lui avait toujours semblé curieux, et même un peu ridicule.

Alternant rythmes pop rock et morceaux d'une sombre mélancolie, les chansons s'enchaînaient. Les spectateurs captivés ne sentaient ni le froid ni les effluves réfrigérants des chutes d'eau et chantaient en même temps que Tugdual. Avec les vigiles, plus austères que jamais, Oksa, Mortimer et Zoé étaient les seuls à ne pas participer à la fête.

– Il va forcément se passer quelque chose, fit Mortimer, aux aguets.

En dépit de leur appréhension, Oksa et Zoé acquiescèrent. Orthon n'avait pas déployé autant de moyens et d'énergie pour un simple concert. Au bout de deux heures de spectacle, la musique s'arrêta et, micro à la main, Tugdual demanda le silence.

– Avant de vous quitter... annonça-t-il.

Des milliers de cris de protestation fusèrent.

– Avant de vous quitter, reprit Tugdual, nous allons vous interpréter une chanson inédite tout spécialement écrite pour vous qui êtes venus ce soir...

Oksa tressaillit : Tugdual venait de regarder dans sa direction.

Ou, plus exactement, il venait de braquer les yeux sur elle. La Jeune Gracieuse, en lutte contre les émotions s'entrechoquant dans son cœur, essaya de lire quelque chose au fond de ce regard qui ne la lâchait plus. Mais elle n'y découvrit rien d'autre que ce qu'elle connaissait déjà si bien : une souffrance étouffée par un masque de marbre.

Mortimer et Zoé se rapprochèrent d'elle jusqu'à ce que leurs épaules se touchent. Il ne manquait plus que Tugdual la fasse venir sur scène... Au lieu de cela, il approcha de sa bouche le minuscule micro agrafé à son col et relié à son oreillette, et murmura quelques mots.

– Le bon fiston a besoin des consignes de son cher père... bougonna Zoé.

Alors seulement il détacha son regard d'Oksa, la laissant dans une incertitude insupportable. Il s'installa au piano, fit signe aux autres membres du groupe et commença à chanter. Derrière lui, l'écran diffusait des images que les trois jeunes Sauve-Qui-Peut soupçonnèrent aussitôt de posséder un très fort potentiel hypnotique.

– Évitez les écrans ! conseilla soudain Mortimer à l'intention des deux filles. C'est sûrement truffé de messages subliminaux, regardez !

D'un air horrifié, il montra les spectateurs tout autour, les yeux presque inexpressifs tant ils étaient béats d'admiration à l'écoute de cette chanson, certes mélodieuse et fascinante.

Come with me
Don't be scared
Come with me and discover the deepness of the life
Come with me
Don't be scared
The life is better where I lead you[1].

Alors que les paroles s'insinuaient dans les esprits, les hélicoptères réapparurent et se positionnèrent tout autour du site, vrombissant comme de gros bourdons paresseux.

– Oh, non ! s'écria Oksa. Regardez ! Tous les vigiles ont mis leurs masques à gaz !

– Prenez un Capaciteur de Spongeax, vite ! fit Zoé. Avec ça, nous serons protégés !

Les trois jeunes gens se hâtèrent d'avaler la grosse gélule mise au point par Abakoum à partir de plantes éponges aux innombrables alvéoles.

1. « Viens avec moi
N'aie pas peur
Viens avec moi et découvre la profondeur de la vie
Viens avec moi
N'aie pas peur
La vie est meilleure là où je t'emmène. »

Don't be scared…
Come with me…

Des hommes en noir se montrèrent aux portes coulissantes des hélicoptères. Masqués et sanglés à la carlingue, ils brandissaient ce qu'on aurait pu prendre pour des armes d'où jaillit une fumée chargée d'étincelles bleutées.

Les spectateurs levèrent la tête et crièrent leur joie. Des fumigènes et des confettis lancés depuis les hélicoptères ! Extra !

Don't be scared…
Come with me…

– Oh, non ! hurla Oksa.

Ce que les trois Sauve-Qui-Peut avaient d'abord envisagé comme un scénario exagérément pessimiste s'était peu à peu transformé en une atroce prémonition.

Dans un dernier solo de batterie, Tugdual s'élevait au-dessus de la scène, le corps à l'oblique, les bras écartés. Qui, à part Oksa et ses compagnons, aurait pu penser que cette position était absolument naturelle ? Certifiée sans trucage ? Le jeune homme ferma les yeux, resta immobile un instant, suspendu en l'air. Effet sensationnel garanti…

The life is better where I lead you…

Puis, dans un mouvement plein de grâce, il prit de l'élan et plongea en plein milieu des tonnes d'eau qui s'enfonçaient dans le gouffre ténébreux.

Les milliers de fans de New Hope présents sur l'esplanade ne hurlèrent pas.

Ils ne pleurèrent pas.

Ils ne cédèrent pas à des crises de nerfs incontrôlables.

Ils firent ce qu'on leur avait demandé de faire : ils se ruèrent vers les rambardes qui bordaient les chutes, les enjambèrent et plongèrent dans les flots écumants.

41

Tragique bain de minuit

« Mesdames et messieurs, ici Chuck Johnson pour CNN en direct des chutes du Niagara… Sous nos yeux se déroule un terrible spectacle… des centaines de jeunes ayant assisté au concert de New Hope et à la disparition dramatique de son leader sont en train de sauter par-dessus les parapets pour se jeter dans les chutes… Oooohhhhh, mon Dieu… Nous sommes en plein cœur d'un épouvantable suicide collectif… Mais que faites-vous ? Laissez nos caméras, vous n'avez pas le droit… Non, mon téléphone… »

Baaaaammmmm… Craaaaaaaaash… Biiiiiiiiiiiiiip…

« Ici Junichiro Nishimura pour NHK, qui vous parle en direct des chutes du Niagara… Nous assistons à une pure scène d'horreur… Le charismatique leader de New Hope vient de se suicider en direct devant des milliers de ses fans ayant fait le déplacement pour ce concert exceptionnel… C'est effroyable, ils se jettent tous à l'eau sous les yeux du service d'ordre qui n'intervient pas… Aidez-les ! Non ! Ne touchez pas aux caméras, laissez-nous filmer !… »

Biiiiiiiiiiiiiip…

Effectivement, avec l'énergie grégaire d'un troupeau d'animaux, les fans se précipitaient vers les eaux mugissantes et aucun obstacle ne pouvait les en empêcher. Au passage d'un groupe, Zoé fut violemment bousculée, perdit l'équilibre et se retrouva à terre. Aussitôt, Oksa et Mortimer lancèrent des Knock-Bong pour repousser ceux qui n'hésitaient pas à la piétiner afin d'obéir à l'ordre contre lequel leur raison et leur instinct ne pouvaient plus rien.

– Ils vont tous mourir ! hurla Zoé, remise d'aplomb par ses amis.

– Venez ! fit Oksa. Il faut qu'on essaie de les empêcher de faire ça !

Les trois Sauve-Qui-Peut s'élevèrent au-dessus de l'esplanade et volticalèrent jusqu'aux rambardes où Abakoum tentait déjà l'impossible.

Car ni les Knock-Bong ni aucune magie ne parvenaient à freiner la détermination de ces milliers de jeunes gens. Ils étaient devenus les criquets dont le cerveau, soumis à la volonté des vers[1] qui les asservissaient, n'avait plus aucune connexion avec la réalité.

Oksa fut la première à décider de plonger.

La température de l'eau la saisit, mais l'adrénaline la lui fit vite oublier. D'ailleurs, le plus difficile n'était pas de supporter l'étau glacial, mais plutôt de résister à la puissance de la cascade – plus de deux mille huit cents mètres cubes par seconde, lui avait précisé Gus avant le départ pour cette terrible expédition. Secouée dans tous les sens par les remous, c'est à lui qu'Oksa pensait, comme si leur esprit était relié l'un à l'autre. « Tiens bon, ma vieille ! » Elle l'entendait aussi nettement que s'il était là, à côté d'elle, et cette sensation faisait plus que l'encourager : elle la rendait puissante, presque invincible.

---

1. Dans le chapitre 12 du tome 1, Gus et Oksa discutent des vers qui se logent dans le cerveau des criquets et les téléguident en les poussant à faire des choses inconcevables à l'état naturel et animal : se suicider. Car une fois dans l'eau, les criquets meurent, pendant que les vers déchirent leur carapace pour se reproduire dans ce milieu aquatique, favorable pour eux.

La nuit était encore plus noire sous l'eau, la Jeune Gracieuse ne voyait rien, mais se heurtait sans cesse à ce qu'elle supposait être des corps. Une Trasibule lui permit d'en avoir le cœur net : elle se débattait au milieu de centaines de jeunes gens, qui, quelques secondes plus tôt, chantaient encore devant celui qu'ils adulaient et qui venait de les pousser à commettre le pire.

Elle saisit le premier corps se trouvant à sa portée – une fille aux longs cheveux noirs – et mobilisa toutes ses forces pour émerger des chutes d'eau. Sur l'esplanade du versant canadien, la plupart des projecteurs avaient été détruits par les hordes de jeunes qui s'étaient précipitées pour se jeter dans les chutes. Mais, volticalant entre les deux berges, Oksa réussit à distinguer les hommes en noir qui formaient une longue chaîne aussi agressive qu'une meute de rottweilers aux mâchoires d'acier. Plus loin, sur la scène, elle reconnut le responsable de tout ce chaos, droit comme un I, la tête haute.

Orthon. Fier et ivre de lui-même comme savent l'être ceux qui se prennent pour des dieux.

Alors elle se dirigea de l'autre côté, sur les rives américaines où elle déposa la malheureuse avant d'avaler un Capaciteur d'Aquapnée et de replonger.

Mortimer et Zoé procédaient de la même façon qu'Oksa, remontant sans s'arrêter des dizaines de jeunes du fond de la rivière. Abakoum les avait rejoints, fou de rage et de tristesse. Allongé sur le ventre, il se maintenait au bord de la chute et allongeait les bras de plusieurs mètres pour récupérer tous ceux qui se trouvaient à portée de main. Quant à Pavel, son Dragon d'encre avait pris le dessus sur toute prudence. Comment aurait-il pu faire autrement ? Peu importaient les risques, les témoins, les hommes en noir… Son envergure, ses larges griffes, son endurance s'avéraient une aide considérable pour ce sauvetage de la dernière chance. Et c'était tout ce qui comptait.

Alertées par les télévisions qui avaient filmé le concert et sa tragique issue en direct avant que toute diffusion ne soit étrangement interrompue, des équipes médicales commençaient à affluer depuis la ville toute proche. On voyait les gyrophares des ambulances, sirènes hurlantes, crépiter dans la nuit noire en longues cohortes.

Dans le même temps, ainsi qu'on pouvait s'y attendre, les hélicoptères d'Orthon se posèrent devant ce qui avait été la scène du concert. Les hommes en noir embarquèrent à bord, laissant les quatre membres encore vivants de New Hope littéralement effondrés sur leurs instruments et les journalistes réduits au silence. En voyant son ennemi juré se préparer à fuir, le Dragon d'encre de Pavel poussa un hurlement à glacer le sang. Il cracha une longue flamme haineuse en direction du Félon, en conséquence de quoi Markus Olsen arma sa mitraillette et le mit en joue, décidé à lui tirer dessus. Orthon l'arrêta d'un geste, salua Pavel d'un mouvement de tête railleur et embarqua à son tour. Puis les hélicoptères quittèrent le site dans un vrombissement poussiéreux et disparurent dans la nuit.

– Nous devons partir ! cria Abakoum lorsqu'il vit Oksa surgir une nouvelle fois de la chute.

Chacun d'eux sortait de l'eau une adolescente tirée des profondeurs de la rivière Niagara.

– Mais il en reste tellement ! fit Oksa, essoufflée, épuisée.

– Nous ne pourrons pas tous les sauver…

– L'armée arrive ! intervint Pavel en les survolant avec son Dragon d'encre. Non, Oksa !

Trop tard… La Jeune Gracieuse avait à nouveau plongé. Elle se retrouva face à Mortimer qui remontait à la surface. Le garçon écarquilla les yeux en lui signifiant de regagner la rive, vite. Le cœur plein de larmes, Oksa fouilla les profondeurs des yeux. Il y avait encore tant de gens, prisonniers des eaux froides. Des gens comme elle, parfois plus jeunes, qui pensaient passer la meilleure soirée de leur vie. Choisir parmi ces centaines de corps celui ou celle qui aurait une chance de survivre à cette horreur était d'une cruauté sans nom. Quand Zoé avait évoqué les choix que l'existence nous pousse à faire, Oksa n'aurait pas imaginé devoir en faire un pire que celui qu'elle s'apprêtait à effectuer.

Un vertige la saisit, elle était à bout de forces. Son corps menaçait de lâcher à tout moment. Le Capaciteur d'Aquapnée montrait déjà ses limites, l'eau s'insinuait peu à peu dans ses poumons.

Pourtant, en dépit du risque insensé de finir, elle aussi, noyée au fond de la rivière, elle sentait que c'était le moment ou jamais d'agir selon sa conscience.

De faire quelque chose de bien.

De ne pas tourner le dos trop vite ainsi qu'elle l'avait fait en décidant de quitter Édéfia si tôt.

Trasibule accrochée à l'épaule, elle avisa un adolescent qui ressemblait à Merlin et fonça vers lui. En arrivant à son niveau, elle constata qu'une jeune fille tenait la main du garçon. Elle n'eut pas le cœur de les séparer, les saisit chacun sous un bras et prit son élan.

– Aidez-moi ! cria-t-elle en émergeant des eaux bouillonnantes.

D'un battement d'ailes, Pavel et son Dragon d'encre la rejoignirent et agrippèrent Oksa et les deux corps. La jeune fille eut le temps de voir des camions et des hélicoptères militaires dangereusement près des rives : il était plus que temps de partir. Sitôt sur la terre ferme, elle lâcha sans ménagement le garçon qui ressemblait à Merlin et son amie, rassembla ses dernières forces et décolla vers le ciel sans lune.

42

Exultation

Le jour était à peine levé sur la mer d'Irminger quand la voix de Gregor résonna dans les haut-parleurs, intimant aux membres du groupe des Pieuvres de se rendre immédiatement dans la grande salle du troisième étage. Obéissants, ils se vêtirent de la tenue réglementaire et rejoignirent le groupe des Anguilles, déjà sur place.

Bientôt, un écran se déploya et des images apparurent. Dans un silence fasciné, tous regardèrent le film résumant ce qui venait de se passer à Niagara, les Pieuvres avec la stupeur de la découverte, les Anguilles avec la satisfaction du travail accompli. À l'issue du dernier plan – des hélicoptères disparaissant dans la nuit –, tout le monde applaudit, certains s'enhardissant même à pousser des cris ou à siffler entre leurs doigts.

Quand Orthon apparut, escorté de ses fils, leur enthousiasme redoubla jusqu'à ce que le Félon tende la paume de la main devant lui. En quelques secondes, le silence fut rétabli et les têtes s'abaissèrent avec déférence.

– C'est beau, n'est-ce pas ? fit le Master.

Une onde d'approbation s'éleva des rangs.

– Mon projet grandiose d'offrir à l'humanité un monde nouveau est en train de se mettre en place, poursuivit-il. Et vous en êtes déjà les pionniers, les membres fondateurs, œuvrant chacun dans les domaines où vous excellez. Ce monde nouveau sera un monde d'élite dans lequel la médiocrité sera abolie. Quoi qu'en disent les bien-pensants, nous sommes trop nombreux, tout le monde ne mérite pas sa place sur cette terre. Alors, à quoi bon s'embarrasser de ceux qui ne servent à rien ?

Il laissa ces mots pénétrer les esprits avant de reprendre :

– Certains l'ont bien compris et ont d'ores et déjà adhéré à mon projet. Des hommes brillants qui attendaient que quelqu'un leur ouvre la voie, un mentor qui leur montrerait que les plus grandes utopies peuvent devenir réalité. Comme moi, comme vous, ils savent que les civilisations courent à leur perte. La vieille Europe, l'Amérique, les pays émergents, tous sont étouffés par leurs bons sentiments. Il est temps que je prenne les choses en main, mes nouveaux alliés à mes côtés.

Sur l'écran se mirent à défiler les portraits de quelques-uns des hommes considérés comme prépondérants au sein des gouvernements, banques, industries... Mais il était impossible de ne pas remarquer que, dans cette liste pourtant impressionnante, il manquait certaines personnes, notamment les chefs d'État de pays incontournables sur la scène politique mondiale.

Répondant à la question que personne n'osait poser, Orthon apporta des détails :

– Les opérations « Peste Amoureuse » et « Concert du Siècle » ont été menées pour convaincre ceux qui doutent encore que je représente une chance extraordinaire pour l'humanité. Ce sont des aveugles orgueilleux et arrogants, ils méritaient une bonne leçon...

Sa voix vibrait d'une colère froide qui ne laissa personne de marbre, y compris les plus féroces de ses partisans – un homme capable de décider de la mise à mort de plusieurs milliers de jeunes gens innocents savait imposer un certain... respect... Mais l'expression d'Orthon, d'abord pleine de rancœur, se mua bientôt en une exultation tout aussi redoutable.

Retrouvant son style impérial, il expliqua :

– Nous avons de fantastiques atouts pour persuader les récalcitrants de nous rallier. Notre mainmise sur les marchés mondiaux et mes merveilleux Diaphans sauront les décider. Ils n'ont pas voulu me reconnaître comme étant l'un d'eux ? Eh bien, quand leur peuple n'aura plus rien pour vivre et que mes créatures seront passées auprès de chacun des habitants de leur misérable pays, nous verrons bien s'ils tiennent encore à leurs beaux principes ! Je les ferai se mettre à genoux devant moi et ils reconnaîtront à la fois leur inanité et ma supériorité. Quant au peuple, c'est en bienfaiteur que je serai révélé et justice sera enfin faite !

Dans l'esprit de chacun des membres de l'assemblée se dessinait un futur riche de perspectives où tous jouaient dès aujourd'hui un rôle.

À condition de savoir rester à sa place et d'être à la hauteur des attentes du Master, ils feraient partie de ce Nouveau Monde, si prometteur.

Tous le comprenaient parfaitement.

Tous, sauf un, poussé par un irrépressible besoin de se faire bien voir.

– Master, à Niagara qui étaient ces gens qui semblaient disposer des mêmes dons que vous ?

Orthon se raidit et lui jeta un regard qui le fit tressaillir. Doutant soudain du bien-fondé de son initiative, cet ancien tueur à gages reconnu par la profession tout entière comme étant le meilleur de sa génération se mit à bafouiller.

– Je veux dire… pardonnez-moi… mais y a-t-il d'autres personnes comme vous et vos fils ?

Dans le silence de mort qui s'ensuivit, l'homme fut soulevé du sol par une serre invisible lui enserrant la gorge avant d'être projeté violemment contre le mur du fond, à plusieurs mètres d'où il se trouvait. Son corps émit un craquement atroce, alors qu'Orthon baissait la main comme s'il rangeait une arme. Personne ne bougea, à l'image de Gregor et Tugdual, véritables cerbères, impassibles et menaçants.

– Ce que certains ont vu ou cru voir à Niagara ne représente rien de plus qu'un gravillon dans une chaussure, fit-il, la mâchoire serrée. Sa présence peut s'avérer légèrement désagréable, mais, d'aucune façon, il n'empêche de marcher.

Il se redressa et inspira à fond avant d'assener :

– Personne sur cette terre n'est comme moi et mes fils. Personne. Est-ce bien clair ?

Le cri jaillit, unanime et puissant :

– Notre force pour la gloire ! Auprès de notre Master jusqu'à la mort !

43

Le complot du secret

Chez Abakoum, l'air, le temps, les respirations, tout était cristallisé par l'attente, insupportable. Les Sauve-Qui-Peut, les Refoulés et les créatures ne pouvaient rien faire d'autre que de rester là, emplis d'un espoir ébranlé de seconde en seconde, au fil des actualités passant sans interruption à la télévision, à la radio.

Le monde entier connaissait désormais les terribles images de cette foule d'adolescents se précipitant dans les eaux bouillonnantes des chutes du Niagara.

Mais le monde entier savait aussi que si les eaux avaient tué très exactement cinq mille deux cent trente-huit personnes, en très grande majorité âgées de moins de vingt ans, c'était le leader de ce groupe, New Hope, le véritable responsable de l'hécatombe.

Jusqu'alors, on ne savait rien de lui. Comme s'il n'avait pas eu d'existence avant de devenir l'égérie fulgurante de toute une génération. Mais suite au drame, des informations se mirent à filtrer depuis la Finlande d'où le jeune homme était apparemment natif. Les mémoires se rafraîchirent, les langues se délièrent. Certains se souvenaient de lui, d'autres l'avaient côtoyé, parfois aimé jusqu'à l'adoration lorsqu'il n'était encore qu'un jeune adolescent.

C'est ainsi que quelques bribes de son passé furent exhumées, révélant son identité, ses penchants pour l'étrange et ses premières expériences en matière de manipulation psychologique. Les épisodes les plus sordides de sa période « mage occulte » ne manquèrent pas d'être exposés, amplifiés, dramatisés et surtout déformés pour les besoins de sensationnel des médias. On parlait de secte apocalyptique, de satanisme, d'hallucinations collectives dues à de nouvelles drogues... On évoquait mille et une causes. Mais toutes aboutissaient à une même conclusion : en quelques secondes, Tugdual Knut était devenu l'un des plus grands meurtriers que le monde ait connus.

Et, ainsi que le disait une de ses chansons, il était mort comme il avait vécu : perdu dans les ténèbres.

Lost in darkness...

Hormis le terrible traumatisme provoqué par le drame et les reportages sur Tugdual et sa famille – dont on perdait toute trace après le cataclysme ayant saccagé le monde –, un autre sujet était abondamment abordé.

De la même façon que lors des multiples évasions survenues à l'automne, des témoins faisaient état de phénomènes mystérieux, voire anormaux. On évoquait des êtres semblables aux humains, mais dotés de pouvoirs extraordinaires, des mutants, génétiquement modifiés, des créatures bioniques, et bien sûr des extraterrestres. Les qualificatifs foisonnaient...

Bien entendu, en l'absence d'images et de preuve matérielle suite à la destruction des caméras, les autorités s'abstenaient de tout commentaire. Et le fait qu'il y ait une bonne dizaine de témoins – des journalistes des plus grandes chaînes de télévision – n'y changea rien. D'autant que leurs déclarations s'avéraient confuses, parfois contradictoires. Il faisait si noir et c'était une telle pagaille... Le seul point sur lequel ils s'accordaient, c'était celui de l'homme à la sarbacane : il avait surgi de nulle part avec cet objet incongru à la main. Mais à partir de là, les témoins n'avaient plus un seul souvenir en commun.

Une sarbacane…

Seules les autorités les plus haut placées pouvaient comprendre qu'il ne s'agissait pas d'une coïncidence. Et le lien avec l'affaire des « visites présidentielles » s'avérait aussi direct qu'inquiétant.

Ces mêmes autorités s'empressèrent également d'attribuer le sauvetage des six cent quarante et une personnes à l'armée américaine parvenue si vite sur les lieux du drame. Cette réactivité fut unanimement saluée et c'est ainsi que quelques militaires se retrouvèrent avec l'étiquette enviable de héros pour avoir arraché aux griffes de la mort tous ces pauvres jeunes gens.

« Ces six cent quarante et un adolescents ne doivent leur vie qu'à une poignée d'hommes, d'autant plus admirables qu'ils souhaitent garder l'anonymat. Leur seul commentaire est qu'ils ont fait leur devoir, uniquement leur devoir. Une telle humilité qui nous porte tous à réfléchir sur le fonctionnement de nos sociétés où la recherche de la gloire est devenue une bataille sans merci. C'était Oliver Lindsay, pour BBC News… »

– Quelle arnaque ! grommela Gus en baissant le son de la télévision. Cette histoire de héros trop modestes pour se faire connaître est un leurre médiatique, de la pure intox !

– On sait très bien que ces militaires n'existent pas ! renchérit Niall, scandalisé.

– Nous, oui… concéda Marie, recroquevillée dans un fauteuil, face à l'écran sur lequel défilaient en continu les images du drame de Niagara.

– Nous et l'armée américaine, ajouta Barbara. Le problème est de savoir jusqu'à quel point les images que nous avons tous vues vont être décortiquées. Nous avons reconnu les nôtres sur certains plans, nous savons qu'ils se trouvaient là-bas… et nous savons très bien que ce sont eux qui ont sauvé tous ces gens.

– Tout comme les militaires savent très bien qu'ils ne sont pour rien dans ce sauvetage, poursuivit Marie.

– C'est un vrai jeu de dupes... soupira Gus. Ceux qui étaient sur place, les journalistes, les cameramen, ont forcément vu quelque chose, mais il suffit qu'Orthon leur ait envoyé une Granok de Cafouillis pour qu'ils doutent de leurs souvenirs... d'autant qu'il n'y a pas d'images de ça.

– Tu m'étonnes ! s'écria Niall. Orthon a fichu toutes les caméras en l'air ! Et pas d'images, pas de preuve !

– Ça doit bien arranger les militaires...

– C'est sûr ! Et nous aussi, d'ailleurs !

– Et pareil pour Orthon... Qu'ils ne nous fassent pas croire qu'ils ne savent rien ! On l'a aperçu sur les images du concert tournées par MTV...

– Sans parler des clips bourrés d'images subliminales qui sont passés sur les écrans géants pendant toute la soirée, ajouta Niall. On n'est quand même pas les seuls à l'avoir démasqué !

Les deux garçons ne cachaient pas leur agacement.

– C'est peut-être injuste pour les nôtres de voir leurs actes attribués à d'autres. Malgré le danger, ils ont agi selon leur cœur et leur conscience. Mais dites-vous que maintenant, il vaut mieux que les choses se passent ainsi, leur fit remarquer Marie. Si une télé avait réussi à les filmer en pleine action, vous imaginez la panique ?

– Orthon ne me parlait pas souvent de son travail, la relaya Barbara d'une voix grave, mais, quand il travaillait pour cette célèbre agence de renseignements qu'est la CIA, il lui arrivait de montrer une certaine... comment dire... une certaine exaltation concernant les tactiques de désinformation pratiquées au plus haut niveau de l'État. Il m'a raconté certains cas qui me feraient passer pour une affabulatrice si je vous les confiais. Mais retenez que si le gouvernement veut que cette affaire reste secrète, elle le restera, et tous les témoins visuels pourront clamer haut et fort ce qu'ils ont vu, cela ne changera rien.

Tout le monde autour d'elle réfléchit à ses paroles.

– Vous croyez que l'armée a réussi à capturer nos amis ? demanda soudain Niall d'un air fiévreux.

– Non, répondit Gus.

– Comment tu peux en être si sûr ? l'interrogea Kukka, très angoissée après s'être vue dans un reportage sur la famille de Tugdual. Et si ce n'est pas encore le cas, tu as l'air d'oublier que les meilleures armées sont mobilisées, prêtes à lancer leurs avions de chasse dès que les satellites les auront localisés.

Gus lui jeta un coup d'œil ombrageux.

– D'habitude, c'est moi qui sors ce genre de choses ultra-optimistes… fit-il remarquer. Ils vont s'en tirer, je le sais.

Marie battit des paupières et releva ses cheveux en arrière d'un geste tendu.

– Pourquoi ne donnent-ils pas de nouvelles ? dit-elle dans un souffle. Ils pourraient envoyer le Culbu-gueulard d'Oksa pour nous prévenir…

Gus baissa la tête pendant que le regard de Marie se fixait sur l'écran de télévision. Un sanglot gonfla dans la gorge et dans le cœur de cette dernière alors que sur ses joues perlaient des larmes.

Son mari, son beau et bon mari, dont elle avait toujours été si fière… Et sa petite Oksa, son enfant, son unique… Abakoum, le Veilleur des Sauve-Qui-Peut… Zoé, sa douce petite-nièce… Son courageux petit-neveu, Mortimer, qu'elle avait appris à aimer comme ceux de son clan…

Où étaient-ils ?

Le Foldingot d'Oksa s'agita, mais ne réussit à attirer l'attention de personne. Il entreprit alors de tousser, d'abord avec discrétion, puis plus franchement. Au point de s'étouffer à moitié… Marie se leva de son fauteuil, s'appuya sur sa canne et s'approcha de lui, hébétée de ne pas avoir pensé plus tôt à la créature si prévenante.

– Foldingot, que sais-tu ? lui demanda-t-elle simplement. Peux-tu nous le dire ?

Le petit intendant afficha une franche satisfaction. Il avait la réponse qui soulagerait tout le monde. Encore fallait-il qu'on lui pose la question !

– La domesticité de ma Jeune Gracieuse admet la possession d'une portion de détails géographiques et matériels, et fait la détention d'indications sur les corps et les cœurs.

– Tu es génial ! s'exclama Marie. Dis-nous... Vont-ils bien ? Ont-ils été blessés ? Sont-ils... libres ?

Le Foldingot prit appui sur ses larges pieds pour interrompre le balancement nerveux qui faisait tanguer tout son être et, comme à son habitude, il ouvrit démesurément ses gros yeux avant de répondre.

– Ma Jeune Gracieuse, sa parenté et l'Homme-Fé disposent d'un corps refroidi...

– Mon Dieu, ils sont morts ! s'alarma Kukka.

Le Foldingot secoua la tête de gauche à droite avec une telle vigueur qu'il faillit s'affaler sur le tapis.

– Kukka ! grommela Gus. Il n'a jamais dit ça !

– Le décès n'est pas le motif du refroidissement du corps des Sauve-Qui-Peut en expédition à Niagara, poursuivit le Foldingot. L'effondrement de leurs degrés corporels est engendré par la température océanique hivernale.

– Eh bien, il n'y a pas que la température océanique qui est hivernale ! brailla une Devinaille installée douillettement, quoique dangereusement, près du poêle à bois.

– Oui, nous aussi, on souffre d'hypothermie ! renchérit une autre poulette. Mais qui s'en soucie ?

– Personne ! rétorqua Gus, exaspéré par toutes ces interruptions.

Les Devinailles hoquetèrent d'indignation.

– Tu veux dire qu'ils vont bien et qu'ils sont actuellement dans l'eau froide ? demanda le jeune homme au Foldingot. C'est bien ça ?

– Les corps de ma Jeune Gracieuse, de sa parenté et de l'Homme-Fé n'ont rencontré aucune meurtrissure, ni accroc, ni zébrure, ni amputation, précisa l'intendant Gracieux. Mais le danger militaire produit le grand risque, les armées de multiples pays connaissent la motivation farcie d'ardeur de rencontrer la Jeune Gracieuse et ses compagnons.

– Tu m'étonnes qu'elles ont envie de les rencontrer… ne put s'empêcher de lâcher Niall.

Devant la pâleur de Marie et l'abattement de tout le monde, le Foldingot ajouta :

– Expulsez la crainte de vos cœurs, car ma Jeune Gracieuse, sa parenté et l'Homme-Fé réalisent l'aménagement de leur déplacement pour déjouer la technologie soldatesque. À ce moment exact, ils pratiquent la procession sous-marine.

Les réactions à cette étrange information furent diverses : certains froncèrent les sourcils, d'autres écarquillèrent les yeux. Mais personne ne resta indifférent.

– Tu veux dire qu'actuellement, ils rejoignent l'Angleterre… à la nage ? reformula Gus avec stupéfaction.

Le Foldingot secoua à nouveau sa bonne tête ronde, de bas en haut cette fois-ci.

– La natation procure l'abri de toute détection. Les machines rencontrent l'ignorance pour effectuer la distinction entre corps humains et corps animaux. Pour elles, ma Jeune Gracieuse, sa parenté et l'Homme-Fé font la cocasse similitude avec des dauphins ou des thons.

Cette remarque tira à certains un sourire, puis un esclaffement poussif très communicatif. L'hilarité, mêlée à une indéniable nervosité, gagna rapidement tout le monde.

– Je doute qu'Oksa apprécie beaucoup qu'on la prenne pour un thon… fit remarquer Marie, les yeux rieurs.

– Cependant, la domesticité de ma Jeune Gracieuse a le devoir de livrer l'apport d'une correction, reprit le Foldingot. L'ami de ma Jeune Gracieuse a fait le signalement d'un retour vers l'Angleterre, mais la trajectoire est appliquée dans la direction différente.

– Oh, non… Ne nous dis pas qu'ils sont perdus ! s'inquiéta Marie.

– La domesticité de ma Gracieuse procède à l'affirmation : la perdition connaît le développement suite au dépôt du Culbu-gueulard de ma Gracieuse dans le véhicule d'héliportage du Félon Orthon.

Bouleversement et accablement. Voilà ce qui s'abattit sur les habitants de la maison.

– Quoi ?! s'écrièrent en chœur la moitié d'entre eux – l'autre moitié restant bouche bée.

– Oksa a demandé à son Culbu-gueulard de suivre Orthon ! reformula Gus. C'est elle tout craché…

– Et c'est plutôt bien vu, non ? renchérit Niall. On va enfin pouvoir savoir où il se cache.

– Ce serait une excellente initiative si tous les cinq ne se retrouvaient pas perdus au milieu de l'océan… fit remarquer Marie, en proie à un début de panique.

– Nous ne pouvons pas les laisser comme ça, intervint Galina, la femme d'Andrew. Nous ne sommes que six à avoir des pouvoirs, mais je pense que notre aide ne sera pas superflue pour les tirer de ce mauvais pas.

Elle posa la main sur le bras de son mari dont les yeux s'étaient assombris. L'ambiance était tendue à l'extrême. Les Refoulés se sentaient plus impuissants, plus démunis que jamais.

– Nous venons avec vous ! s'écria soudain Andrew.

Galina le regarda avec tristesse.

– Andrew… Tu sais bien que c'est… impossible.

– Et toi, tu sais bien que je n'ai pas toujours été pasteur…

Le visage de Galina s'éclaira.

– Et où vas-tu trouver un hélicoptère, mon chéri ?

– J'ai ma petite idée… répondit Andrew.

44

Sauve-Qui-Peut en perdition

Outre le choc moral et l'épreuve physique du sauvetage, les cinq Sauve-Qui-Peut avaient dû faire face aux cohortes militaires – terrestres et aériennes. Après avoir semé plusieurs avions de chasse et craint pour leur survie, ils n'eurent d'autre solution que de foncer vers la mer tumultueuse, d'y plonger en grimaçant et de se mettre à nager.

– Là, tout ce qu'on risque, c'est d'être pris dans des filets dérivants… avait dit Pavel en réprimant ses tremblements.

Conséquence inattendue de cette décision, Oksa, Zoé et Mortimer avaient découvert avec une certaine jubilation qu'ils pouvaient nager aussi rapidement qu'ils couraient. Ou volaient… Ils se révélaient particulièrement performants au crawl et au papillon, et se montrèrent bientôt tous les trois à la hauteur de leurs aînés.

Grâce à une nage vigoureuse, leurs organismes se réchauffaient, les eaux glaciales devenaient moins mordantes. Abakoum leur conseillait pourtant d'avaler régulièrement un Capaciteur de Meliorine, un concentré ultime de vitamines et de protéines à base de produits strictement naturels – et, vu leurs effets, sans doute un peu magiques…

– Je sens que je pourrais faire quinze fois le tour de la Terre grâce à ce truc ! s'exclama Oksa en avalant un nouveau Meliorine.

– Si tu parviens jusqu'en Angleterre, ce sera déjà pas mal, tu ne crois pas ? fit Zoé avec un sourire.

Ils avaient quitté les côtes américaines depuis un bon moment après avoir plongé en catastrophe au large de Boston et nageaient à présent droit devant eux. Du moins en avaient-ils l'impression.

– Vous êtes sûrs qu'on va dans la bonne direction ? demanda soudain Pavel en faisant du sur-place à la surface de l'eau. Oksa, tu ne veux pas sortir ton Culbu-gueulard, s'il te plaît ? Je n'ai pas vraiment envie qu'on se retrouve au cap Horn…

Oksa s'arrêta de nager et battit des pieds pour se maintenir en équilibre. Son cerveau cherchait la meilleure façon d'annoncer ce qui représentait une bonne et une mauvaise nouvelle, selon le point de vue où l'on se plaçait.

– Oksa ? Ton Culbu-gueulard, s'il te plaît ! répéta son père.

– C'est-à-dire…

Tout à coup, elle n'était plus vraiment sûre que la bonne nouvelle soit aussi bonne qu'elle l'avait supposé.

– Ton Culbu… est mort ? bredouilla Pavel, la mine catastrophée.

– Oh, non ! s'empressa de le rassurer Oksa. Il est en pleine forme ! C'est juste qu'il n'est plus avec nous…

Ses quatre compagnons d'aventure pouvaient difficilement paraître plus effarés.

– Attends… fit Pavel en s'aidant de ses bras pour garder la tête hors de l'eau. Ne me dis pas que tu l'as perdu ?

– Voyons, Papa, tu sais bien que le Culbu ne peut pas se perdre !

– Mais nous, oui ! rétorqua-t-il.

– Tu lui as demandé de suivre Orthon… murmura Abakoum.

Oksa dut admettre la vérité.

– C'est une très bonne initiative, commenta le vieil homme.

– Elle aurait été encore meilleure si nous étions au sec et à l'abri, et non pas perdus au beau milieu de l'Atlantique ! marmonna Pavel.

Oksa chercha du secours du côté de Zoé et Mortimer. Mais à part un épuisement évident, elle n'y trouva pas ce qu'elle souhaitait. Dépitée et vaguement honteuse, elle regarda en l'air, dans l'espoir un peu naïf de voir réapparaître le petit informateur ailé. Mais le ciel n'offrait rien de plus que des nuages ternes aux mille nuances de gris.

– Tu as bien fait, Oksa… la rassura Mortimer.

– J'ai un doute, maintenant, dut reconnaître Oksa.

Abakoum scrutait l'horizon, d'un air grave car un cargo passait à quelques milles d'eux. Puis le visage de l'Homme-Fé se décontracta sensiblement. Il fourra la main à l'intérieur de sa parka trempée et en ressortit la baguette héritée de sa mère, une Fée Sans-Âge. Il la posa en équilibre sur son index, elle s'y maintint comme par miracle, malgré les clapotis vigoureux de la mer qui ballottait les nageurs. Elle oscilla, tourna vers la gauche, puis dévia à droite avant de s'arrêter et de se maintenir avec fermeté, tel un doigt tendu.

– Nous devons aller par là ! annonça Abakoum en la rangeant.

Abasourdis mais soulagés, tous s'entreregardèrent, sauf Oksa qui évita prudemment son père. Mais l'Homme-Fé se remettait déjà à nager dans la direction indiquée par sa baguette. L'océan n'était pas infini, mais il était tout de même très grand…

Quand Andrew posa l'hélicoptère dans le champ boueux jouxtant la propriété d'Abakoum, ses amis et les créatures se précipitèrent, alertés par le vacarme du rotor. Andrew coupa le moteur et ouvrit la porte coulissante, offrant une nouvelle image insolite à mettre dans l'album des souvenirs des Sauve-Qui-Peut et des Refoulés : celle d'un homme de foi émergeant d'un engin militaire bardé d'armes de guerre.

– Bravo, mon chéri ! s'exclama Galina en courant vers lui.

– Bon, ce n'est pas un Mil Mi-26[1], mais je pense qu'il fera l'affaire… dit-il en lui entourant l'épaule de son bras.

– Mais comment l'as-tu trouvé ? s'enquit Marie en pataugeant dans la boue. C'est prodigieux !

Andrew hésita à répondre. Finalement, il haussa les épaules et jeta un coup d'œil au ciel avant d'avouer :

– Disons qu'un ami me devait un service.

– Ah, oui ! renchérit Marie avec un grand sourire. Un ami qui possède des hélicoptères de l'armée britannique !

– Voilà ! admit Andrew.

– Tu étais pilote avant d'être pasteur, Papa ? s'étonna une de ses jumelles.

– Entre autres… répondit-il mystérieusement en faisant claquer un baiser sur la joue de la jeune fille. Mais assez discuté, je vous rappelle que cinq des nôtres sont perdus en plein océan Atlantique, quelque part entre les États-Unis et l'Angleterre. Gus, approche, mon garçon !

Durant ces longs mois où les Sauve-Qui-Peut se trouvaient à Édéfia, une solide affection était née entre Gus et Andrew, l'un ayant en quelque sorte trouvé un père de substitution, et l'autre, le fils qu'il avait toujours voulu. C'est pourquoi Gus était admis auprès du pasteur comme apprenti copilote. « Un jeu d'enfant ! » lui avait-il garanti.

Restait le choix des passagers. Priorité fut donnée à Marie et Barbara en raison de leur lien de parenté avec les Sauve-Qui-Peut en perdition, ainsi qu'à Galina et une de ses filles – leurs pouvoirs magiques pouvaient s'avérer très utiles. Kukka bouda de ne pas être acceptée à bord, alors que Niall rejoignait Gus avec une motivation qui aurait su convaincre le plus irréductible des hommes. Ses compétences technologiques n'étant qu'un faible argument par rapport à sa volonté de retrouver Zoé, ce qui n'était pas peu dire.

1. Le Mil Mi-26 est un hélicoptère russe, considéré comme le plus lourd et le plus puissant du monde.

Le Foldingot d'Oksa et un très jeune Culbu-gueulard pas tout à fait accompli embarquèrent à leurs côtés – à part celui d'Oksa et celui de Réminiscens, c'est le seul qu'Abakoum avait réussi à sauver du Nouveau Chaos, une chance ! Ils disposaient de tous les instruments de recherche nécessaires, mais savait-on jamais…

– Allons-y ! fit Andrew en mettant le moteur de l'hélicoptère en marche. Ce serait bien qu'on les retrouve avant la nuit. Par chance, plus nous irons vers l'ouest, plus il fera jour.

Et l'engin s'éleva dans la moiteur de cet après-midi pluvieux.

Gus tenait entre les mains le Culbu-gueulard bambin, aussi fragile qu'un poussin. La minuscule créature se pelotonna dans sa paume et lui adressa un regard presque aussi débordant d'adoration que celui de l'Insuffisant. Derrière, le Foldingot ne quittait pas les flots grisâtres des yeux, la tête quasiment posée sur l'épaule de Gus.

– Ils vont bien ? lui demanda le garçon. Est-ce que tu le sais ?

– Ma Gracieuse, sa parenté et l'Homme-Fé rencontrent la possession d'un corps farci d'harassement, mais leur esprit fait la conservation de l'opiniâtreté, répondit l'intendant Gracieux.

– Tant mieux… fit Gus en se passant une main sur le bas du visage.

Il caressait machinalement le petit Culbu quand une idée lui vint.

– Vous croyez que les Culbu-gueulards fonctionnent comme les chiens ? demanda-t-il à ses compagnons de vol.

Tout le monde reconnut ne pas en avoir la moindre idée.

– Tu penses à quoi ? l'interrogea Marie.

– Je me disais que si ce petit Culbu avait un flair similaire à celui de certains chiens et qu'on lui faisait sentir quelque chose appartenant, par exemple, à Oksa, il arriverait peut-être à la localiser, non ?

Andrew lui jeta un coup d'œil admiratif avant de se concentrer à nouveau sur les indicateurs de l'engin.

– On n'a rien à perdre ! lança Marie.

– Oui, mais est-ce que quelqu'un parmi vous a un objet qui ferait l'affaire ? demanda Barbara.

Gus hésita pendant un ou deux dixièmes de seconde.

– Euh… oui, moi.

Il fit glisser la fermeture Éclair de son blouson en cuir et fit passer par-dessus sa tête la cravate au nœud desserré qu'il portait.

– La cravate d'Oksa ? le questionna Marie.

Gus acquiesça.

Niall faillit rire.

Mais son premier réflexe s'évanouit bien vite.

Car, finalement, ce n'était pas drôle du tout.

45

Un miracle islandais

– Alors, Culbu ? Ça ne t'inspire vraiment rien ?

La créature ne paraissait même pas comprendre ce qu'on attendait d'elle.

– Allez, sens encore une fois ! l'implora Gus en collant la cravate d'Oksa en boule sur sa tête minuscule.

– L'ami de ma Jeune Gracieuse va faire l'entraînement du décès par asphyxie du Culbu nain, avertit le Foldingot.

– Oh, pardon, petit Culbu… s'excusa Gus.

– Nous allons faire une escale en Islande pour faire le plein, annonça Andrew.

L'énorme île volcanique apparaissait déjà à l'horizon. L'hélicoptère atteignit rapidement l'aéroport de Reykjavik, sur la côte ouest, et se posa sans heurt. Alors que les passagers se dégourdissaient les jambes, un mécanicien vint à la rencontre d'Andrew. Ce dernier sortit une liasse de billets de sa poche.

– Ton pasteur de mari est un homme surprenant, fit Marie en souriant à Galina.

– Je crois que le tien n'est pas mal non plus de ce point de vue-là !

Les deux femmes rirent doucement. Barbara n'était pas loin et la remarque de Marie la concernait, elle aussi, mais à un tout autre niveau malheureusement. Tout comme Pavel et Andrew, Orthon n'était pas un homme banal…

Alors qu'elles partageaient leurs impressions sur le paysage lunaire qui s'étalait devant elles et qu'Andrew faisait le plein de carburant, Gus et Niall ne tenaient pas en place. À l'abri de la cabine, ils interrogèrent à nouveau le Foldingot.

– Tu as des infos ?

– Ma Gracieuse, sa parenté et l'Homme-Fé ne pratiquent plus la natation.

– Quoi ? Précise, je t'en prie ! haleta Gus.

– Leurs pieds ont réalisé la pose sur une terre solide.

– Où ?

– La domesticité de ma Gracieuse se repaît dans l'ignorance, bouh... gémit-il. Son incompétence ne fait la rencontre d'aucune barrière.

– Hé ! Ce n'est pas ta faute ! le rassura Niall en se risquant à caresser son crâne duveteux.

– L'ami grandement affectionné de la petite-cousine de ma Gracieuse dispose d'un cœur bondé de mansuétude.

– L'ami grandement affectionné de Zoé... reprit Gus avec un sifflement malicieux.

– Vestmannaeyjar...

Les deux garçons se regardèrent, ébahis : le petit Culbu venait de parler !

– Vestmannaeyjar, répéta-t-il avec ravissement.

– Qu'est-ce que ça veut dire ? s'étonna Niall.

– Soixante-*grois* degrés vingt-*tix* nord... poursuivit le Culbu miniature d'une voix flûtée.

Niall et Gus furent pris d'un rire nerveux, non pas à cause de l'élocution singulière du Culbu, mais bel et bien parce qu'un nouveau miracle était en train de se produire en direct sous leurs yeux !

– Andrew ! Marie ! Venez vite ! cria Gus en se penchant par la porte entrouverte de la cabine.

– Vingt degrés *quatorbe* ouest... continua le Culbu qu'on n'arrêtait plus. Falaises d'Ystiklettur, *dempérature* deux degrés Celsius, *daux* d'humidité quatre-vingts pour cent, point *gulminant* deux cent quatre-vingt-*grois* mètres...

– Mais que se passe-t-il ? s'inquiétèrent les adultes. Pourquoi pleurez-vous de rire ?

– On ne pleure pas de rire, expliqua Niall. On pleure de soulagement !

– Le Culbu sait où ils sont ! poursuivit Gus. Oksa, Zoé, tous ! On va les retrouver !

Le mini-Culbu gazouillait sans discontinuer, indiquant en boucle les longitudes, latitudes, altitudes, et autres indications plus accessoires, comme la composition du sol, de l'air, de la flore marine et terrestre de Vestmannaeyjar.

– Merci, petit Culbu… fit Gus pour tenter de l'arrêter. On n'aura pas besoin de connaître le taux d'acidité de la terre pour sauver les Sauve-Qui-Peut, tu sais !

– J'hallucine… soupira Niall en se frottant le visage. J'hallucine complètement.

– Nous arrivons, annonça Andrew.

Des bandes de brume dense enveloppaient l'île constituée de rochers abrupts sans aucune surface vraiment plane permettant d'atterrir sur les hauteurs.

– Vous voyez quelque chose ?

Tout le monde dans l'hélicoptère scrutait le sommet des falaises.

– Ils sont là ! hurla soudain Gus.

Andrew fit virer l'engin vers l'amas rocheux le plus occidental et les Sauve-Qui-Peut apparurent à tous, perchés au bord d'une falaise, Crache-Granoks à la main.

– Mon Dieu, ils vont croire que nous sommes des militaires ! s'écria Marie.

– Surtout que nous sommes dans un hélicoptère de la Royal Air Force ! s'alarma Barbara.

Virginia sortit précipitamment son Coffreton de sa sacoche et en tira un Capaciteur nacré. Puis elle fit coulisser la porte avant de se pencher vers l'extérieur.

– C'est Virginia ! N'ayez pas peur, je suis avec Andrew !

Sa voix résonna étrangement, comme amplifiée par un mégaphone.

– Encore un truc de Du-Dedans ! fit Gus, ravi.

— Nous sommes venus vous chercher ! continua Virginia.

Depuis la falaise, à la faveur d'une trouée dans le brouillard, les Sauve-Qui-Peut reconnurent leur amie, ainsi que les visages radieux de Marie, Barbara, Gus, Niall littéralement écrasés contre le Plexiglas des portes… Ils explosèrent de joie.

— Incroyable… murmura Abakoum.

Le vieil homme se laissa tomber sur l'herbe humide. La vision de cet hélicoptère, avec à son bord des êtres chers venus à leur secours, représentait un soulagement pour ses compagnons de route. Mais pour lui, c'était davantage que cela. Le vacarme de la machine, les pales tournoyant à toute vitesse, les visages aimés pleurant de bonheur…

Toute cette agitation incarnait la vie.

Et lui se sentait si exténué, si vieux, tout à coup.

Il s'allongea et inspira profondément. L'air chargé de sel, l'odeur de la terre, l'herbe tendre et humide sous ses mains tavelées de taches brunes, les mouettes tournant là-haut, dans le ciel morne… Il aurait presque pu se sentir bien ainsi, immobile, relié de tout son être à la nature, et rester là, jusqu'à la fin.

Mais il n'était pas seul. Il ne l'était jamais.

Et il était en vie. Malgré tout.

Ses vêtements trempés collaient à sa peau comme une gangue gluante, aggravant son épuisement. Son corps accusait le poids des années, mais son esprit était bien plus atteint que ses muscles et ses articulations. Orthon venait de frapper durement, à tous points de vue, et le contrecoup ébranlait profondément l'Homme-Fé.

Près de lui, Oksa levait les bras en l'air. Sa tant aimée Jeune Gracieuse…

À quelques secondes d'être secouru par ses amis, il se demanda s'il aurait pu poursuivre la « route » jusqu'en Angleterre. Il ferma les yeux, peiné par l'incertitude de la réponse.

— Abakoum ? Abakoum ?

Une main chaude se posa sur sa joue. Il rouvrit les yeux et fit face au visage lumineux, quoique soucieux, d'Oksa.

– Tu te sens mal ?

Le vieil homme se redressa en douceur.

– Non, tout va bien, ma chère petite…

Oksa le dévisagea.

– Tu es sûr ?

Il opina de la tête.

– Et ça ira encore mieux après une douche bien chaude et un bon repas au coin du feu, comme pour nous tous ! lança-t-il.

Aucun des deux n'était dupe de son ton, d'une décontraction trop exagérée pour être crédible. Mais l'un comme l'autre, ils décidèrent de ne pas s'y appesantir. D'ailleurs, Virginia leur donnait à l'instant même des instructions qui, grâce à son Capaciteur d'Amplivox, leur parvenaient avec une netteté parfaite.

– Nous ne pouvons pas nous poser, le terrain est trop accidenté ! Il va falloir que vous volticaliez jusqu'à nous. Ça va aller ?

Pavel consulta du regard les trois jeunes Sauve-Qui-Peut et Abakoum, puis leva le pouce.

– Andrew stabilise l'hélicoptère et vous pouvez commencer à monter, poursuivit Virginia. Attention aux pales !

– Tu as entendu… fit Pavel en se tournant vers sa fille. Pas de zèle, s'il te plaît. Pour une fois, fais ce qu'on te demande…

Oksa lui adressa un regard à mi-chemin entre la grimace et le sourire provocateur.

– Vous pouvez y aller ! résonna la voix de Virginia.

Un à un, les trois jeunes Sauve-Qui-Peut volticalèrent prudemment jusqu'à l'hélicoptère où Gus et Barbara les attendaient de chaque côté de la porte coulissante, ouverte sur le vide. Au fur et à mesure, Marie, Niall et Galina les enveloppaient d'une couverture de survie pour les réchauffer.

– Maman !

Oksa serrée contre elle, Marie sembla subitement rajeunir de dix ans.

– Toi, tu as interdiction de me faire encore un coup pareil ! la tança-t-elle sans pouvoir contenir son bonheur de la retrouver. C'est bien compris ?

Pour toute réponse, Oksa fit claquer un énorme baiser sur sa joue.

Puis vint le tour d'Abakoum, juché sur le dos de Pavel. Les deux hommes se laissèrent tomber sur les sièges.

Gus put enfin refermer la porte. Il se retourna, rayonnant.

– Eh bien, on peut dire que vous nous avez fait une sacrée peur !

Ses yeux passèrent en revue les aventuriers. Mais une fois qu'ils rencontrèrent ceux d'Oksa, ils s'y fixèrent avec aplomb.

– Alors, il paraît que tu as encore pris une drôle d'initiative, ma vieille ? fit-il.

– Il paraît... rétorqua-t-elle en soutenant son regard.

Il vint s'asseoir à côté d'elle et mit un bras autour de ses épaules. La couverture de survie crissa quand elle posa sa tête contre lui. Ses cheveux, encore humides, frôlèrent la joue du garçon.

– Tu sens le poisson... murmura-t-il, les lèvres effleurant son front.

– C'est mon nouveau parfum... répliqua-t-elle. Tu aimes ?

– J'adore, tu penses bien !

Elle se blottit contre lui avant de relever lentement la tête, à la recherche de ses lèvres.

Elle ne tarda pas à les trouver.

Et le long baiser qui s'ensuivit fut le plus ardent que l'un et l'autre aient partagé.

Malgré la couverture crissante, la viscosité et le parfum singulier d'Oksa, les regards qui glissaient sur eux, les circonstances, l'environnement, le vacarme et les mouvements de l'hélicoptère, le petit Culbu qui déclamait les latitudes et longitudes, Oksa eut du mal à se détacher de Gus.

– Hum hum…

– Qu'est-ce qui se passe, mon Foldingot ?

– Ma Gracieuse possède-t-elle la volonté de laper quelques gorgées de thé bouillant ? demanda l'intendant.

Il brandissait devant lui une bouteille thermos que son équilibre précaire menaçait de transformer en une dangereuse arme. Secouée par un frisson, Oksa accepta avec plaisir. Autour d'elle et de Gus, tout le monde sirotait déjà la réconfortante boisson dans un mutisme apaisé. Barbara et Mortimer, Zoé et Niall, Andrew le pasteur-pilote, Galina et leur fille, Abakoum… Et puis bien sûr, ses parents, enlacés, qui la couvaient des yeux.

Elle leur sourit.

Le péril avait été grand.

Mais une fois de plus, qu'ils soient Refoulés ou Sauve-Qui-Peut, leur union avait fait leur force.

46

Chacun pour soi

Dans la confusion du drame de Niagara, Abakoum avait eu la présence d'esprit de récupérer un des flacons dont les hommes en noir avaient aspergé le contenu sur la foule, à l'issue du concert. Tout le monde avait cru à des fumigènes, mais, ainsi que l'avaient remarqué les Sauve-Qui-Peut, le fait que tous les « soldats » d'Orthon aient pris soin de mettre des masques à gaz avant la pulvérisation n'était pas anodin. Aussi, à l'abri dans son laboratoire granokologique – une sorte d'atelier-strictement-personnel installé dans la cave –, l'Homme-Fé avait procédé à quelques analyses.

Il s'attendait à ce que les résultats ne le fassent pas déborder de joie. Mais ils dépassaient pourtant de loin ce qu'il avait craint. La mégalomanie d'Orthon n'avait plus aucune limite.

– Vous avez bien fait de vous protéger en avalant un Capaciteur de Spongeax, mes jeunes amis…

Oksa, Mortimer et Zoé s'entreregardèrent avec curiosité alors qu'Abakoum désignait une feuille sur laquelle il avait griffonné une infinité de signes, chiffres, lettres incompréhensibles.

– Orthon a demandé à ses hommes de vaporiser sur ces malheureux adolescents un gaz à forte concentration d'ocytocine, expliqua Abakoum.

– De l'ocytocine ? s'étonna Oksa.

– Et voilà le grand retour de l'« hormone de l'amour » ! grommela Gus. Je m'en doutais…

Personne ne put cacher sa curiosité ni sa volonté d'en savoir plus.

– C'est en rapport avec les Diaphans, n'est-ce pas ? s'enquit Pavel.

D'un même mouvement de tête, Abakoum et Gus confirmèrent cette supposition.

– Vous voulez bien développer ? les implora Oksa.

Abakoum invita Gus à poursuivre. Le jeune homme hésita : la présence de Zoé le bloquait un peu.

– Ça va, Gus, je t'assure… murmura-t-elle.

Elle paraissait sincère, son visage affichait une vraie tranquillité et chacun se dit que la main de Niall serrant résolument la sienne n'y était peut-être pas étrangère.

– Vous vous souvenez du goudron noir ? commença Gus.

– C'est la substance qui coule des narines des Diaphans lorsqu'ils s'emparent des sentiments passionnels de leurs victimes, précisa Oksa en s'arrachant nerveusement un petit morceau d'ongle dont elle avait commencé l'extraction quelques secondes plus tôt, à l'évocation des Diaphans.

– C'est tout à fait ça, approuva Gus. Eh bien, cette substance est bourrée d'une hormone appelée ocytocine. On dit qu'elle intervient lors des accouchements. Mais par rapport à ce qui nous intéresse, il faut savoir qu'elle favorise aussi et surtout l'attraction amoureuse et l'attachement…

Abakoum confirma les informations données par le jeune homme.

– Mais on a découvert qu'elle agissait également sur le sens du sacrifice qu'on peut avoir vis-à-vis d'une personne ou d'un groupe, ajouta-t-il sombrement. Elle peut même aller jusqu'à déclencher une certaine agressivité, si un obstacle se présente, par exemple.

Beaucoup soupirèrent, écœurés par la perspective des applications qu'on pouvait faire de cette fameuse hormone quand on était aussi malintentionné que pouvait l'être Orthon. D'ailleurs, on était désormais bien au-delà de la simple hypothèse, la démonstration ayant été plus que « réussie » à Castelac et à Niagara.

Le silence tourmenté qui régnait sur l'assemblée fut brisé par Mortimer qui assena un coup de poing brutal sur le guéridon à côté de lui. Le cadre posé dessus tomba au sol où il éclata dans une petite explosion de verre et de bois. La main sur la bouche, Barbara étouffa un cri.

– Pardon… marmonna Mortimer.

– C'est ça ! Qu'on détruise tout ! se plaignit une Devinaille pelotonnée contre Marie. Comme s'il n'était pas assez pénible de vivre dans ces conditions…

– Ostrogoth un jour, Ostrogoth toujours… grommela le Gétorix en sautillant comme un petit diable.

Oksa lui fit les gros yeux. Il cessa aussitôt ses gesticulations et entreprit d'aider le Gobecra à débarrasser les débris, alors que le Foldingot récupérait ce qui pouvait l'être : une photo d'Oksa, enfant, entourée de ses parents et de Dragomira.

– Tout s'explique ! reprit Oksa comme si rien ne s'était passé. Un gaz bourré d'ocytocine, ajouté à des images subliminales, une chanson incitant à certains actes et une ambiance propice aux phénomènes de groupe… Il n'en fallait pas plus pour qu'un tel drame arrive !

– Pas plus, pas plus… C'est déjà beaucoup, non ? fit remarquer Pavel.

– Vous croyez que l'armée est arrivée aux mêmes conclusions que nous ? demanda Niall.

– Je ne pense pas, répondit Abakoum. Le gaz qu'Orthon a mis au point est très volatil. Si je n'avais pas récupéré ce flacon, nous n'aurions jamais pu savoir. Nous aurions juste deviné, et encore…

– Espérons que ses hommes n'en aient pas oublié sur place, dit Gus. Ça nous laisserait une petite longueur d'avance sur l'armée ! Si elle mettait la main sur Orthon, vous imaginez le carnage ? Il est capable d'une destruction totale…

– Oui… soupira Pavel. Et ce serait bien que nous puissions exploiter notre légère avance au maximum. Tu n'as toujours pas de nouvelles de ton Culbu-gueulard, Oksa ?

La Jeune Gracieuse fit signe que non.

– Bon, espérons qu'il revienne vite…

Toc toc toc…

Depuis son lit, Oksa abaissa la poignée de la porte d'un simple mouvement de l'index. Le visage de Gus apparut dans l'entrebâillement.

– Je peux venir ?

– Bien sûr !

Il referma la porte derrière lui pendant que la jeune fille se poussait pour lui faire de la place. Ce qui ne l'empêcha pas de se coller contre elle.

– Salut, Foldingot ! lança-t-il.

L'intendant Gracieux fit un signe de la tête, par obéissance à la consigne stricte d'Oksa. Il était de son devoir de rester auprès d'elle, d'accord. Mais la Jeune Gracieuse lui avait imposé une condition non négociable : le silence absolu sur ce qui se passait dans cette chambre.

– La domesticité de ma Gracieuse ne rencontre pas l'évitement de la connaissance, mais le mutisme connaît l'envahissement buccal, avait-il garanti. La domesticité de ma Gracieuse fait la transformation en pierre tombale, c'est l'assurance.

N'ignorant rien de ce qui arriverait dès que Gus serait entré, il tourna le fauteuil face à la grande baie vitrée et s'y installa avant de plonger bien vite dans un profond sommeil.

– Ça va ? demanda Gus après avoir longuement embrassé Oksa.

Oksa ne put s'empêcher de rire.

– Tu as toujours de ces questions !

Elle distinguait ses yeux, pleins d'étincelles, grâce à sa Trasibule éclairant la chambre-forêt d'une délicate lumière.

– Oh, Gus… murmura-t-elle en plongeant le visage dans le cou du garçon.

D'une main, il lui caressa les cheveux et, de l'autre, il s'attarda sur sa nuque, puis ses omoplates.

– Personne ne t'a vu ? lui demanda-t-elle d'une voix sourde.

– De quoi as-tu peur ? répliqua-t-il en se dégageant doucement pour la regarder en face.

– Je n'ai peur de rien ! se rebiffa-t-elle en s'asseyant devant lui, les genoux ramenés sous le menton. Tu devrais le savoir, pourtant !

– Alors, pourquoi tu n'assumes pas ? insista-t-il en s'allongeant de tout son long sur le lit, les mains derrière la tête.

Elle écarquilla les yeux.

– Assumer quoi ?

– Assumer le fait que je dors avec toi depuis trois nuits.

– Mais on ne fait juste que dormir l'un à côté de l'autre, Gus ! Il n'y a rien de… grave.

– C'est sûr… admit Gus. Alors, raison de plus pour ne pas se cacher, non ?

Oksa enfonça le visage entre ses mains.

– Hé ! Tu crois que personne n'a compris ce qui était en train de se passer ? insista Gus. On est tout le temps ensemble, on se taquine sans arrêt, on s'embrasse devant tout le monde…

Oksa s'agita.

– On a plus de dix-sept ans, ma vieille !

Depuis le retour d'Édéfia, il était évident que Gus avait à tous points de vue beaucoup changé. Tout comme il était parfaitement flagrant qu'il ne la considérait plus de la même façon : son regard était celui d'un jeune homme sur une jeune fille qui lui plaisait. Son caractère explosif et attentionné à la fois, ses qualités et ses défauts, ses forces et ses points faibles, il les connaissait depuis des années, presque depuis toujours. Mais la jeune fille qu'elle était devenue le captivait. D'une part parce qu'il la trouvait vraiment craquante, et d'autre part parce que lui aussi avait grandi.

Il portait un regard différent sur les autres.

Les filles, surtout.

Il en avait pris conscience lors de son passage dans la Nascentia en compagnie d'Oksa. Le cerveau diabolique d'Orthon et son antidote permettant de freiner les ravages du venin de Chiroptère avaient accéléré les effets du temps sur leur corps, mais pas sur leur esprit. Cependant, bien au chaud dans la bulle de réconfort, Gus avait été stupéfait de constater qu'Oksa avait des cheveux, une peau, des formes… Comme s'il le découvrait. Comme si cela n'avait pas existé jusqu'alors. Depuis, non seulement son œil la voyait autre, mais également son cœur et son corps qui ne manquaient pas de réagir à cette métamorphose. Même si elle n'en était pas tout à fait une…

Peu après, il y avait eu ce premier baiser si spontané. Il en avait été ébranlé. Puis le Portail avait englouti Oksa et il était resté là, avec le poids de responsabilités qu'il n'aurait jamais cru pouvoir endosser.

Responsabilités auxquelles s'ajoutait le tourment permanent de savoir Oksa avec Tugdual. Ou plutôt de ne pas savoir… Comment le corbeau gothique se comportait-il avec elle ? Est-ce qu'ils s'embrassaient ? Dormaient-ils ensemble ?

Plus le temps passait, plus ces pensées avaient torturé Gus. Éveillé à de nouvelles perceptions, il n'avait rien fait pour résister aux charmes de Kukka, nombreux et incontestables. Inutile de le nier : Kukka était parfois agaçante, mais elle était belle, câline, attentionnée, audacieuse.

Et surtout, elle était *là*.

Pourtant, au retour d'Oksa, tout le monde avait repris sa place, spontanément, inexorablement. Gus avait estimé que Tugdual n'existait plus, amoureusement parlant en tout cas. Quant à Kukka, le jeune homme éprouvait à son égard un peu de gêne et une certaine peine, mais force était de reconnaître qu'il n'était pas amoureux d'elle et qu'il ne l'avait jamais été.

– Oui, tu as raison, on a plus de dix-sept ans…

Gus frémit, interrompu dans ses pensées par la voix d'Oksa. Elle lui caressa la joue. Il prit sa main et embrassa le bout de ses doigts avant de l'attirer vers lui.

– Mais je crois que mon père aurait un vrai choc s'il savait que tu dors dans ma chambre, fit Oksa.

– C'est sûr ! concéda Gus. Et ta mère ?

– Oh, elle aurait peut-être un léger pincement au cœur, mais elle sourirait et essaierait de convaincre mon père que j'ai grandi, que tout cela est tout à fait naturel, que c'est la vie…

– C'est vrai que ton père est un tout petit peu plus flippé qu'elle !

– Un tout petit peu plus, oui ! Quand j'étais petite et que je parlais de « quand-j'allais-me-marier », il me disait toujours que mon prétendant aurait intérêt à être à la hauteur et qu'il l'aurait à l'œil… Et je t'épargne les menaces de représailles s'il m'arrivait quoi que ce soit par sa faute…

Gus s'esclaffa.

– De quoi te décourager d'avoir un autre homme que lui dans ta vie !

– Il faut croire que ça ne m'a pas complètement dissuadée… lui rétorqua Oksa.

– Sauf que tu trembles à l'idée qu'il puisse savoir qu'on est là, tous les deux dans ta chambre… Qu'est-ce qui te fait si peur dans le fait qu'il l'apprenne ?

– Je ne sais pas si tu te rends compte, mais en ce moment même, tu es en danger de mort ! répondit Oksa en lui pinçant la peau du bras. S'il débarquait, ton espérance de vie serait considérablement réduite…

Ils rirent ensemble à cette idée.

– C'est vrai que ton père n'a jamais fait dans la modération…

– Jamais ! Les Pollock sont comme ça !

– Je confirme… Mais dis-toi bien qu'à ses yeux, tu auras toujours douze ans. Il ne sera jamais prêt à te voir autrement. Jusqu'à la fin de ta vie, tu seras sa petite fille chérie qu'aucun garçon ne mérite d'avoir.

– Oh, je pense que pour toi, il ferait un effort…

Gus la prit par le menton pour la regarder.

– Ah oui ? Tu crois ?

Oksa lui sourit, étonnée mais heureuse qu'il n'ait pas évoqué Tugdual, avant de se blottir à nouveau contre lui.

– De toute façon, il faudra bien qu'il s'y fasse… murmura Gus en effleurant ses lèvres. Et c'est à toi de l'aider.

– Comment ?

– D'abord en reconnaissant ce que tu ressens et en acceptant d'être celle que tu es.

Il ne lui laissa pas le temps de répondre quoi que ce soit. À leurs côtés, la Trasibule se mit doucement en mode veilleuse, pudique et discrète.

Ils dormaient l'un contre l'autre depuis presque deux heures quand un bruit, ténu mais insistant, les tira de leur sommeil. Oksa se redressa sur un coude et cligna des yeux. Arraché à un rêve palpitant, le Foldingot s'arrêta de ronfloter.

– Qu'est-ce que c'est ? murmura Gus.

Échaudée par la visite inattendue de Tugdual, quelques semaines plus tôt, Oksa lui signifia de ne faire aucun bruit et, par précaution, se saisit de sa Crache-Granoks posée sur la table de nuit.

– C'est mon Culbu ! fit-elle soudain dans un cri étouffé.

Elle bondit hors du lit et ouvrit la fenêtre. L'informateur ailé se précipita à l'intérieur.

– Tu as réussi, mon Culbu ! Tu es trop fort !

– Ma Jeune Gracieuse… souffla-t-il.

Il se mit à battre sévèrement de l'aile et, tout à coup, il s'effondra sur le sol.

– Oh, non ! s'alarma Oksa en s'agenouillant pour le prendre dans ses mains.

Elle regarda Gus d'un air désespéré.

– T'inquiète pas, ma vieille… répondit le jeune homme à sa question muette. On ne respire pas aussi bruyamment quand on est mort.

En effet, le Culbu paraissait beaucoup plus essoufflé qu'agonisant. Langue pendante, il haletait comme un petit chien assoiffé. Oksa le posa avec délicatesse sur le lit et courut chercher de l'eau dans la salle de bains. Elle en versa un peu dans sa main en coupe.

– Tiens, mon Culbu, bois ! dit-elle.

Le Culbu tint la main de sa maîtresse entre les deux pattes qui lui servaient de bras et but avec avidité. Oksa lui tendit alors quelques graines de tournesol. Il se jeta dessus, les croqua et, quand tout fut avalé, il émit un petit rot de satisfaction.

Oksa jeta un bref regard à Gus : il était temps de passer aux choses sérieuses.

– Alors, mon Culbu ? fit-elle, le cœur battant à tout rompre.

La créature recracha la cosse d'une graine et annonça d'une voix claironnante :

– Mission accomplie, ma Gracieuse ! Je connais la cachette du Félon honni !

47

Sous le sceau du secret

– Nous t'écoutons… Dis-nous tout, mon Culbu !

Oksa tremblait d'excitation et d'appréhension. Gus mit un bras autour de ses épaules. Les informations que le Culbu-gueulard était sur le point de donner seraient déterminantes. Tous les deux agenouillés sur le lit, ils prêtèrent toute leur attention au Culbu juché sur l'oreiller d'Oksa.

– Le Félon Orthon se trouve actuellement à mille neuf cent quatre-vingt-dix-huit kilomètres de cette maison, clama-t-il. Il m'a fallu trente-six heures et quarante-trois minutes pour vous retrouver, ce qui correspond à une vitesse approximative de cinquante-quatre kilomètres par heure.

– Tu es vraiment… formidable… bredouilla Oksa, un peu embarrassée. Mais concernant Orthon, dis-nous, qu'as-tu trouvé ?

– Le Félon Orthon loge sur une plate-forme pétrolière désaffectée en mer d'Irminger.

– Une plate-forme pétrolière ? s'exclama Gus. Alors ça, c'est vraiment une planque « orthonesque » !

Oksa ne put s'empêcher de mesurer l'ironie de la situation : Tyko, celui qui avait été un père pour Tugdual pendant des années, était mort sur une plate-forme en mer du Nord, lors des cataclysmes. Et c'est sur une plate-forme que le jeune homme retrouvait un autre père, le vrai, l'atroce.

La jeune fille secoua la tête. « Ne pense pas à ça, Oksa, ne pense pas à ça. »

– La mer d'Irminger ? demanda-t-elle, à nouveau concentrée. Je n'en ai jamais entendu parler…

– La mer d'Irminger est située à soixante-deux degrés latitude nord, trente-cinq degrés longitude ouest.

– Oh… Et ça correspond à quelle partie du monde ?

– Océan Atlantique Nord, sud-ouest de l'Islande, est du Groenland…

– Quoi ?! le coupa Oksa. Entre l'Islande et le Groenland ? Mais alors, ça veut dire que nous étions juste à côté et que nous ne le savions même pas !

– Juste à côté, c'est peut-être beaucoup dire, non ? fit remarquer Gus.

Oksa lui jeta un coup d'œil réprobateur.

– Je ne sais pas si tu te rends compte de l'immensité in-fi-nie des mers et des océans… La probabilité pour qu'on se trouve dans le même secteur était quasiment nulle ! Et pourtant…

– Est-ce que je peux me permettre une précision ? intervint le Culbu-gueulard.

– Oh, oui, permets-toi !

– D'après mes calculs, lorsque ma Gracieuse et les Sauve-Qui-Peut sont partis du Groenland pour revenir en Angleterre, ils sont passés à quarante-deux kilomètres au sud-est de la plate-forme du Félon Orthon.

Oksa en resta bouche bée. Elle donna un bon coup de coude à Gus.

– Quarante-deux kilomètres… Tu imagines ? C'est dérisoire à l'échelle de la planète !

– J'admets… fit Gus, amusé.

– J'ai d'autres informations à vous communiquer, ma Gracieuse.

– Oui, bien sûr !

– La plate-forme du Félon Orthon se nomme la Salamandre. La température est de moins quatre degrés Celsius à l'extérieur, vingt-cinq degrés à l'intérieur. La structure dispose de cinq étages de trois cents mètres carrés chacun, aménagés en laboratoires, cellules informatiques, salles de sport, chambres et pièces à vivre…

– Une vraie base militaire ! s'alarma Oksa.

– Vous avez raison, ma Gracieuse. Ainsi que vous me l'aviez conseillé, j'ai parcouru toutes les coursives et mémorisé la configuration des lieux, ainsi que leur surface, hauteur sous plafond, accès, température, taux d'humidité. En cas de besoin, n'hésitez pas, tous les détails sont là, précisa-t-il en tapotant son minuscule crâne.

– Tu es excellent, je n'hésiterai pas, promis ! Et… qu'as-tu vu d'autre ? Y avait-il… des gens ?

Le Culbu se renfrogna.

– Oui, beaucoup.

– À ce point-là ? fit Oksa en grimaçant.

– J'ai dénombré trois Félons – Orthon et ses deux fils –, plus trente et un hommes et seize femmes. La moyenne d'âge est de trente-neuf ans et celle des quotients intellectuels de cent quarante-huit.

Gus siffla entre ses dents.

– On peut dire que ça fait une sacrée concentration de génies ! Mais comment tu arrives à savoir ce genre de choses ? C'est dingue !

– Nous autres, Culbu-gueulards, sommes génétiquement aptes à la détection de données chiffrables.

– Ça, il n'y a aucun doute ! approuva Gus en se souvenant du mini-Culbu et des dizaines de chiffres qu'il communiquait sans pouvoir s'arrêter lors de leur expédition islandaise.

– Enfin, je dois vous délivrer un dernier élément important, poursuivit le Culbu. La plate-forme dispose d'une armurerie considérable au premier étage de la partie habitable. En plus des milliers de pistolets-mitrailleurs et armes de poing, j'ai comptabilisé quatre cent dix-sept missiles et deux cent cinquante-deux torpilles nucléaires pouvant être déclenchés depuis les cinq lance-missiles installés sur les ponts extérieurs ou depuis le sous-marin du Félon Orthon.

Oksa et Gus ne purent cacher leur abattement.

– Ah… parce qu'en plus, il a un sous-marin… soupira Oksa.

– Comme si ça ne suffisait pas d'avoir assez d'armes pour pouvoir détruire la moitié de la planète ! fulmina Gus.

La jeune fille se tourna à nouveau vers la créature conique.

– Tu as fait du très bon travail, mon Culbu ! Je ne te remercierai jamais assez.

– Un Culbu-gueulard doit obéir aux ordres de sa Gracieuse et accomplir les missions qu'elle lui confie du mieux qu'il le peut ! répliqua la créature en se redressant dans une posture martiale.

Oksa respira à fond avant de lancer :

– À propos d'ordre, j'en ai un à te donner…

– Avec plaisir, ma Gracieuse ! Les ordres sont ma raison d'être !

– Mon Foldingot, approche, s'il te plaît ! Tu es concerné, toi aussi.

Gus fronça les sourcils et commença à s'agiter.

– Oh, oh, toi, tu es en train de mijoter quelque chose… grommela-t-il.

Oksa leva la main pour l'arrêter. Puis, grave et sévère, elle regarda tour à tour les deux créatures.

– Je vous donne l'ordre de garder le silence absolu sur ce qui vient d'être dit dans cette pièce, fit-elle à mi-voix.

Le Culbu-gueulard manifesta aussitôt son approbation, contrairement au Foldingot dont le teint devint cendreux.

– Le choix ne propose pas l'offre. Conséquemment, la domesticité de ma Gracieuse applique l'exigence de l'obéissance…

– Mais ? dit Oksa à sa place.

– Mais la domesticité de ma Gracieuse détient la connaissance des prévisions que ma Gracieuse développe dans son cœur et dans son esprit.

– Oksa ? s'inquiéta Gus.

– Nonobstant sa résignation, la domesticité de ma Gracieuse fournit l'expression de sa désapprobation concernant cette intention.

Le Foldingot n'était pas loin de défaillir.

– Quelle intention ? bredouilla Gus. Oksa, qu'est-ce que tu comptes faire ? Ne me dis pas que…

Oksa plaqua la main sur la bouche du garçon et le regarda droit dans les yeux avec une détermination qui l'effraya encore davantage.

– Ce n'est pas toi qui m'as dit qu'il fallait assumer ?

Réduit au silence, Gus haussa les épaules alors que ses yeux semblaient vouloir lancer des éclairs.

– Je vais y aller, Gus… murmura Oksa. Je vais aller sur cette fichue plate-forme et voir exactement ce qu'Orthon mijote.

Elle retira la main des lèvres de Gus et le poussa. Il se retrouva allongé sur le lit. Agenouillée au-dessus de lui, Oksa l'embrassa.

– Tu vois que j'assume…

48

L'inévitable décision

– T'es complètement folle !

– Pas autant que tu le crois...

Toujours agenouillée au-dessus de Gus, Oksa exultait.

– Regarde les choses en face ! Tu l'as dit toi-même : si l'armée mettait la main sur Orthon, ce serait un carnage.

Gus la regarda, partagé entre la fureur et la résignation.

– Ce n'est pas une raison pour que tu ailles seule sur la plate-forme... lâcha-t-il.

Oksa se laissa tomber à côté de lui et, les yeux rivés au plafond, elle glissa une main dans la sienne.

– Tu sais, Gus, j'ai peut-être l'air un peu impulsive et irréfléchie, mais j'ai beaucoup appris ces derniers temps. Et si je devais ne retenir qu'une seule chose, ce serait qu'il faut tout faire pour éviter d'attirer des ennuis sur ceux qu'on aime.

Gus tourna la tête. Il ne voyait que le profil d'Oksa, aussi déterminé, décidé, inflexible que son état d'esprit.

– Où tu veux en venir ?

– Tu te rends compte de l'importance de ce qu'on vient d'apprendre ? esquiva-t-elle.

– Des infos explosives...

– C'est le cas de le dire ! Imagine un peu : si Orthon venait à être démasqué pour son implication dans les drames de Castelac et Niagara – sans parler des évasions et des désordres boursiers –, et si l'armée venait à connaître sa planque...

– Ça fait beaucoup de « si »...

Oksa lui jeta un coup d'œil orageux.

– Tu oublies quelque chose de très important, répliqua-t-elle. Tout ce qu'Orthon fait, c'est pour qu'on connaisse son existence. Il est incapable de rester dans l'ombre. Tôt ou tard, il se manifestera. L'anonymat, très peu pour lui. Mais lorsqu'il revendiquera ses actes, il aura toutes les armées et les services secrets du monde à ses trousses...

– Et avec l'arsenal dont il dispose, il serait capable de faire sauter la moitié de la planète, rien que pour prouver qu'il a le contrôle... poursuivit Gus.

– Exactement ! s'exclama Oksa.

Depuis son fauteuil dans lequel il tentait vainement de rester à l'écart de ce terrible raisonnement, le Foldingot émit un gémissement poignant.

– Gus, personne ne doit savoir où se cache Orthon.

Aux yeux du jeune homme, Oksa n'avait jamais été aussi sérieuse.

– Même pas l'un d'entre nous ? Abakoum ? Ton père ?

– Personne.

– Mais... pourquoi ?

Oksa s'assombrit.

– Tu sais, Gus, être une tête brûlée ne m'empêche pas d'être lucide. La moindre erreur de notre part et on se fait prendre. On n'est jamais à l'abri. Si par malheur cela devait arriver, je te laisse imaginer la pression, les interrogatoires, les intimidations. Crois-moi, il vaut mieux ne pas avoir ce genre d'infos dans la tête. Ne pas savoir, c'est se garantir une chance de s'en sortir...

Gus resta silencieux et immobile pendant un long moment. Allongée sur le côté, la tête posée sur une main, Oksa l'observait.

– Ce n'est pas faux, finit par lâcher le garçon.

– Il n'y a que moi qui puisse aller là-bas, renchérit Oksa. On a appris certaines choses hyper-importantes, mais il nous manque l'essentiel : découvrir ce qu'Orthon manigance. Tant qu'on ne saura pas, on ne pourra rien faire pour l'arrêter.

– Je suis entièrement d'accord avec toi.

– Ah, tu vois ! fit Oksa en se redressant.

Soudain suspicieuse, elle ajouta :

– Tu ne diras rien, n'est-ce pas ?

– OK… mais à une condition…

Oksa ferma les yeux, redoutant ce que Gus allait inévitablement annoncer.

– Je viens avec toi !

Si Oksa était déterminée, Gus, lui, savait être tenace. La jeune fille ne ménagea pourtant pas ses efforts pour l'inciter à changer d'avis, le harcelant pendant des heures.

– Tu ne sais pas volticaler !

– Abakoum non plus ! Ça ne l'a pourtant pas empêché de venir avec vous… Tu n'auras qu'à me donner ce fameux Capaciteur de Grammeur. Si ça a marché pour lui, ça peut marcher pour moi !

La mine consternée d'Oksa ne lui échappa pas.

– Tu oublies que j'ai désormais du sang Gracieux *et* Murmou qui coule dans mes veines, ma vieille… Qui te dit que mon organisme ne peut pas réagir aux Capaciteurs ? Je te trouve vraiment fermée, comme fille. Sans aucune imagination…

Oksa leva les yeux au ciel.

– Je propose qu'on fasse un essai dans le jardin. Au moins, on sera fixés…

– Gus… grimaça la jeune fille.

– Et puis, les Grenettes peuvent te donner un coup de main… ou d'ailes… ajouta-t-il avec un clin d'œil.

– Très drôle… À supposer que ça marche, une fois là-bas, ce sera très dangereux et tu… tu n'as pas de pouvoirs…

– Et alors ? J'ai un cerveau ! Je crois t'avoir déjà prouvé que je savais l'utiliser, non ? Qu'est-ce que tu crois ? Que tu es la seule à pouvoir faire des choses ? Tu veux que je te rappelle certaines de tes gaffes, toute Gracieuse que tu es ?

En définitive, Oksa tenta tous les moyens, menaces, dissuasion, promesses, chantage…

Mais Gus ne lâcha rien. « J'ai été assez mis à l'écart… »

Et elle dut céder, avec, au fond du cœur et pour sa plus grande surprise, un véritable sentiment de satisfaction.

– Mes parents vont être furieux…

– Forcément ! Que tu y ailles avec ou sans moi, d'ailleurs.

Oksa passa une journée éprouvante. Outre la fébrilité qui l'agitait, elle devait éviter le regard inquiet et réprobateur du Foldingot et élaborer différents plans d'action avec Gus, tout en restant discrète. Ce qui n'était pas sa principale qualité.

– Ça va, Oksa ?

– Oui, Maman, très bien !

– Tu as l'air nerveuse.

– Ooff, tout ce qu'on vient de vivre et d'apprendre me met la tête à l'envers…

– Je comprends… Viens voir une seconde.

Depuis le canapé où elle berçait un duo de Devinailles, Marie l'attendait. Plus loin, Pavel cuisinait, tout en jetant un œil attendri – et nécessairement inquiet – aux deux femmes de sa vie.

Oksa vint se pelotonner contre sa mère. Ses cheveux, comme autrefois, dégageaient un tendre parfum. De la verveine, lui semblait-il… Une vague de nostalgie l'étreignit, presque déchirante. Le chapitre de son enfance était définitivement clos et c'était maintenant, à quelques heures d'accomplir l'action la plus indépendante de toute sa vie, qu'elle en prenait pleinement conscience. Cependant, ce parfum la touchait tant que, l'espace d'une seconde, elle faillit tout avouer à sa mère.

Oui. L'existence de personnes aimées et aimantes autour de soi avait un impact sur nos actes, leur réalisation, leur accomplissement. Ce n'était pas un hasard si la plupart des héros s'avéraient être des orphelins ou de grands solitaires...

– Je t'aime, Maman.

Marie la serra contre elle avec une tendresse bouleversante.

– Moi aussi, ma fille, moi aussi... murmura-t-elle.

Les narines d'Oksa se pincèrent. Elle battit des paupières pour chasser les larmes qui montaient et essaya de caler sa respiration sur les ondulations du Curbita-peto autour de son poignet.

L'enfance appartenait peut-être au passé, mais les liens du cœur, eux, étaient éternels.

49

Le grand saut

Maman, Papa, Abakoum, tout le monde,

Quand vous lirez ces mots, Gus et moi nous ne serons plus ici, près de vous.

Ne vous inquiétez surtout pas ! Je vous garantis qu'il ne nous arrivera rien.

Nous nous absentons pendant quelques heures pour des raisons que nous ne pouvons pas vous expliquer. Mais vous saurez tout à notre retour et, alors, vous comprendrez.

C'est pour nous tous, pour Du-Dehors et pour Édéfia que nous faisons cela.

N'oubliez pas que désormais, je suis grande et forte. Une vraie Pollock et une vraie Gracieuse.

N'oubliez pas non plus que je vous aime.

À tout à l'heure.

Oksa.

Oksa déposa le message bien en évidence sur la table du salon et jeta un coup d'œil à Gus : sa détermination n'avait pas faibli. Instinctivement, ils se prirent par la main et sortirent, sous le regard catastrophé du Foldingot devenu translucide.

Le Voltical avec transport de garçon dopé au Capaciteur de Grammeur n'avait pu être expérimenté sans risquer de susciter des questions embarrassantes de la part des habitants de la demeure d'Abakoum. Aussi Oksa et Gus durent-ils s'envoler dans la nuit noire sans savoir à quel point la petite gélule au goût de raisin fermenté agirait sur l'organisme du jeune homme.

– Je te préviens ! bougonna Oksa. S'il n'y a plus d'effet au bout de quelques minutes, je te ramène à la maison. C'est hors de question que je te porte sur mon dos pendant deux mille kilomètres, même avec l'aide des Grenettes...

– Comme tu exagères... Il n'y a que mille neuf cent quatre-vingt-dix-huit kilomètres ! corrigea Gus en serrant les doigts pour que le Capaciteur tienne ses promesses.

– C'est ça, fais ton malin... Quand je pense combien j'ai dû ruser pour récupérer ces Grammeurs...

Gus ne put s'empêcher de sourire et faillit faire remarquer à Oksa qu'elle n'avait pas rusé : elle avait purement et simplement volé les Capaciteurs dans la réserve d'Abakoum, à l'intérieur même de son laboratoire granokologique. Pourtant, il se retint. La jeune fille avait fait de gros progrès, mais elle ne pouvait pas tout assumer non plus...

Les craintes d'Oksa s'avérèrent infondées : à condition d'en prendre toutes les demi-heures, le Grammeur fonctionnait à merveille. D'ailleurs, Oksa s'empressait de le signaler dès que Gus commençait à retrouver son poids normal.

– T'as pas un peu pris ? se moqua-t-elle alors qu'ils quittaient les côtes de l'Irlande.

– C'est de l'humour de Gracieuse ? rétorqua le garçon, l'air pince-sans-rire.

Trop heureux de se voir confier une nouvelle mission, le Culbu-gueulard volait en éclaireur devant eux et donnait des informations au fur et à mesure de l'avancée. Outre les grands classiques – température, altitude, vitesse –, certaines données, comme le taux de salinité de l'eau ou la composition des roches sous-marines, présentaient un intérêt discutable. Tous ces chiffres ne leur servaient pas à grand-chose, mais l'informateur bourdonnant semblait si empressé de les communiquer que ni Oksa ni Gus n'eurent le courage de lui dire qu'il pouvait économiser ses forces.

– Oh, après tout, si ça lui fait plaisir, c'est le principal ! soupira Oksa.

– Tu plaisantes ? Qu'est-ce que tu peux manquer de curiosité... Mais c'est fascinant d'apprendre qu'on trouve du magnésium et du carbone dans l'eau de mer ! Du carbone... Je ne sais pas si tu te rends bien compte...

Oksa le sentait s'esclaffer dans son dos. Si elle avait pu, elle lui aurait volontiers donné un coup de coude.

– Tais-toi donc, sinon je monte en altitude et tu vas te transformer en glaçon en moins de temps qu'il ne faut pour le dire...

– Oh, à tes ordres, ma vieille !

Il resserra sa prise autour de sa taille.

– Il n'empêche qu'il y a du carbone dans l'eau de mer... Eh oui ! Et ton Gracieux dédain n'y changera rien.

Cette fois-ci, Oksa ne put s'empêcher de pouffer de rire. Décidément, Gus était non seulement en pleine forme, mais aussi un très plaisant compagnon de vol qui, comme son père, savait désamorcer par la dérision les situations difficiles.

À moins que ce ne soit la qualité typique d'un authentique Sauve-Qui-Peut... Ce qu'il était et avait toujours été, en fin de compte.

Il était vingt-trois heures, heure locale, quand les deux aventuriers furent prévenus par le Culbu-gueulard de la proximité de la plate-forme. Oksa et Gus sentirent leur corps se contracter. La traversée de l'océan avait été un jeu d'enfant par rapport à ce qui les attendait...

Sous un vent modéré, la mer était agitée, mais pas déchaînée. Au loin, le repaire d'Orthon se distinguait à peine, l'horizon étant englouti par la nuit sans lune. Seules quelques lumières scintillaient, donnant à la Salamandre l'aspect d'un monstre marin pailleté.

Oksa se positionna en vol stationnaire. Afin de ne pas se faire repérer par les radars – nul doute que la plate-forme devait en être équipée –, ils avaient décidé d'une approche séparée : Oksa gagnerait la Salamandre par voie sous-marine et Gus se laisserait porter par les Grenettes qui piaffaient d'impatience de se rendre utiles. Dans le faisceau des détecteurs, la présence du garçon serait aisément assimilée à une nuée de gros oiseaux et celle d'Oksa à un banc de poissons.

– Moi, je ne pèse presque rien et toi, te voilà transformée en dauphin ! chuchota-t-il en se laissant agripper par les minuscules mais vigoureuses pattes des grenouilles volantes. Qu'est-ce que tu ne ferais pas pour m'épater ?

– Oh, j'ai encore de la marge, ne t'inquiète pas…

Ils s'avancèrent prudemment, l'un survolant l'autre au ras de l'écume des vagues qui faisait de temps à autre voltiger des plaques de mousse salée sur ses vêtements.

– La plate-forme se trouve à cent douze mètres, annonça le Culbu-gueulard. Cent dix, cent huit…

– Merci, mon Culbu… l'arrêta Oksa, la tête hors de l'eau pour reprendre sa respiration. Tu es… adorable ! ne put-elle s'empêcher d'ajouter.

En quelques secondes, ils atteignirent enfin l'énorme structure d'acier. Oksa parcourut en volticalant les derniers mètres qui la séparaient du sommet d'un des piliers de soutènement où les Grenettes venaient de lâcher Gus avec précaution. Ils s'assirent un instant, plus nerveux qu'ils ne l'avaient supposé. La mer grondait sous eux, se heurtant contre l'acier, véritable intrus au milieu de cette nature brute. Les deux amis levèrent la tête et leur regard se perdit à travers l'enchevêtrement de poutrelles, haut, très haut, vers le sommet de la plate-forme.

– C'est bon ? chuchota Oksa. Tu te rappelles le plan ?

Gus acquiesça.

– D'accord. Alors, allons-y.

Oksa avança d'un pas. Mais avant qu'elle n'aille plus loin, Gus lui attrapa le bras.

– Ça va ? s'inquiéta la jeune fille.

Pour toute réponse, Gus l'embrassa.

Nerveusement, précipitamment, mais très amoureusement.

Maintenant, tout pouvait commencer.

50

Un assaut très discret

Le plan qu'Oksa et Gus avaient dessiné en cachette d'après les instructions du Culbu-gueulard leur fut tout de suite utile. Pour sortir de l'entrelacs de poutrelles, il fallait grimper le long d'une interminable échelle, malcommode et étroite, menant au socle même de la plate-forme. L'humidité rendait les barreaux glissants, les deux amis s'en saisirent avec précaution. Une fois sur le plancher de la structure, ils se dirigèrent vers une petite porte rouillée en rasant les parois et les piliers d'acier. À cette hauteur, le vent soufflait plus fort et semblait vouloir déboulonner le moindre élément qui constituait la plate-forme, comme un jeu de construction qu'on pouvait démonter pièce après pièce.

Le Culbu leur avait certifié l'absence de caméras de surveillance et ils avaient choisi de miser sur la haute estime qu'Orthon s'accordait pour ne pas envisager l'existence d'autres sentinelles, humaines ou électroniques.

– Qui aurait l'intelligence sur cette Terre de venir débusquer un génie de son envergure sur une vieille plate-forme pétrolière hors d'usage ? avait ironisé Oksa plus tôt dans l'après-midi.

– Oui, mais n'oublie pas qu'il est aussi complètement parano... avait opposé Gus.

À pas de loup, ils pénétrèrent enfin à l'intérieur de la bâtisse après qu'Oksa eut ouvert la porte grâce à une torsion de l'index. Ils attendirent quelques secondes : aucune alarme ne se mit en route, aucun garde ne survint, arme au poing, aucun essaim de Chiroptères ou de furieuses bestioles ne se rua sur eux. Ils progressèrent alors jusqu'à un escalier menant vers les étages.

Des veilleuses enveloppaient la coursive d'une désagréable lumière verte qui leur permettait de voir des portes blindées de part et d'autre – la fameuse armurerie évoquée par le Culbu-gueulard. Oksa frissonna à la pensée des missiles et des torpilles, et les imagina s'écraser un peu partout, créant le chaos, peut-être même la fin du monde. « Tu es là pour que ça n'arrive pas… » se dit-elle pour se rassurer. Et pour se motiver, malgré la responsabilité invraisemblable que cela représentait.

Gus lui indiqua qu'il était temps de passer au deuxième étage. Des signes d'activité leur parvenaient depuis le bas de l'escalier, de la vaisselle s'entrechoquant, des voix diffuses. Oksa tendit l'oreille, Chucholotte à l'œuvre.

– Va te coucher, James, tu as l'air épuisé.

– Tu es sûr que ça ne te dérange pas de finir seul ?

– Pas du tout. De toute façon, on a quasiment terminé.

– Alors salut, à demain.

– À demain !

Des bruits de pas résonnèrent sur le palier du deuxième étage et s'évanouirent dans les étages supérieurs. Sur l'ordre murmuré par Oksa, le Culbu fit un aller-retour de reconnaissance.

– Un homme se trouve dans les cuisines, annonça-t-il à l'oreille des deux espions. Il est âgé de vingt-huit ans et actuellement la seule personne éveillée à cet étage. Huit hommes et quatre femmes, soit douze personnes, sont endormis dans les dix chambres localisées à ce niveau, à l'extrémité sud-ouest et sud-est de ce couloir.

– Parfait ! chuchota Oksa. Allons-y.

Elle s'engagea la première, la respiration retenue tout en sachant que ça ne servait à rien. Le grincement soudain d'une marche, en plein milieu de l'escalier en colimaçon, l'arrêta net. Ses oreilles se mirent à bourdonner d'angoisse, comme si l'armée d'Orthon allait fondre sur eux à cause d'une malheureuse plaque de métal mal vissée...

« Hé ! Il va falloir être plus solide que ça si tu veux y arriver ! » se gronda-t-elle intérieurement.

Le cœur tambourinant, elle continua, Gus sur les talons.

L'homme savait qu'il avait été engagé par quelqu'un de pas tout à fait ordinaire. Il avait feint de ne rien voir et surtout de ne rien dire lorsqu'il l'avait vu voler, déplacer des objets à distance ou « malmener » un de leurs compagnons. La discrétion et la subordination étaient les conditions indispensables à son engagement et, ainsi qu'il n'avait pas tardé à le comprendre, à sa survie.

Élégant et raffiné, il avait été concierge dans des hôtels de luxe et avait connu les plus belles villes du monde jusqu'à être arrêté par Interpol, la police internationale, pour escroquerie et vol de bijoux. C'était pourtant dérisoire, tous ces gens étaient si riches... Son jugement, puis la révélation de la fortune qu'il avait réussi à amasser au cours de sa carrière défrayèrent la chronique. Selon lui, on exagérait : à peine avait-il réussi à prélever une vingtaine de millions de dollars...

Personne n'avait voulu reconnaître le travail colossal que tout cela représentait. Personne n'avait voulu voir en lui un esthète, un être d'exception amoureux des belles choses.

Personne, sauf le Master Orthon qui était venu l'extraire de l'épouvantable prison de Pelican Bay où on l'avait transféré.

Étant donné le peu de chances qu'il avait de pouvoir survivre à l'enfer auquel on le destinait, cette « aide » valait bien toutes les promesses de silence, de mutisme et d'aveuglement.

Quand l'homme se retourna et qu'il vit deux jeunes gens à l'entrée de la cuisine, la stupéfaction le paralysa. Il connaissait tout le monde sur la Salamandre ; sauf eux. Ses atouts – la ruse et l'habileté – ne faisaient pas de lui un homme d'action. C'est pourquoi il resta figé au milieu de la pièce, une pile d'assiettes dans les mains, jusqu'à ce qu'Oksa l'immobilise définitivement grâce à une Arborescens qui lui fit lâcher la vaisselle. La perspective de ces kilos de porcelaine se brisant sur le carrelage dans un vacarme de tous les diables s'imposa si vite dans le cerveau d'Oksa que, sans même s'en rendre compte, elle pratiqua un Magnétus – la-fille-qui-fait-des-Magnétus-plus-vite-que-son-ombre, la baptiserait plus tard Gus... Les assiettes volèrent comme des frisbees jusqu'au plan de travail sur lequel elles s'entassèrent sous le regard médusé de l'homme.

Il lui répugnait de le faire, mais Oksa finit par lui lancer une Muselette. Le gros insecte enfonça ses minuscules griffes autour des lèvres de l'homme, empêchant le moindre son de sortir de sa bouche.

– Viens, on va le mettre là ! fit Oksa.

Ils tirèrent le corps neutralisé vers une porte ouvrant sur ce qui s'avérait être une buanderie.

– Ça ne pouvait pas tomber mieux ! s'exclama Gus. Je vais pouvoir me choisir un uniforme sur mesure !

Il fouilla dans les portants sur lesquels étaient suspendues des tenues, toutes identiques, toutes noires et toutes estampillées d'une salamandre de couleur rouge : pantalon en toile épaisse, tee-shirt à manches longues, pull à col roulé, caban de marin, bonnet de laine et chaussures montantes. Il choisit prestement chacun des vêtements à sa taille et s'en vêtit, motivé comme jamais.

Au moment de quitter la buanderie, Oksa regarda son ami puis l'homme dûment ligoté et muselé.

– Ça le fait ! conclut-elle. Tu as l'air d'un vrai Félon.

Elle se recouvrit des vers d'invisibilité et disparut.

– Et je fais comment pour savoir où tu es ? s'inquiéta soudain Gus.

L'apparition de la main d'Oksa le rassura aussitôt et lui tira même un sourire.

– On dirait « la chose » dans la Famille Adams !

Il ne put voir le regard amusé d'Oksa, mais sentit sa main dans la sienne. Elle dégagea sa bouche pour pouvoir se faire entendre.

– Allez… Fini de rigoler, maintenant. Il faut qu'on trouve le bureau d'Orthon.

Le Culbu-gueulard avait parfaitement repéré le terrain : le fameux bureau se trouvait là où il l'avait annoncé, au quatrième étage, entre le laboratoire médical et la cellule informatique.

Pièce aveugle blindée, tapissée de miroirs sans tain donnant, selon les informations de la créature, sur les autres salles, le bureau faisait figure de centre névralgique tapi au cœur de la plate-forme.

Tout partait de là et tout y aboutissait.

51

En dépit du danger

L'étage le plus stratégique de la Salamandre bénéficiait malheureusement d'une surveillance spéciale et c'est avec un certain dégoût qu'Oksa retrouva ses vieilles ennemies : un essaim d'une dizaine de guêpes-sentinelles à l'abdomen bleu et noir montait la garde devant le sas à partir duquel on pouvait accéder au bureau d'Orthon.

– Les ennuis commencent… soupira Oksa.

Gus se tourna vers ce qu'il voyait de son amie : une main et une bouche rattachées à rien et semblant flotter bizarrement en l'air.

– C'est quoi, ces bestioles ?

– Des Vigilantes, répondit la jeune fille. Fais attention ! Une piqûre et tu te retrouves paralysé avec, tu t'en doutes, des souffrances insupportables à la clé.

– Super… grommela Gus. Est-ce que par hasard tu ne pourrais pas… les tuer ?

– Vous n'avez pas le droit de vous trouver ici ! retentit la voix nasillarde de la plus imposante des Vigilantes. Retournez dans votre cantonnement.

Surpris qu'un si petit insecte puisse déployer une telle puissance sonore, Gus blêmit et remonta d'instinct le col de son pull sur son visage. Les dards, tous braqués vers les deux intrus, effacèrent vite les ultimes hésitations d'Oksa. De sa main apparente, elle lança quelques Feufolettos qui s'abattirent comme une pluie de minuscules météorites enflammées sur les Vigilantes. Leurs cendres restèrent suspendues un moment avant de retomber lentement, fines poussières noires éparpillées sur le sol.

– J'adore quand tu fais ça… murmura Gus.

– Culbu, est-ce qu'on doit s'attendre à d'autres rencontres de ce genre ? demanda Oksa.

L'informateur, encore essoufflé de son inspection à travers le système d'aération, se posa dans la paume de sa main.

– Le sas et le couloir sont dépourvus de surveillance, mais le bureau est actuellement occupé par cinq Chiroptères Tête-de-Mort.

– Je me disais aussi que tout se passait trop bien… commenta Gus, inquiet.

– T'inquiète, fit Oksa. On a connu bien pire.

Dubitatif mais déterminé, Gus la suivit jusqu'au sas que la Jeune Gracieuse n'eut aucune difficulté à ouvrir. Une lumière stroboscopique les éblouit quand ils débouchèrent dans le couloir. Au bout de quelques secondes seulement, les flashes incessants commencèrent à irriter leur cerveau et à altérer leur équilibre. Même en fermant les yeux de toutes leurs forces, ils percevaient encore les assauts lumineux, si puissants qu'ils semblaient pouvoir percer leur peau et traverser leur corps tout entier.

– Ce truc est redoutable ! gémit Oksa sans pouvoir faire quoi que ce soit pour lutter.

Ils titubèrent jusqu'aux murs et, quasiment à tâtons, se dirigèrent vers la deuxième porte.

Après plusieurs tentatives, Oksa dut se rendre à l'évidence.

– Je n'arrive pas à entrer !

– Oh…

– Je vais passer à travers et ouvrir depuis l'intérieur.

Gus lui attrapa la main.

– Tu ne me laisses pas ici comme un pauvre imbécile…

La bouche d'Oksa se tordit en une grimace énervée.

– Premièrement, je ne t'ai jamais laissé en plan et deuxièmement, tu n'es pas un pauvre imbécile.

Elle dégagea sa main, réintégra ses Invisibuls à l'intérieur de sa Crache-Granoks et se retourna vers la porte. Mais avant d'entreprendre la traversée de la matière, elle fit volte-face pour s'adresser de nouveau à Gus :

– Et ce n'est vraiment pas le moment de m'énerver, s'il te plaît.

Le temps d'un clignement de cils, elle s'enfonçait déjà dans le blindage de la porte.

De l'autre côté, l'obscurité était totale, il lui fallut un temps d'adaptation pendant lequel elle sentit son cœur cogner sans ménagement jusqu'à lui faire affreusement mal. Quand elle put enfin distinguer quelque chose, son cœur faillit s'arrêter tout à fait.

Cinq paires d'yeux rouges la fixaient.

De près. De très très près.

D'un geste impulsif, plein de colère et de peur, elle lança des Knock-Bong au hasard, provoquant un vacarme dont elle se serait bien passée.

Par le pouvoir des Granoks
Déchire ta coque
J'en appelle à ma Trasibule
Qu'elle m'éclaire de ses tentacules.

La pieuvre aux onze tentacules jaillit de la Crache-Granoks et se posa sur son épaule. La Jeune Gracieuse n'y était pas allée de main morte : les propriétaires des cinq paires d'yeux étaient bel et bien assommés à l'autre bout de la pièce, ailes déployées, gueules grandes ouvertes sur leurs innombrables petites dents acérées. Mais quelques meubles et objets avaient également été renversés, des fauteuils, des dossiers, la souris de l'ordinateur. Sans s'attarder sur l'aménagement du bureau, Oksa parcourut brièvement l'espace du regard et s'attela à l'ouverture de la porte. Gus était de l'autre côté, terriblement vulnérable malgré sa détermination et son courage. Il fallait faire vite.

En dépit de leur robustesse, les deux verrous correspondaient à des modèles classiques : canon actionné par une clé – ou une limace bleue... – depuis l'extérieur et par un simple tour de molette à l'intérieur.

– Gus ? appela Oksa en passant la tête dans l'entrebâillement de la porte. C'est bon, tu peux venir !

Le jeune homme se précipita, à moitié étourdi par les éclairs stroboscopiques. Le Culbu-gueulard voleta derrière lui.

– Qu'est-ce que t'as fabriqué ? fit-il après avoir accommodé sa vision à la pénombre du bureau et constaté le désordre créé par Oksa.

– J'ai fait mon possible pour contenir l'enthousiasme de notre comité d'accueil... répondit-elle en lui montrant les Chiroptères qui se remettaient péniblement de leur rencontre avec la Jeune Gracieuse.

– Je vois...

– Bon, on commence par quoi ?

– L'ordi ?

– Si vous le permettez, ma Gracieuse et son ami, intervint le Culbu, vous devriez commencer par remettre de l'ordre car je dois vous signaler l'approche du Félon Orthon. Son arrivée dans cette salle est estimée à trois minutes trente-quatre secondes... trois minutes trente-trois... trois minutes trente-deux...

Catastrophés, Oksa et Gus ne perdirent pas un seul instant et se mirent à ranger tout ce qui avait été projeté par le Knock-Bong. Le stress envahissait leur esprit, gagnait leurs muscles, leurs nerfs, alors que l'envie de fuir se faisait plus urgente que jamais. Mais sans échanger un seul mot, à peine plus d'un regard, les deux espions arrivèrent à la même conclusion : davantage que de consulter des dossiers ou le disque dur d'un ordinateur, rester dans cette pièce était leur meilleure chance d'arriver à apprendre quelque chose d'intéressant.

« On ne pouvait pas rêver mieux... » se convainquait Oksa. « On n'a pas fait tout ça pour repartir dès que ça commence à craindre un peu ! » se répétait Gus.

– Deux minutes quarante-trois... récitait le Culbu dans un compte à rebours angoissant. Deux minutes quarante et une...

Sur le sol, les cinq Chiroptères revenaient à eux. Leurs ailes s'agitaient mollement dans un son mouillé qui n'était pas sans évoquer celui de chaussures pataugeant dans une boue poisseuse. Malgré son dégoût, Oksa déposa deux créatures sur le bureau et les trois autres au bord d'une étagère croulant sous des piles de dossiers qu'elle brûlait d'envie de consulter.

– Oksa, je vais me planquer là, fit Gus en montrant un placard aux portes coulissantes.

Il se recroquevilla entre les boîtes qui l'encombraient et qu'Oksa fit en sorte de replacer pour dissimuler son ami. Ils échangèrent un dernier regard, un peu pressé, plutôt fiévreux. Puis elle repoussa le battant en prenant soin de ménager une petite ouverture.

– T'inquiète, si ça doit mal tourner, j'ai ce qu'il faut là-dedans... fit-elle en tapotant sa petite besace portée en bandoulière.

– J'espère qu'on n'en arrivera pas là...

– J'ai un Crucimaphila, tu sais.

Gus la regarda avec gravité.

– Je reconnais que c'est plutôt tentant d'en finir une bonne fois pour toutes avec Orthon, dit-il. Mais ne fais pas ça, Oksa. N'oublie pas qu'on est en terrain ennemi, on serait tout de suite abattus.

– Trente-neuf secondes... Trente-huit secondes... continuait d'énumérer le Culbu.

– On ne mérite pas de mourir pour lui, je t'assure ! lança Gus avant de s'enfoncer au fond du placard.

– Je sais, Gus. Je te promets que je sais.
– Vingt secondes… Dix-neuf secondes…
– Viens là, mon Culbu ! ordonna Oksa en réintégrant sa Trasibule dans sa Crache-Granoks.

Crache-Granoks,
Déchire ta coque
Et libère les Invisibuls
Rendant ma présence nulle.

À peine eut-elle fini de s'enduire des pieds à la tête des frétillants petits vers que des bribes de voix lui parvinrent depuis le couloir. Elle reconnut celle d'Orthon.
Il n'était pas seul.

Elle aurait pu rester debout au milieu de la pièce, son invisibilité le lui permettait. Mais, d'instinct, elle se tapit dans un angle, dans la position qui lui apportait le plus de réconfort et de sûreté : les bras enroulés autour de ses jambes repliées contre elle, le menton posé en appui sur ses genoux. Elle jeta un bref coup d'œil au placard où se trouvait Gus, certaine que leur cœur, autant l'un que l'autre, battait à s'en décrocher.

Étrangement, les dernières secondes s'égrenaient avec lenteur, comme si le temps se distendait.

Puis les verrous s'actionnèrent, la porte s'ouvrit largement, laissant entrer un rai de lumière stroboscopique dans lequel se détachèrent tour à tour quatre silhouettes. La porte se referma alors que s'allumait le plafonnier.
Orthon balaya la pièce du regard. Ses yeux se posèrent sur les Chiroptères. Oksa retint son souffle. D'autant plus quand elle aperçut la souris de l'ordinateur, renversée sur le sol. Elle avait oublié de la ramasser ! Si les Invisibuls représentaient un pouvoir sensationnel, ils avaient l'inconvénient

de rendre toute action impossible : rien ne pouvait atteindre Oksa et elle ne pouvait atteindre personne. Ne restait qu'à souhaiter que la souris ne soit pas le « détail qui tue »...

Pour le moment, Orthon s'attardait sur les immondes chauves-souris qui s'étiraient comme après un lourd sommeil, leurs ailes luisantes déployées. Puis il continua son inspection, l'air impassible. Son crâne chauve luisait sous la lampe, lui donnant l'aspect d'une sphère métallique à l'arrondi parfait.

– Prenez place, je vous prie... fit-il enfin en indiquant à ceux qui l'accompagnaient les fauteuils de cuir installés en cercle autour d'une table basse.

Gregor et Markus Olsen s'assirent en silence, de chaque côté du Félon. Quant au quatrième participant de ce comité restreint, il sembla éprouver une certaine hésitation avant de choisir dans quel siège s'installer.

Un vertige d'émotion força Oksa à s'appuyer dos contre le mur.

Elle se trouvait dans l'exacte trajectoire de Tugdual.

Tugdual.

Plus froid, plus mystérieux, plus fascinant que jamais.

52

Mise à jour

Tugdual n'était pas mort.

Bien sûr que non.

Ni Oksa, ni Gus, ni personne autour d'eux n'avait imaginé qu'il puisse l'être. Il n'y avait que le reste du monde pour croire qu'il avait mis fin à ses jours en sautant dans les chutes du Niagara. Et le fait qu'on n'ait pas retrouvé son corps n'y changeait rien.

– Jusqu'à maintenant, on peut dire que tout s'est déroulé à merveille ! commença Orthon.

Oksa le voyait de profil et, pour une fois, elle avait tout loisir de l'observer.

Le temps semblait ne pas avoir de prise sur son corps. Tous ceux qu'elle connaissait avaient vieilli, elle ne pouvait l'ignorer. Abakoum, ses parents et même les plus jeunes, Zoé, Kukka... Personne n'était exempt. Personne sauf Orthon qui, malgré les mois, les années, les épreuves, échappait à l'inévitable.

Comme s'il n'avait jamais été jeune, comme s'il n'allait jamais être vieux.

Son extrême minceur, rehaussée par une élégance sobre, presque austère, n'enlevait rien à l'impression de puissance implacable qu'il dégageait. Coudes en appui sur les bras du fauteuil, mains jointes devant lui, jambes croisées, il gardait la même raideur qu'Oksa lui avait toujours connue. Avec cependant une dimension supplémentaire inscrite sur ses traits et dans son regard : l'assurance aveugle et sans limites des vrais psychopathes.

– Alors, où en sommes-nous de nos petites emplettes ? demanda-t-il.

Gregor posa une tablette tactile sur ses genoux et promena son doigt sur l'écran.

– Vous possédez la moitié des stocks de blé, de riz, de sucre et de cacao de la planète, Père. Et ceux qui ont accepté vos conditions se sont d'ores et déjà engagés à vous réserver leurs prochaines récoltes. Il reste quelques interlocuteurs à convaincre, ce devrait être chose faite d'ici une quinzaine de jours.

– L'argent est vraiment le meilleur argument qui existe dans ce monde ! fit Orthon avec un rictus plein d'ironie. Je serai toujours surpris de constater combien peu d'hommes sont capables d'y résister. Mais continue, mon fils, continue…

– Il ne reste plus un seul gramme de soja, plus une pomme de terre, plus un grain d'avoine qui ne vous appartienne pas. Par ailleurs, vous serez d'ici quelques heures détenteur du stock mondial de betterave et de maïs…

Orthon explosa d'un grand rire.

– Voilà une bonne leçon donnée à tous ceux qui se sont un jour mis en tête d'utiliser des produits alimentaires pour fabriquer des carburants ! Quand des milliards d'humains ne mangent pas à leur faim, est-ce bien raisonnable de sacrifier autant de récoltes pour faire avancer toutes ces ridicules voitures ?

Il se rembrunit soudain.

– Là d'où je viens, nous avons toujours eu le sens des priorités… Jamais nous ne serions tombés aussi bas dans l'absurdité.

Markus Olsen opina de la tête. Tugdual, en revanche, ne semblait même pas entendre ce qui se disait. Son regard restait vide. Pourtant, Oksa aurait juré percevoir un frémissement lorsque, soudain, ses yeux dévièrent vers la souris de l'ordinateur qui se trouvait toujours là où elle n'aurait pas dû être. Le jeune homme bougea très lentement l'index, l'objet s'éleva du sol, se retourna et vint se poser sur le bureau sans que personne le remarque. À part Oksa qui était au bord de l'évanouissement... Et pourtant, ce n'était que le début. Tugdual scrutait le coin où elle se tenait, respirant à peine, invisible. Ses yeux glacés s'étrécirent et restèrent braqués dans sa direction alors que son visage se creusait dans une expression de tristesse presque imperceptible.

Sentait-il qu'elle était là ? La... voyait-il ?

Ou bien Oksa interprétait-elle ce qu'au fond d'elle, elle souhaitait désespérément ?

La voix de Gregor la ramena à la réalité.

– Concernant les métaux, vous possédez assez de fer, de cuivre et de plomb pour déstabiliser n'importe quel marché, précisa le fils aîné d'Orthon. Je vous signale également que les dernières réserves de caoutchouc et de coton viennent d'être ajoutées à votre... panier.

Tapis dans leur cachette – Gus au fond de son placard, Oksa sous ses Invisibuls –, les deux espions étaient effarés. Qu'Orthon soit derrière tous les spectaculaires désordres boursiers des derniers mois n'était pas une découverte. Mais qu'il détienne le monopole des matières premières élémentaires pour que fonctionne le monde moderne – et, bien au-delà, pour qu'il survive – s'avérait une bien mauvaise nouvelle.

– Magnifique ! jubila celui qui se rêvait le Maître du monde en se tapotant le menton du bout de l'index. Avons-nous assez d'espace pour entreposer nos achats ?

– Vous avez de solides alliés dans quelques anciennes républiques soviétiques et dans une dizaine de pays africains, répondit Gregor. Leur adhésion à votre cause vous permet de disposer de capacités de stockage quasiment illimitées.

– Bien cachées, j'espère !

– Introuvables... confirma Gregor.

– Très bien ! se félicita Orthon. Le monde ne pourra pas vivre longtemps sur ses réserves ! Et alors, qui distribuera les denrées et les matières devenues plus précieuses que de l'or ? Qui empêchera les hommes de s'entretuer pour une miche de pain ou un bol de riz ? Qui sera le bienfaiteur de l'humanité ?

– C'est vous, Père.

– Exactement ! Et le pétrole, ce fameux or noir ?

– Pendant les cataclysmes, de nombreux forages ont subi des dommages importants et le transport des marchandises n'a pas encore retrouvé tout son dynamisme. En conséquence de quoi la production de pétrole a baissé, on a beaucoup puisé dans les stocks qui se sont considérablement amenuisés. Depuis votre visite à son premier secrétaire, poursuivit Gregor, l'OPEP[1] est sous votre contrôle, Père. Concernant le pétrole russe, vos relations avec le mafieux Sergueï Panasiuk se sont révélées très concluantes, la production du pays est presque entièrement déviée vers vos réserves personnelles.

– Les mafias sont et resteront toujours des partenaires compréhensifs quand on mène des projets ambitieux, commenta Orthon sur un ton professoral.

– En revanche, votre contact iranien a été démasqué. Il vient d'être condamné à mort pour haute trahison.

Agacé, Orthon s'agita dans son fauteuil.

– Pourquoi accuse-t-on toujours de félonie ceux qui veulent faire avancer l'humanité ? grinça-t-il. Est-on forcément un félon quand on veut un monde différent de ce qu'il est ?

Sous sa couche de petits vers grouillants, Oksa fulminait. Un monde différent ? C'est ainsi que ce fou voyait les choses ?

– Ces idéalistes de Sauve-Qui-Peut me considèrent comme tel, poursuivit-il. Mais si par là on doit comprendre « visionnaire », « pionnier » et « ordonnateur d'un monde nou-

---

1. Organisation des pays exportateurs de pétrole.

veau », je veux bien être un félon. Oh, non, mieux que cela : *le* Félon, avec ce « F » majuscule qui finalement m'honore.

« Complètement frappé... » gémit Oksa.

– Tu as parfaitement raison, Orthon... l'encouragea Markus.

– Je sais, Markus, je sais. Et nous avançons avec les États-Unis ? lança-t-il à brûle-pourpoint.

Gregor se redressa.

– Le contrôle des réserves et de la production américaines est total depuis...

Il regarda sa montre.

– ... depuis très précisément vingt minutes !

– Et pourquoi ne suis-je au courant que maintenant ? répliqua Orthon d'un ton cinglant.

Le silence qui s'ensuivit, et surtout l'onde de choc générée par cette réaction violente figèrent Gregor et Markus, tout comme Oksa et Gus. Même Tugdual réagit, les mains soudain crispées sur les accoudoirs, le regard aux aguets.

« C'est vraiment un grand malade... » se dit Oksa en observant Orthon, consternée.

Il s'en fallait de peu qu'elle ne prenne Gregor en pitié. En dépit des circonstances, c'était si injuste d'être traité ainsi ! Les observations de Barbara lui revinrent en tête. L'intransigeance, la brutalité morale, le mépris et en même temps la dépendance affective, le sens de la famille...

« Ce dingue est en train de reproduire sur ses fils exactement ce qu'il subissait avec son père ! »

Le visage d'Orthon se détendit aussi vite qu'il s'était contracté.

– C'est une excellente nouvelle ! claironna-t-il. Je savais que le Vice-Président était un homme sensé ! Ce que tu m'annonces, mon fils, est la preuve que j'attendais. Le ralliement du numéro deux du gouvernement américain représente une pièce maîtresse dans ce qui va se passer à partir de maintenant.

Ses trois interlocuteurs ne semblaient pas en savoir plus qu'Oksa et Gus, et tous attendaient à leur façon ce que le Félon allait bien pouvoir annoncer : les uns avec une curiosité intense, les autres avec appréhension.

– Certains des grands de ce monde ont déjà adhéré à ma cause et m'ont admis parmi eux. Des hommes intelligents et clairvoyants, à n'en pas douter. À cette petite nuance près : si aujourd'hui je suis leur égal, c'est pour être leur Maître demain. Mais ils le comprendront bien assez tôt... Pourtant, d'autres n'ont pas saisi qu'il était urgent d'évoluer vers d'autres modèles que ceux dans lesquels ils se repaissent depuis des siècles. Fini leur pseudo-humanisme ! Fini leur bla-bla ennuyeux ! Finies leurs sempiternelles magouilles ! Qu'ils le veuillent ou non, je suis l'avenir... Ils vont le comprendre à leurs dépens et paieront cher leur obstination à me mépriser.

Il accompagnait chacune de ses phrases d'un geste théâtral, mouvement du bras, haussement de sourcils, pose arrogante, regard juché sur les hauteurs de sa mégalomanie. Si Markus et Gregor, admiratifs, l'écoutaient religieusement, Oksa et Gus se tassaient dans leur cachette, affolés. Tugdual, lui, semblait vouloir s'accrocher à son fauteuil comme à une bouée de sauvetage. C'est en tout cas ce qu'Oksa se convainquait de voir.

– Certains ne sont pas assez lucides pour me suivre, d'autres négligent ce que j'ai à offrir au monde, s'enflamma à nouveau Orthon. Eh bien, ils seront les premiers sur ma liste noire, tant pis pour eux. Maintenant que nous avons un allié de choix à la tête du pays qu'on dit le plus puissant, nous allons pouvoir passer aux choses sérieuses...

Il se leva d'un bond et redressa fièrement la tête.

– Mes fils, mon ami, les portes d'un nouveau monde nous sont désormais grandes ouvertes ! L'avenir, c'est moi, c'est nous !

53

Le choix des armes

L'enthousiasme d'Orthon lui avait fait hausser la voix. Tirés de leur léthargie, les Chiroptères s'agitèrent et se mirent à voleter autour du bureau. L'un d'eux, particulièrement éveillé, entreprit de vouloir entrer dans le placard entrouvert où se cachait Gus. Le sang d'Oksa ne fit qu'un tour. Il fallait agir avant que les quatre Félons ne soient alertés par les tentatives de l'épouvantable bestiole. Ce qui laissait à la jeune fille quelques secondes, tout au plus.

Prenant le risque d'attirer l'attention sur elle, elle dégagea une partie de sa bouche des vers d'invisibilité qui la couvraient, juste assez pour pouvoir souffler dans sa Crache-Granoks, et envoya à la chauve-souris une Granok qui la ferait dévier de son idée fixe de vouloir pénétrer dans ce placard. La Cafouillis lui parut la plus adaptée aux circonstances : discrète, elle n'attirerait pas l'attention des Félons. Tout au plus seraient-ils intrigués par les divagations du Chiroptère... Celui-ci, d'ailleurs, commençait à faire de drôles de cabrioles aériennes, la gueule étirée en une sorte de sourire idiot. Son passage en rase-mottes au-dessus du crâne brillant d'Orthon stoppa net ses ambitions acrobatiques : agacé, le Félon le chassa du revers de la main et balaya la pièce d'un regard soupçonneux.

« Non... Il ne peut pas imaginer qu'on puisse être là ! » se dit Oksa. Beaucoup plus exposé, Gus pensait exactement l'inverse. « Ce dingue va me trouver... Oksa va vouloir me défendre, elle va se montrer, ils vont tous lui sauter dessus… On est fichus… »

Oksa avait pris soin de recouvrir à nouveau – et à contre-cœur – sa bouche des Invisibuls, mais peut-être Tugdual, qui ne quittait toujours pas des yeux le coin où la Jeune Gracieuse se recroquevillait, avait-il eu le temps d'apercevoir cette… anomalie, ce morceau d'elle flottant en l'air.

Oksa n'eut pas le temps d'en savoir davantage : Orthon s'approchait de Tugdual. Il l'étreignit, non sans chuchoter à son oreille quelques mots que seul le jeune homme pouvait entendre. Par-dessus l'épaule d'Orthon, la Jeune Gracieuse pouvait néanmoins observer son regard, à nouveau perdu dans le vide le plus désespérant.

Le vibreur puis la sonnerie d'un téléphone résonnèrent, interrompant le Félon.

– Oui ? fit Orthon, portable à la main.

La satisfaction étira ses traits.

– Formidable ! clama-t-il. Accompagnez-les dans les chambres que j'ai fait préparer pour eux au cinquième étage…

Il glissa le téléphone dans la poche de son pantalon et claqua des mains.

– Il est temps pour moi d'aller voir nos invités, annonça-t-il en se dirigeant vers la porte.

La main sur la poignée, il se retourna.

– Tugdual, mon cher fils, je te laisse prendre soin de notre douce protégée…

Les derniers mots d'Orthon, ajoutés au regard sans lueur de Tugdual, agitèrent Oksa. Orthon parlait-il… d'elle ? Et si ce n'était pas le cas, de qui s'agissait-il ? Elle se raidit. Sa peau la démangeait, elle brûlait d'envie de se débarrasser de ses Invisibuls, de se ruer sur Orthon, de lui lancer un Crucimaphila, d'en finir.

Et de retrouver une vie normale. La vie d'avant.

– Oui, Père… lâcha Tugdual d'une voix désincarnée.

Mais rien ne serait plus comme avant.
Plus jamais.

L'obscurité enveloppa à nouveau le bureau, les verrous cliquetèrent, le bruit de pas des quatre Félons s'évanouit.

Le cœur de Gus et Oksa retrouva un rythme supportable.

– Ma Gracieuse, ce bureau n'abrite plus que vous, votre ami et votre serviteur, annonça le Culbu-Gueulard. Mais deux humains et d'autres êtres vivants existent désormais à cet étage…

– Qui ? chuchota Oksa.

Le Culbu n'eut pas le temps de répondre : la lumière jaillit sur un des murs presque entièrement recouvert d'un miroir sans tain. Depuis le bureau, on pouvait voir sans être vu tout ce qui se passait dans le laboratoire à côté.

Mais ne pas voir n'empêchait pas les Diaphans de sentir la présence d'Oksa et de Gus. Agglutinées contre la paroi aveugle, leurs six silhouettes se détachaient dans le contre-jour.

Le Curbita-peto d'Oksa se remit en action autour de son poignet alors qu'une évidente panique s'installait. Elle réintégra les Invisibuls dans sa Crache-Granoks alors que Gus sortait prudemment de son placard pour la rejoindre.

– C'est quoi, ces horreurs ? bredouilla-t-il, à court d'air.

– Les Diaphans d'Orthon… répondit Oksa, tout aussi oppressée.

– Oh… gémit Gus.

Les créatures ne mesuraient pas plus d'un mètre trente. Leur nudité ne cachait rien de l'abomination de leur nature : veines noires palpitant sous la peau blafarde, torse exagérément bombé par la cage thoracique surdéveloppée, genoux énormes et noueux, tête disproportionnée, minuscule bouche écarlate, nez fondu… Et surtout, les yeux, béants et avides, fixés sur ce qu'ils ne voyaient pas, mais qui les rendait néanmoins fous d'envie : deux jeunes gens gorgés de sentiments amoureux.

Heureusement pour Oksa et Gus, les Diaphans d'Orthon étaient muets. À peine poussaient-ils quelques vagissements dont l'écho animal s'avérait plus malsain que menaçant. Quand ils se mirent à lécher le verre de leur langue noire et goulue, Oksa secoua le bras de Gus, l'arrachant à sa fascination horrifiée.

– Il est temps qu'on s'en aille d'ici, tu ne crois pas ?

Le jeune homme se détacha à grand-peine de l'observation des six terribles êtres.

– Dans l'état où on est, je n'ose pas imaginer le bonheur qu'on leur procurerait s'ils mettaient la main sur nous... murmura-t-il.

– Et le nombre de fioles de goudron noir qu'ils pourraient tirer de nous... renchérit Oksa d'une voix blanche.

– Viens, partons.

Derrière le miroir sans tain, les créatures s'agitèrent. Un homme surgit du fond du laboratoire alors qu'une voix de femme l'interpellait.

– Il y a un problème, Pompiliu ?

L'homme s'approcha des Diaphans et balaya de son regard bleu perçant la cloison. Oksa et Gus s'immobilisèrent, la respiration en arrêt, mais le cœur tambourinant comme une énorme cloche dans leur poitrine.

– Non, pas de problème, finit-il par répondre. Les petits trésors ont dû sentir la présence du Master quand il était dans son bureau.

Oksa leva les yeux au ciel. Les petits trésors ?! Ces monstres ?

– Allez, mes mignons, ne restez pas là, poursuivit Pompiliu.

D'un geste plein d'une surprenante tendresse, il les invita à rejoindre les sortes de cuves en Plexiglas qui semblaient leur servir de lit.

– Il faut vous reposer, leur dit-il en déposant une caresse sur le front proéminent de chacun. Vous avez encore beaucoup de choses à accomplir… et moi beaucoup de travail en perspective ! ajouta-t-il en tapotant du plat de la main une bonbonne siglée d'une salamandre.

Oksa et Gus s'entreregardèrent, horrifiés. Castelac ne resterait donc pas un cas isolé ?

– On en a assez vu ! souffla Gus en se dirigeant vers la porte. Allons-y.

54

La douce protégée

Alors que le jeune homme s'acheminait vers les étages inférieurs, Oksa l'entraîna soudain du côté de l'escalier qui montait.

– Ne me dis pas que tu veux aller là-haut !

Blême et nerveux, il ne contenait plus son effroi.

– Oksa, on sait tout ce qu'il y a à savoir et on a beaucoup de chance de s'en tirer à si bon compte. Rester ne servirait qu'à se mettre bêtement en danger.

Oksa émit un petit claquement de langue contrarié.

– C'est la « douce protégée » de ton corbeau gothique qui te tracasse ? poursuivit-il.

Il détourna la tête, triste et déçu.

– Gus, plus on aura d'informations, mieux on pourra agir !

– Minables, tes arguments… Tout ce qui t'intéresse, c'est de voir par qui tu as été remplacée, aie l'honnêteté de le reconnaître !

Oksa le dévisagea, triste et déçue, elle aussi, à sa façon.

– Crois ce que tu veux, capitula-t-elle. Moi, j'y vais.

Gus la suivit. Avait-il vraiment le choix ?

– Mon Culbu ? Tu veux bien nous donner quelques renseignements ?

Le petit informateur s'envola, parcourut le couloir du cinquième étage et revint à tire-d'aile se poser sur la paume de la main d'Oksa.

– Cet étage comporte quinze chambres attribuées à Orthon, à ses deux fils et à dix de ses collaborateurs. Chaque pièce dispose d'une surface de dix-neuf mètres carrés et d'une salle de bains équipée d'une douche. La température s'élève à…

– Où est la chambre de Tugdual ? le coupa Oksa.

– Elle se trouve à douze mètres cinquante de l'endroit où nous sommes, soit environ vingt-cinq pas à partir d'ici, direction nord-nord-ouest, répondit le Culbu.

Devant la mine affligée d'Oksa, il reformula :

– Quatrième chambre sur la gauche, ma Gracieuse.

– Oksa… Ne fais pas ça…

La jeune fille planta son regard ardoise dans celui de Gus.

– Tu as confiance ou non ? murmura-t-elle.

Gus inspira à fond. Il caressa les cheveux d'Oksa et l'attira vers lui. Front contre front, bientôt lèvres contre lèvres, ils fermèrent tous les deux les yeux.

– Ça craint, ma vieille. Ça craint vraiment… fit le garçon après un dernier baiser.

La porte n'était pas fermée à clé. Les deux « visiteurs » se hâtèrent d'entrer et de refermer derrière eux.

Un large rai de lumière provenant des lampes de signalisation extérieure éclairait la chambre et le lit d'où provenait un souffle endormi.

Ce n'était pas Tugdual.

Car Tugdual était debout devant un des trois hublots par lequel il regardait l'océan tourmenté.

– Je savais que tu étais là, fit-il sans se retourner. Je savais que tu viendrais.

Sa voix, calme et grave, ébranla Oksa plus qu'elle ne pouvait le reconnaître.

– Gus… Tu veux bien nous laisser ? S'il te plaît… implora-t-elle.

– Pas question !

– Salut, Gus…

Gus ne répondit pas.

– Je crois qu'Oksa a raison, continua Tugdual.

– Et moi, je crois qu'il vaut mieux que je reste ici, répliqua Gus, sans aménité ni agressivité. Vous semblez oublier que je n'ai ni pouvoir ni vers d'invisibilité, alors il est exclu que je reste tranquillement dans le couloir. Vous n'avez qu'à faire comme si je n'étais pas là.

Pour preuve de sa détermination, il se campa devant la porte, bras croisés, et attendit.

– Tu as pris de gros risques, P'tite Gracieuse…

– Ne m'appelle pas « P'tite Gracieuse », l'interrompit Oksa. C'est fini, tout ça…

– Pourquoi tu es venue ?

– À ton avis ?

Tugdual se retourna enfin. Les mains posées sur le rebord de la fenêtre, coudes écartés, il regarda Oksa.

– Tu permets que je mette un peu de lumière ? lança la jeune fille.

Elle n'attendit pas la réponse et sollicita sa Trasibule. La chambre apparut, nimbée d'une clarté satinée. L'aménagement était luxueux, mais sans ostentation. Et nul doute : une longue chevelure brune émergeait du lit pour se répandre sur l'oreiller. Oksa brûlait d'envie d'évoquer la « douce protégée ». Pourtant, elle parvint à se retenir. Tout commentaire aurait été blessant pour Gus.

– Tu n'as vraiment pas perdu de temps… lâcha-t-elle, son regard revenant à Tugdual.

– Toi non plus, rétorqua-t-il, les yeux glissant vers Gus avant de revenir sur Oksa.

La Jeune Gracieuse fronça les sourcils. Qu'attendait-elle en venant ici ? Que pensait-elle trouver ? Qu'espérait-elle ? Curieusement, c'est Tugdual qui engagea la discussion.

– J'ai essayé de te le dire, Oksa… Ce n'est pas ce que tu crois.

– Qu'est-ce que je crois, Tugdual ?

Il baissa la tête, faisant saillir ses piercings à l'arcade sourcilière.

– Tu crois que je t'ai trahie. Tu crois que j'ai trahi tout le monde. Tu crois que je suis le pire être qui existe sur cette Terre et même au-delà. Tu crois…

– Non ! le stoppa Oksa. Tu te trompes !

Elle manquait d'air, ses jambes flageolaient, ses mains tremblaient. Son Curbita-peto ondulait maintenant de toutes ses forces, l'encourageant à se maîtriser.

– Tu te trompes à un point que tu n'imagines même pas… reprit-elle.

Elle voulut s'approcher, mais quelque chose l'en empêcha. Les pensées que Gus lui communiquait malgré lui, peut-être, ou bien l'instinct, tout simplement.

– Je sais qu'Orthon te manipule, dit-elle. Nous le savons tous. Tu n'es plus toi, il a pris possession de ton libre arbitre, il dicte tes décisions, il téléguide tes actes.

– Ça ne sert à rien, Oksa… murmura Gus derrière elle.

L'avertissement sembla glisser sur elle, sans trouver de prise. Elle regarda Tugdual avec une intensité malheureuse et précisa :

– Tu n'as plus de conscience. Elle appartient désormais à ton père. Tout en toi est sous son pouvoir, ton cœur, ton esprit, ton corps, ton présent et ton futur. Tout ce que tu possèdes encore, tout ce qu'il ne peut pas te prendre, c'est ton passé, ta mémoire…

– Je le sais, Oksa, l'interrompit le jeune homme, la mâchoire serrée, les dents grinçantes. Mais je n'y peux rien. Je t'assure que je ne peux pas faire autrement.

Cette dernière phrase était sortie avec une sorte de désolation brutale, les mots heurtés par la violence des faits. Contre toute attente, Oksa sortit sa Crache-Granoks et souffla. Tugdual la vit faire, mais ne résista pas.

Il écarquilla les yeux et glissa le long du mur, longue forme noire accablée et soumise.

55

Tenter le tout pour le tout

– Oksa… Qu'est-ce que… Qu'est-ce que tu as fait ? bredouilla Gus. Tu l'as… Pourquoi ?

Agenouillée auprès de Tugdual, Oksa se retourna.

– Mais non, Gus, je ne l'ai pas tué ! fit-elle d'un ton rassurant. Si je devais tuer quelqu'un, ce ne serait pas lui… Je lui ai seulement lancé une Granok de Gom-Souvenance.

– Attends… Gom-Souvenance ? Ta grand-mère s'en était servie sur des policiers de Scotland Yard, non ? Ceux qui enquêtaient à propos de la mort de Peter Carter et de Lucas Williams ! Elle les avait orientés sur une piste complètement hallucinante.

– Tout juste ! Et comme, maintenant, je suis une vraie Gracieuse, je peux l'utiliser en combinaison avec mon don de Fourre-Pensée !

– Et… tu comptes faire quoi exactement ?

Oksa inspira à fond, dépitée et pourtant pleine d'espoir. Elle baissa la tête, regarda Tugdual, puis Gus à nouveau.

– Tu vas mettre dans la tête de ton corbeau gothique des idées positives qui le ramèneront à la raison… répondit le garçon à sa propre question.

– Le résultat n'est pas garanti, mais ça vaut la peine d'essayer, non ? murmura Oksa d'une voix oppressée.

Devant le regard sceptique de Gus, elle détourna les yeux et se pencha sur Tugdual.

– Tugdual ? résonna soudain une voix tremblante.

La « douce protégée » était assise dans le lit, les mains sur la bouche, l'air horrifié.

– Qu'est-ce que vous faites ? Qui êtes-vous ?

Sa voix venait de monter d'un ton, elle n'allait pas tarder à crier à tue-tête. Gus bondit sur le lit, renversa la fille sur son oreiller et plaqua la main sur sa bouche. De l'autre main, l'index sur les lèvres, il lui fit signe de se taire. Mais la fille, paniquée, se débattit et tenta de le griffer au visage, jusqu'à ce qu'il bloque tant bien que mal ses bras et ses jambes.

– On n'est pas là pour faire du mal, dit-il. Ni à toi ni à lui.

Terrorisée, elle arrêta de s'agiter. D'autant plus quand elle vit l'étrange phénomène émanant d'Oksa.

Faisant abstraction de ce qui se passait autour d'elle, la Jeune Gracieuse misait à la fois sur son intuition et son sens de l'observation pour réussir ce nouveau prodige. Elle se concentra et des bandes de fumée bleue finirent par sortir de sa bouche pour se diriger vers Tugdual et pénétrer dans son oreille droite.

Mais cela suffisait-il ? Comment mêler à cette fumée impalpable les mots qu'elle voulait qu'il entende, loin, au fond de sa conscience ?

Que lui aurait dit Dragomira ? Que lui conseillerait Abakoum ? De canaliser son énergie ? De focaliser ses pensées vers le but qu'elle voulait atteindre ?

Tes pas te mènent là où ta volonté veut aller.

La recette était si simple. Et la réalisation si complexe…

La fumée bleue ne ressortait pas par l'autre oreille de Tugdual, comme lorsqu'elle avait vu sa grand-mère « transformer » quelques éléments de la mémoire des deux policiers. Cette pensée la ramena aux souvenirs.

La première discussion qu'elle avait eue avec Tugdual dans le cimetière derrière la demeure de Léomido.

Leurs rires devant la partie hilarante de baby-foot des créatures d'Abakoum.

L'union et la force lors de l'Entableautement.

Les retrouvailles à Vert-Manteau.

Les doux regards sur Till, le petit ange si tendre, si fier de son grand frère.

Naftali et Brune, sévères mais justes, aimants sans juger.

Le Foldingot et sa connaissance infaillible de la nature humaine.

« Le cœur du petit-fils des amis Knut est noir et enchevêtré, mais il fait la conservation de la pureté », avait-il toujours garanti.

Les mots.

La musique.

Let me show you the world in my eyes[1].

– Souviens-toi, Tugdual… murmura Oksa alors que les bandes de fumée bleutée s'échappaient d'elle. Souviens-toi de ce que tu m'as dit un jour… « Si l'on contrôle ce qui est susceptible de nous asservir, alors on est plus fort que tout. C'est ça, la vraie force ! Être capable de dominer ce qui peut nous dominer. » Tu es fort, Tugdual. Tu l'as toujours été et tu dois continuer à l'être.

Un mince filet de fumée émergea du pavillon de l'autre oreille de Tugdual. Le Fourre-Pensée fonctionnait. Il traversait la conscience du garçon, s'insinuait en elle, l'imprégnait de la voix et des propos d'Oksa.

Serait-il assez puissant pour ébranler l'emprise d'Orthon ?

Sous le regard dépité de Gus et celui, ébahi, de la « douce protégée », Oksa prit la tête de Tugdual entre ses mains et le fixa. Les yeux de Tugdual reflétaient un néant absolu, pire que s'il était mort. Elle se pencha à nouveau vers son oreille et une ultime volute s'y introduisit.

– N'oublie jamais qui tu peux être…

Puis elle reprit sa Crache-Granoks.

---

1. « Laisse-moi te montrer le monde à travers mes yeux. » (Depeche Mode/*World In My Eyes*.)

Par le pouvoir des Granoks
Déchire ta coque
Poussières de mémoire gommées
Souviens-toi des mots que je t'ai donnés.

Tugdual revint à lui quelques secondes plus tard. Son regard n'avait pas changé et, pourtant, Oksa savait qu'un espoir subsistait. Elle n'en aurait eu aucun si Tugdual n'avait pas remis la souris d'ordinateur en place, s'il avait signalé sa présence dans le bureau, s'il avait alerté son père…

– Allez-vous-en maintenant, dit-il sur un ton indéfinissable.

Il se leva et se dirigea vers la porte.

– Je vous accompagne, ce sera plus sûr.

Oksa jeta un coup d'œil à Gus.

– Elle va hurler dès que je vais la lâcher, fit-il en indiquant la fille qu'il bâillonnait toujours de la main.

Cette dernière roula des yeux et fit « non » de la tête. Avec encore plus de vigueur quand elle vit Oksa porter sa Crache-Granoks à sa bouche.

– Ne crains rien, Eleanor, la rassura Tugdual en surprenant tout le monde. Elle ne va pas te tuer.

Oksa murmura une formule et souffla. La fille s'affala, enfin calme.

– Vrac-Mémoire… fit-elle en réponse au regard interrogateur de Gus. Et ça, c'est pour toi ! ajouta-t-elle en lui lançant un Capaciteur de Grammeur. Allons-y maintenant.

Tugdual les regarda sans ciller.

– Bonne chance, P'tite Gracieuse, dit-il simplement.

Puis, se tournant vers Gus :

– Prends soin d'elle.

Gus hésita à répondre, partagé entre sa rancune tenace et une intense pitié. Ce fut la première qui l'emporta.

– Oui, et je ferai toujours mieux que tu n'as su le faire, assena-t-il.

Impassible, Tugdual tourna le dos et avança dans le couloir, les deux visiteurs derrière lui. L'espace d'une seconde, Oksa retint Gus, une question au bord des lèvres.

– Tu m'en veux ?

– Non, Oksa. Tant que je reste persuadé que tu ferais la même chose pour moi, je ne t'en voudrai pas. Allez, viens…

Des bruits à l'autre bout du corridor les stoppèrent net. Il était trop tard pour faire demi-tour. Oksa sollicita aussitôt ses Invisibuls alors que Tugdual poussait Gus contre le mur. Cinq personnes encadrées par autant de Félons habillés de noir et armés jusqu'aux dents s'avançaient vers eux. Seul l'un d'eux était sans arme.

Orthon.

– Tugdual, mon fils, laisse-moi te présenter nos nouveaux amis !

Jamais Gus n'avait autant voulu se convaincre que du sang Murmou coulait dans ses veines. Il essaya de se fondre dans le mur et se heurta à une résistance aussi passive que révoltante. Tugdual se positionna habilement devant lui. Restait à espérer qu'à la faveur de l'éclairage verdâtre, son déguisement fasse illusion.

Quant à Oksa, elle constatait avec désespoir ce que son ami n'avait pas encore eu le temps de voir.

– Nous ne sommes pas vos amis !

Elle connaissait cette voix. Gus aussi.

– Merlin Poicassé, vous avez toujours été si… emporté ! soupira Orthon. Déjà, lorsque vous étiez mon élève, vous ne manquiez jamais une occasion de vous manifester. Pas toujours à bon escient, si je peux me permettre de faire cette remarque à vos parents… ajouta-t-il en se tournant vers l'un des deux couples escortés.

Le regard de Merlin se porta sur Gus qui baissa les yeux et enfonça autant que possible son visage dans le col de son pull. Merlin se pencha pour mieux voir.

La catastrophe était imminente.

Alors, profitant de ce qu'Orthon continuait de pérorer sur son expérience professorale, Gus se risqua à relever les yeux. Il fixa Merlin et bougea très légèrement la tête de gauche à droite en rassemblant toute son énergie vers une pensée unique : « Non, Merlin, pour une fois dans ta vie, ne dis rien ! »

Il y eut quelques instants de silence qui mirent Oksa et Gus au supplice.

– Qu'est-ce que vous allez faire de nous ? cria-t-il à l'intention d'Orthon.

Oksa et Gus respirèrent à nouveau. Ouf ! Merlin avait saisi le sens de la supplication muette de son ami.

– Oh, monsieur Poicassé, disons que vous représentez pour moi une sorte de… protection, répondit Orthon avec un rire cassant. Tant qu'on ne me fait rien, je ne vous ferai rien.

Il regarda les deux couples transis d'effroi.

– Allons, allons, monsieur et madame Poicassé, monsieur et madame Monroe, comprenez-moi ! Vos liens avec les Pollock et, indirectement, avec ces satanés Sauve-Qui-Peut pourraient m'être bien utiles au cas où on aurait l'idée absurde de me mettre des bâtons dans les roues. Et maintenant, si vous voulez bien me suivre…

Obéissant, le petit groupe s'éloigna. Avant de s'engager dans l'escalier, Merlin se retourna.

Le couloir était vide.

Alors, le garçon ne put se retenir de sourire.

56

Assombrissement

Au début de l'interminable trajet de retour, le Culbugueulard fut quasiment le seul à pouvoir émettre quelques mots. Se limitant aux indications de direction, la créature tournait les yeux à trois cent soixante degrés pour observer tour à tour Oksa et Gus, et faire en sorte que le vol se passe de la meilleure façon possible.

Alors que les côtes galloises se détachaient dans le petit matin naissant, les deux aventuriers échangèrent enfin un regard.

– Ça va aller, ma vieille ? demanda Gus, sincèrement inquiet.

Si, suspendu aux minuscules pattes des Grenettes, Gus semblait avoir meilleure forme, Oksa, elle, paraissait anéantie. Et il savait que l'épuisement physique n'était pas seul en cause.

– Comment on va annoncer ça à Niall ?

Gus ne sut quoi répondre. Ainsi, c'était le premier tracas d'Oksa… Bien sûr, ce qu'ils venaient de vivre et d'apprendre – les projets d'Orthon, l'état de Tugdual, les réprimandes inévitables qu'il leur faudrait endurer à leur retour dans la maison d'Abakoum – devait la tourmenter au plus haut point. Mais elle n'en oubliait pas leur nouvel ami et sa souffrance lorsqu'il saurait. Gus tourna la tête et observa le profil d'Oksa, cheveux au vent, traits tirés. Ses défauts étaient peut-être nombreux et très énervants, mais il y avait tellement de bonté en elle.

Il sentit son admiration et son amour pour elle grandir encore sous l'effet de cette observation.

– Comment apprend-on à un ami que ses parents servent de bouclier humain à un mégalomane qui s'apprête à régner sur le monde ?

– Je ne sais pas, Oksa.

Ils s'enfoncèrent dans un banc de brume.

– Je pense qu'il faut être le plus honnête possible, finit par lâcher Gus. Ne rien cacher.

– C'est ce que je pense aussi... approuva Oksa.

Elle volticala jusqu'à lui et glissa la main dans la sienne. Elle semblait si triste.

– On a fait du bon boulot, non ?

– Du très bon boulot, ma vieille... Je t'assure.

Les yeux rivés vers le ciel, le Foldingot attendait dans le potager. Quand il s'agita et courut vers la maison, Oksa et Gus comprirent... que les ennuis n'allaient plus tarder. Ils amorcèrent leur descente, redoutant quelque peu ce qui allait immanquablement suivre.

– On fait demi-tour ? murmura Oksa en voyant son père précédant tout le monde surgir dans le jardin.

Gus lui sourit : elle ne pensait pas un mot de ce qu'elle venait de dire.

– Qu'est-ce qu'on va prendre...

– Oh, oui... soupira Gus.

Marie fut la première à se jeter sur sa fille pour la serrer dans ses bras.

– Oksa ! Tu m'as fait si peur ! pleurait-elle doucement. J'ai cru t'avoir perdue...

Gus ne tarda pas à être assailli, notamment par Abakoum, puis Kukka qui semblait plus qu'heureuse de lui manifester son affection. Le Foldingot et les créatures arrivèrent à leur tour.

– Ma Gracieuse et son bien-aimé connaissent la retrouvaille avec ceux qui ont fait le développement d'un colossal tracas ! s'égosillait l'intendant. Les cœurs rencontrent l'allègement !

Seul Pavel restait immobile, l'œil ombrageux. Quand tous s'écartèrent, Oksa lui fit face aussi bravement qu'elle le put. Il s'approcha, la prit par les épaules, la fixa avant de la secouer avec une vigueur qu'il s'efforçait de contenir. Puis, mâchoire serrée, il brandit l'index.

– Toi, Oksa Pollock ! martela-t-il d'une voix grave et vibrante. Gracieuse ou pas Gracieuse, ne t'avise plus jamais de me faire un coup pareil !

Puis il l'enveloppa dans ses bras et la maintint contre lui pendant un long moment. Oksa enfouit le visage dans son cou et inspira profondément.

– Tu piques, Papa...

– Ma fille adorée a failli me faire mourir d'angoisse cette nuit, mon pauvre vieux cœur de père maltraité a bien souffert... Alors oui, je le confesse, le passage par la salle de bains a été quelque peu oublié...

– Bon, je te pardonne ! lança Oksa. Mais veille à ce que ça ne se reproduise pas, d'accord ?

Pavel sourit, enfin. Les Sauve-Qui-Peut savaient toujours relever la tête. À leur façon...

– Eh bien, je suppose que vous n'êtes pas allés faire une petite promenade en amoureux, enchaîna-t-il. On peut savoir où vous étiez ou bien est-ce trop demander ?

Ainsi qu'ils l'avaient convenu, Oksa et Gus ne voulurent rien dévoiler des coordonnées géographiques de la Salamandre. Tout le reste, par contre, fut raconté. Les Sauve-Qui-Peut comme les Refoulés encaissèrent durement ces nouvelles révélations.

– C'est encore pire que ce que nous avions imaginé... commenta Pavel. Tu avais tout à fait raison, Barbara : comme il n'a jamais pu obtenir la reconnaissance d'Ocious,

Orthon recherche à n'importe quel prix celle des puissants.

– Et quand il l'aura obtenue, il les fera ramper à ses pieds et soumettra l'humanité tout entière à sa conception d'un monde parfait, ajouta Barbara.

Seul, accoudé au comptoir qui séparait la cuisine du salon, Abakoum ne disait rien. Oksa avait constaté avec consternation combien il était affecté par le rapport sur Tugdual. Son affection pour le petit-fils de Brune et Naftali, ses si chers amis, avait longtemps été une source d'incompréhension de la part de certains Sauve-Qui-Peut. Et pourtant, l'Homme-Fé n'avait jamais failli : Tugdual restait son protégé, quoi qu'il arrive.

Alors que tout le monde discutait vivement, Oksa s'approcha du vieil homme qui, songeur, caressait sa barbe. Il la dévisagea d'un air perdu.

– Comme tu as grandi, ma chère petite...

Oksa frémit. Elle avait grandi, oui. Et lui avait terriblement vieilli. Dans ce tête-à-tête, elle le voyait d'un œil nouveau et ne pouvait plus ignorer son dos voûté, ni les rides sillonnant ses traits, marquant de petits éventails le coin des yeux. Cette constatation la rendait tellement triste.

Elle arrêta de l'observer et tous deux contemplèrent l'assemblée de ceux qu'ils aimaient.

– Tu as bien fait d'utiliser ton Fourre-Pensée, fit-il soudain, le regard plus perçant. C'était la meilleure chose à faire.

Tugdual était véritablement une préoccupation pour le vieil homme.

– Je suis sûre qu'on peut le tirer de l'emprise d'Orthon !

– Je ne sais pas, Oksa. Je ne sais pas.

– En tout cas, je ne renoncerai pas tant qu'il y aura encore de l'espoir.

– Ça a toujours été notre devise, à ta grand-mère et à moi.

Ils suivirent du regard Niall et Zoé qui s'isolaient, à l'écart du groupe. Le garçon avait fait preuve d'un grand courage en apprenant l'enlèvement et la séquestration de ses parents par Orthon. Maintenant, seul avec Zoé, il s'autorisait à craquer. Assis par terre, le visage dans les mains, il laissait libre cours à sa peine. À ses côtés, Zoé semblait désemparée.

– Il faut que tu l'aides, murmura Abakoum.

– Qu'est-ce que tu dis ? s'étonna Oksa.

– Il faut que tu aides Zoé. Elle a besoin de toi, tu sais.

– Je l'aime beaucoup, elle est plus que ma petite-cousine, elle est ma meilleure amie. Elle comprend tellement de choses…

– Oui, mais il y a aussi certaines choses qu'elle ne pourra jamais connaître. Et c'est pour cela que je te demande de l'aider.

Oksa resta silencieuse, préoccupée.

– Il faut que tu lui montres comment on est quand on aime, Oksa, finit par dire Abakoum. Il faut que tu lui expliques.

Oksa écarquilla les yeux et regarda Abakoum. Mais le regard de l'Homme-Fé restait fixé sur les deux jeunes gens.

– Elle n'a pas d'instinct amoureux, rien ne pourra jamais venir d'elle spontanément, tu comprends ? Et pourtant, être aimée peut lui apporter un réconfort inestimable. Mais quel garçon supporterait de l'aimer sans le moindre retour ?

Oksa en avait le souffle coupé.

– Ce serait cruel de la priver de l'amour de Niall. Aide-la à aimer ce garçon, Oksa. Montre-lui. Guide-la. Personne n'a jamais offert cette chance à Réminiscens…

Sa voix se brisa net.

– Je le ferai, Abakoum. Je te le promets.

Ils furent interrompus par Andrew qui venait d'augmenter le volume de la télévision.

– Il vient de se passer quelque chose de terrible ! s'exclama-t-il, catastrophé.

Sur l'écran défilaient les images précipitées d'une actualité brûlante.

« Le drame est survenu il y a à peine une heure : le Président des États-Unis a été victime d'un attentat et c'est en ce moment même la confusion la plus totale à Washington... On ignore encore si le Président a survécu... Vous voyez derrière moi les cordons de police et les troupes de l'armée... Le sort semble s'acharner sur la famille présidentielle après, nous venons de l'apprendre, la disparition de la fille aînée du Président, Eleanor... Mais Fergus Ant, le Vice-Président, est sur le point de faire une conférence de presse, nous allons peut-être avoir des précisions... Le Président a-t-il survécu à cet attentat ?... Dans quelles circonstances le drame a-t-il eu lieu ?... Tout de suite, la déclaration du Vice-Président... »

Un homme entre deux âges, pâle et sévère, apparut. Il ajusta le micro installé sur le pupitre devant lui, se racla la gorge et porta un regard plein de gravité sur l'assemblée.

« Mesdames, messieurs, j'ai le regret de vous annoncer une épouvantable tragédie : le Président des États-Unis vient de succomber à ses blessures suite à un attentat commis au sein même de la Maison-Blanche... »

– C'est pas vrai... gémit Oksa.

Elle bondit jusqu'à la télévision et scruta le groupe d'hommes légèrement en retrait du Vice-Président. Mais parmi tous ces dignitaires gouvernementaux aux costumes sombres et aux mines graves, nulle trace de celui qu'elle cherchait.

« Aucune revendication n'a été faite au moment où je vous parle, mais nos enquêteurs sont déjà à pied d'œuvre.

Le ou les responsables de cet acte lâche et odieux seront poursuivis sans relâche… »

Abakoum poussa un cri qui renfermait toute la puissance désespérée d'un ours blessé.

Dans cette ambiance tragique, Pavel coupa le son, dégoûté. Avec les informations qu'Oksa et Gus avaient récoltées sur la plate-forme, ils en savaient tous bien assez pour comprendre.

57

La fin du début

Fergus Ant poussa la porte et pénétra dans le Bureau ovale de la Maison-Blanche. La pièce n'était éclairée que par les gyrophares des véhicules de police et de l'armée qui projetaient des éclairs bleutés sur les murs. Pourtant, il n'ignorait rien de la présence de l'homme assis dans le fauteuil présidentiel et dont il distinguait la silhouette en contre-jour.

– Alors, mon cher, vous voilà investi Président des États-Unis ?

– Oui, c'est fait, répondit Fergus Ant.

L'homme fit pivoter le fauteuil pour lui faire face et, d'un geste de la main, il l'invita à s'asseoir devant lui, comme il le ferait à l'égard d'un invité.

– Ah, le pouvoir... soupira-t-il en tapotant le sous-main en cuir.

Le Vice-Président devenu Président sourit et s'installa plus confortablement sur son siège.

– Mais n'oubliez pas que, dans le cas présent, c'est d'une autre forme de pouvoir qu'il s'agit, le mit en garde l'homme. Le pouvoir le plus légitime qui soit et que négligent pourtant toutes les Constitutions et autres accessoires démocratiques dont vous aimez vous encombrer.

Le nouveau Président se rembrunit. Quand une flamme jaillit du bout des doigts de l'homme, il put remarquer ses yeux, gris comme l'aluminium et cependant brillants d'une ardeur redoutable.

– Je parle, bien entendu, du pouvoir naturel, celui qui est profondément ancré dans chacun des gènes, dans chacune des cellules de quelques rares hommes.

– Master…

Orthon se leva et vint poser la main sur l'épaule de Fergus Ant.

– Et ce pouvoir, vous l'avez bien compris, mon cher Président, ce n'est pas vous qui le détenez, c'est moi.

Le souhait du remerciement

Le duo romancier fait l'expression d'attribuer la gratitude à de multiples destinataires, dont :

Les résidents du 47e étage de la Colonne Montparnasse établis dans les bureaux des Éditions XO et dont le labeur rencontre la réception de notre loyauté.

Les Pollockmaniaks issus de toutes parts, quels que soient leur latitude, longitude, température, altitude, âge, groupe sanguin, quotient intellectuel, poids, taille, masse osseuse, nombre de globules blancs et rouges, taux de glucose et de cholestérol…

Toutes celles et tous ceux qui font le don de la coopération et de l'exaltation pour que les livres connaissent l'existence et l'épanouissement tout autour du monde.

Les métamorphoseurs en images et en son, Laura Csajagi, Nauriel, Eric Corbeyran, René Manzor, Loïc Rathscheck, Scarlet Soho. Tous possèdent le cœur farci de convictions et l'esprit truffé de talent.

Celles et ceux, Madames et Monsieurs, qui procèdent à l'illumination du quotidien par des parenthèses comblées de mots, de rires, de confidences et de complicité, et en l'absence desquels le cœur et le cerveau feraient la rencontre d'une ennuyeuse vacuité.

Les escortes gourmandes et musicales

La Foldingote Anne connaît la nécessité impérieuse et permanente de pratiquer l'écriture avec la compagnie goulue du chocolat (citron vert-muesli, lavande, poivre du Sichuan, orange amère) et avec la coexistence fidèle de la musique.

Ces titres ont fourni l'escorte du *Règne des félons* :

The Soulsavers/Dave Gahan – *The Light the Dead See*
The Invisible – *Rispah*
Dead Can Dance – *Anastasis*
Bonobo – *Black Sands – Days to Come*
Alt-J – *An Awesome Wave*
The XX – *XX – Coexist*
Deepchord – *Sommer*
Poliça – *Give You the Ghost*

La liste positionnée ci-dessous a également connu le passage qualifié « en boucle » :

Wax Taylor – *Que sera*
The Hundred In The Hands – *Red Night*
Tristesse Contemporaine – *Daytime Nighttime*
Tosca – *Chocolate Elvis*
Sporto Kantes – *The Prince Is Dead*
M83 – *Midnight City*
Duke Dumont – *Street Walker*
Depeche Mode – *World in My Eyes (Cicada Remix) – Ghost (le Weekend Remix)*
Frank Sinatra – *Wave – Mack the Knife – The Lady is a Tramp – Night & Day*

À paraître l'année prochaine

Oksa Pollock
tome 6

ainsi que le premier tome de la nouvelle série

Susan Hopper

Composé par Nord Compo Multimédia
7, rue de Fives, 59650 Villeneuve-d'Ascq

Cet ouvrage a été imprimé en France par

à Saint-Amand-Montrond (Cher)
en novembre 2012

N° d'édition : 2322/02 – N° d'impression : 124056/4
Dépôt légal : novembre 2012